Cosmopolite 5

Méthode de français **C1-C2**

Émilie Mathieu-Benoit

Anaïs Dorey-Mater

Nelly Briet-Peslin

Cahier d'activités
Perfectionnement

FRANÇAIS LANGUE ÉTRANGÈRE

Crédits photographiques et droits de reproduction

Photos de couverture :
Festival Mysteryland, Haarlemmermeer, Pays-Bas, © Getty Images ; Peintres au Cap, Afrique du Sud, © Getty Images.

Photos et visuels intérieurs :
p. 6 : affiche Mairie de Talence, *L'habitat participatif*, DR ; **p. 13 :** infographie *L'agriculture biologique en France*, ministère de l'Agriculture et de l'Alimentation ; **p. 34 :** recto du tract de l'Ugict-cgt, la cgt des cadres et des professions intermédiaires ; **p. 37 :** haut, Arch. dép. Puy-de-Dôme, 8 BIB 1487 ; **p. 83 :** page d'ouverture du *Guide ecofrugal* ; **p. 88 :** © VIGUIER architecture urbanisme paysage / Eiffage ; **p. 136 :** donnees.statistiques.developpement-durable.gouv.fr ; **p. 137 :** haut, © Miss Lilou ; bas, © Ucciani.
Autres : © Shutterstock.

Documents écrits :
p. 100 : © le point.fr, 20 août 2013 ; **p. 102 :** © atabula.com, 12 octobre 2018 ; **p. 104 :** © *Le Journal du dimanche*, 20 juillet 2019 ; **p. 106 :** © *Lorsque j'étais une œuvre d'art*, Éric-Emmanuel Schmitt, Éditions Albin Michel, 2002 ; **p. 108 :** © *Ouest-France*, 2 novembre 2016 ; **p. 110 :** © *Bonjour paresse*, Corinne Maier, Éditions Michalon, 2004 ; **p. 112 :** © liberation.fr, 24 décembre 2019 ; **p. 114 :** © liberation.fr, 12 juin 2018 ; **p. 116 :** © Laurent Alexandre/L'express/08-08-2018 ; **p. 118 :** © lemonde.fr, 19 mai 2014 ; **p. 120 :** © *Musée haut, musée bas*, Jean-Michel Ribes, Actes Sud, 2006 ; **p. 122 :** © *L'humanité en péril*, Fred Vargas, Flammarion, 2019 ; **p. 126 :** © lemonde.fr, 16 octobre 2019 ; **p. 128-129 :** © liberation.fr, 29 décembre 2019 ; **p. 129 :** © lemonde.fr, 1er juillet 2018 ; **p. 130-131 :** © lemonde.fr, 26 novembre 2019 ; **p. 131 :** © marianne.net, 3 décembre 2019 ; **p. 133 :** © lemonde.fr, 26 novembre 2019 ; **p. 134 :** © liberation.fr, 3 octobre 2018 ; **p. 135 :** © lemonde.fr, 27 juin 2019.

Documents audio :
p. 124 : © « Urbanisme : la taille idéale d'une ville », *France Inter*, la Terre au carré, 10 mars 2020 ; **p. 125 :** © « Donner plutôt que vendre ou jeter, en quelques clics », *France Inter*, Social Lab, 10 novembre 2019 ; © « Infobésité : comment s'informer », *France Culture*, 16 mars 2018 ; **p. 132 :** © « 7 milliards de voisins : L'école hors les murs et dans la nature à la découverte du monde », *Radio France internationale*, 28 novembre 2019.

Nous avons fait tout notre possible pour obtenir les autorisations de reproduction des documents publiés dans cet ouvrage. Dans le cas où des omissions ou des erreurs se seraient glissées dans nos références, nous y remédierons dans les éditions à venir.

Couverture : Nicolas Piroux
Conception graphique : Anne-Danielle Naname
Adaptation et mise en page : Barbara Caudrelier
Suivi éditorial : Françoise Malvezin / Le Souffleur de mots
Illustrations : Gabriel Rebufello
Enregistrements audio, montage et mixage : Studio Quali'sons, David Hassici
Maîtrise d'œuvre : Françoise Malvezin / Le Souffleur de mots

ISBN : 978-2-01-513583-0

© HACHETTE LIVRE, 2020
58, rue Jean Bleuzen, 92178 Vanves
http://www.hachettefle.fr

Le code de la propriété intellectuelle n'autorisant, aux termes des articles L. 122-4 et L. 122-5, d'une part, que « les copies ou reproductions strictement réservées à l'usage privé du copiste et non destinées à une utilisation collective » et, d'autre part, que « les analyses et les courtes citations » dans un but d'exemple et d'illustration, « toute représentation ou reproduction intégrale ou partielle, faite sans le consentement de l'auteur ou de ses ayants-droits ou ayant cause, est illicite ». Cette représentation ou reproduction, par quelque procédé que ce soit, sans autorisation de l'éditeur ou du Centre français de l'exploitation du droit de copie (20, rue des Grands-Augustins, 75006 Paris), constituerait donc une contrefaçon sanctionnée par les articles 425 et suivants du Code pénal.

DOSSIER 1
Désir de ville(s) .... p. 4
Nous enrichissons notre vocabulaire .... p. 4
Nous perfectionnons notre grammaire .... p. 7
Nous améliorons notre style .... p. 10

DOSSIER 2
Alimentation, « Un plaisir à ras de terre » ? p. 11
Nous enrichissons notre vocabulaire .... p. 11
Nous perfectionnons notre grammaire .... p. 14
Nous améliorons notre style .... p. 17

DOSSIER 3
Prenons soin de nous .... p. 18
Nous enrichissons notre vocabulaire .... p. 18
Nous perfectionnons notre grammaire .... p. 21
Nous améliorons notre style .... p. 24

DOSSIER 4
À corps et à cri .... p. 25
Nous enrichissons notre vocabulaire .... p. 25
Nous perfectionnons notre grammaire .... p. 28
Nous améliorons notre style .... p. 31

DOSSIER 5
Dans quel monde vit-on ? .... p. 32
Nous enrichissons notre vocabulaire .... p. 32
Nous perfectionnons notre grammaire .... p. 35
Nous améliorons notre style .... p. 38

DOSSIER 6
TAF (Travail à faire) .... p. 39
Nous enrichissons notre vocabulaire .... p. 39
Nous perfectionnons notre grammaire .... p. 42
Nous améliorons notre style .... p. 45

DOSSIER 7
Vague à l'âme .... p. 46
Nous enrichissons notre vocabulaire .... p. 46
Nous perfectionnons notre grammaire .... p. 49
Nous améliorons notre style .... p. 52

DOSSIER 8
D'innombrables langues françaises .... p. 53
Nous enrichissons notre vocabulaire .... p. 53
Nous perfectionnons notre grammaire .... p. 56
Nous améliorons notre style .... p. 59

DOSSIER 9
Ère numérique .... p. 60
Nous enrichissons notre vocabulaire .... p. 60
Nous perfectionnons notre grammaire .... p. 63
Nous améliorons notre style .... p. 66

DOSSIER 10
Histoire vs mémoire .... p. 67
Nous enrichissons notre vocabulaire .... p. 67
Nous perfectionnons notre grammaire .... p. 70
Nous améliorons notre style .... p. 73

DOSSIER 11
Interculturel .... p. 74
Nous enrichissons notre vocabulaire .... p. 74
Nous perfectionnons notre grammaire .... p. 77
Nous améliorons notre style .... p. 80

DOSSIER 12
(R)évolutions écologiques .... p. 81
Nous enrichissons notre vocabulaire .... p. 81
Nous perfectionnons notre grammaire .... p. 84
Nous améliorons notre style .... p. 87

STRATÉGIES
Production guidée : l'article informatif .... p. 88
Production guidée : l'essai argumentatif .... p. 89
Le billet d'humeur : réagir à une tendance .... p. 90
L'exposé oral : présenter une œuvre d'art .... p. 91
Production guidée : le manifeste .... p. 92
Production guidée : la lettre de motivation .... p. 93
Argumenter à l'oral .... p. 94
Résumer un document oral .... p. 95
Expliquer un document scientifique à un public non spécialiste .... p. 96
Production guidée : la dissertation .... p. 97
Production guidée : l'article explicatif .... p. 98
Production guidée : bâtir un discours .... p. 99

TEXTES ET EXPLOITATION
Haussmann, l'homme qui bâtit Paris .... p. 100
J'ai goûté la pizza à 40 euros .... p. 102
Tribune : 45 députés s'opposent au déremboursement de l'homéopathie .... p. 104
Extrait de : *Lorsque j'étais une œuvre d'art*, d'Éric-Emmanuel Schmitt .... p. 106
Économie au féminin. « Une femme sur un chantier, ça étonne encore » .... p. 108
Réussir, disent-ils .... p. 110
En prison, des chiens pour soulager les peines .... p. 112
Jean-Pierre Goudaillier : « Le dominé crée un langage qui n'est pas compris par ses dominants » ... p. 114
Demain sera vertigineux .... p. 116
« Soldat inconnu » est un jeu vidéo sur la Grande Guerre, mais ce n'est pas un jeu de guerre ... p. 118
Extrait de : *Musée haut, musée bas*, de Jean-Michel Ribes .... p. 120
Extrait de : *L'humanité en péril*, de Fred Vargas .... p. 122

ÉPREUVES D'ENTRAÎNEMENT DALF C1 ET C2 .... p. 124

INDEX GRAMMATICAL .... p. 139

INDEX THÉMATIQUE .... p. 140

DOSSIER 1 Désir de ville(s)

Nous enrichissons notre vocabulaire

La ville : un lieu de vie
> Leçons **1** et **4**

1. Remplacez les mots et les expressions en gras par un synonyme de la liste pour apporter des précisions ou éviter la répétition. Faites les accords nécessaires.

citadin • propriétaire • banlieusard • rural • mégalopole • agglomération • locataire • métropole • résident

1. La coopérative d'habitants compte cinquante **habitants**. La moitié sont des **habitants qui ont acheté**, l'autre moitié sont des **habitants qui n'ont pas accédé à la propriété**.
   ....
   ....

2. Les **habitants des villes** aspirent à un retour de la nature dans l'espace de la ville sans pour autant manifester l'envie de s'installer en zone **de campagne**.
   ....
   ....

3. En 1975, on comptait seulement trois **villes avec leur banlieue** de plus de dix millions d'habitants. On en recense plus de trente aujourd'hui.
   ....
   ....

4. La majorité des **villes de plus de dix millions d'habitants** sont situées dans des pays en voie de développement.
   ....
   ....

5. D'ici à 2030, l'Afrique et l'Asie abriteront la majorité des **grandes villes** de la planète.
   ....
   ....

6. Le *Livre noir des transports en commun* parle des 950 000 **personnes qui habitent dans les communes autour de Paris** et qui, chaque jour, viennent travailler à Paris.
   ....
   ....

2. a. Entourez le mot correct.
1. Je suis en **localisation** / **location** pour l'instant mais j'aimerais beaucoup devenir propriétaire.
2. Il paraît évident que le milieu urbain a une **influence** / **affluence** sur le climat.
3. Louis et Armand **ont emménagé** / **ont aménagé** dans ce duplex l'année dernière.
4. Le maire se bat pour l'amélioration de **l'habitation** / **l'habitat** dans sa ville.
5. Une tablette graphique, des outils de dessin et une règle à échelle : voici **le matériel** / **le matériau** de base de l'architecte.

b. Utilisez les cinq mots non sélectionnés (**2a**) pour présenter votre lieu de vie.
....
....
....
....
....

D1 – Désir de ville(s)

3. a. Associez les mots aux définitions :

métropolitain • cosmopolite • une cité • un(e) villageois(e) • citadin • un(e) urbaniste • une villa • l'urbanisation

1. Dans l'Antiquité, communauté politique dont les membres (les citoyens) s'administraient eux-mêmes. Aujourd'hui, agglomération formant un ensemble homogène. → ....
2. Maison individuelle située en banlieue, en général plus luxueuse qu'un pavillon. → ....
3. Qui appartient à la métropole. → ....
4. Technicien(ne) chargé(e) de l'aménagement des villes et de la planification territoriale. → ....
5. Habitant(e) d'un village. → ....
6. Concentration de la population dans les villes. → ....
7. Qui subit les influences de plusieurs pays. → ....
8. Qui appartient à la ville. → ....

b. Complétez le tableau des mots liés à la ville selon leur origine.

Origine latine			Origine grecque
urbs : la ville	**civis : le citoyen**	**villa : la résidence**	**polis : la cité**
urbain(e),	le civisme,	la ville,	la police,
....	....	....	....
....	....	....	....
....	....	....	....

c. Ajoutez d'autres mots que vous connaissez.

La mobilité en ville   > Leçon 3

4. Complétez l'article avec les mots de la liste. Faites les accords nécessaires.

zigzaguer • automobile • mobilité innovante • concentration • berceau • réseau • desservi • transport en commun • véhicule particulier • se déplacer • hybride • façonné • banlieue • infrastructure

Los Angeles, ... (1) de la nouvelle révolution des transports

Une ville .... (2) *par et pour la voiture peut-elle se réinventer en misant sur la* .... (3) ? C'est le pari que tente en ce moment Los Angeles.

Sa croissance et son développement ont été alimentés par la possession de .... (4). La forme de cette vaste mégalopole, avec ses .... (5) d'autoroutes et ses étalements urbains sans fin, est un témoignage du triomphe de la .... (6) comme caractéristique distinctive de presque toutes les villes modernes. Lancés au cours du vingtième siècle, les centres commerciaux et les autoroutes – tous .... (7) par la voiture – ont eu pour conséquence un nombre d'......................... (8) supérieur à celui des habitants. Tout ceci va changer avec l'augmentation de la TVA locale qui permettra de récolter plus de 100 milliards de dollars dans le but d'adapter les .... (9) liées aux .... (10).

Aujourd'hui, c'est une ville où les vélos, les scooters et les skateboards électriques .... (11) dans les rues, et où l'on retrouve la plus haute .... (12) de voitures électriques et .... (13) au monde. Cette révolution transforme la façon dont les gens .... (14).

Le logement alternatif

> Leçon **2**

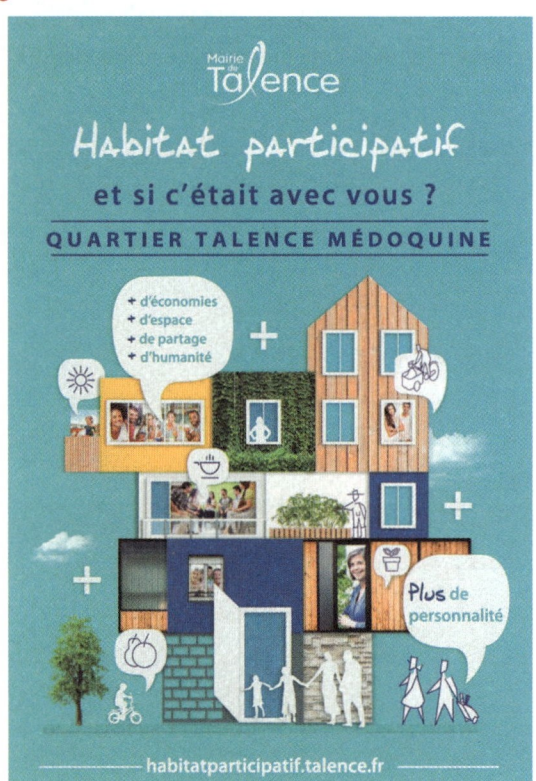

5. Observez l'affiche de la mairie de Talence. Présentez les caractéristiques du projet et indiquez ses atouts principaux.

Caractéristiques principales : ....
....
....
....

Principaux atouts : ....
....
....
....
....
....
....
....
....
....
....

Lexique thématique du dossier 1

6. Lisez les rubriques du lexique. Complétez-les avec des mots et des expressions que vous connaissez.

La ville et ses habitants

une commune, une agglomération
une métropole, une mégalopole
un arrondissement
un citadin, un banlieusard
un quartier périphérique
un immeuble, un bâtiment, une tour, un gratte-ciel
une infrastructure (un stade, une médiathèque…)
la mixité sociale
la gentrification
un quartier populaire, dense, peuplé
une densité, une concentration

Le logement

un propriétaire, un copropriétaire, un locataire
un occupant, un résident
un bidonville, un taudis
un quartier sale, insalubre
un habitat citoyen / autogéré / participatif
une coopérative d'habitation
une collectivité d'habitants
un logement évolutif
un espace partagé
mutualiser les espaces

L'écologie urbaine

un espace vert
un toit / une terrasse végétalisé(e)
un espace cultivable
un immeuble autosuffisant en énergie
la récupération des eaux de pluie
un matériau durable

Les transports

la mobilité
la multimodalité
un mode de déplacement
un réseau de transports en commun
un VTC, une voiture avec chauffeur
une voiture personnelle / en libre-service
l'autopartage, le covoiturage
un usager, un abonné
se déplacer
stationner, le stationnement

Nous perfectionnons notre grammaire

D1 – Désir de ville(s)

L'accord du participe passé

7. Lisez le texte.

> Petra et Hans se sont finalement connus au 6ᵉ étage d'un habitat partagé. C'est une sacrée série de hasards qu'il aura fallu à ces deux idéalistes pour se rencontrer ! L'association que Hans avait rejointe proposait des formations « vie collaborative » qu'il avait vécues comme des étapes de développement de citoyen. La femme de sa vie, qu'il n'avait jamais imaginé rencontrer là, était un rêve lointain. Un jour, Petra s'est
> 5 inscrite à une formation ; il l'a remarquée mais ils ne se sont pas parlé. Les échanges de regard se sont succédé mais voilà : ils étaient timides. Au cours des semaines qui ont suivi, des opportunités de revoir Hans, on peut dire que Petra n'en a pas raté une seule ! Elle s'est souvenue de tous ceux à qui il avait parlé et s'est efforcée de les retrouver, elle s'est rendue à tous les événements semblables... Finalement, deux mois plus tard, la porte de la salle de réunion du 6ᵉ étage de l'habitat partagé de la 21ᵉ rue s'est ouverte sur
> 10 Hans... Les deux mois d'attente qu'elle avait vécu s'achevaient enfin.

a. Observez les formes verbales en vert et répondez aux questions.

1. Pourquoi les participes passés suivants s'accordent-ils : *rejointe* (l. 2), *vécues* (l. 3), *remarquée* (l. 5) ?
   Soulignez les groupes de mots qui impliquent leur accord et donnez leur fonction. ....
   ....
2. Pourquoi les participes passés *suivi* (l. 6) et *parlé* (l. 7) ne s'accordent-ils pas ? ....
3. De quel verbe le groupe *la femme de sa vie* (l. 4) est-il le complément d'objet direct (COD) ? ....
4. Quel est le sujet du verbe *aura fallu* (l. 2) ? Que représente-t-il ? ....
5. Quel est le COD du verbe *a raté* (l. 7) ? ....
6. Le groupe *les deux mois d'attente* (l. 10) est-il un complément d'objet, de temps ou de lieu ? ....

> **! Souvenez-vous**
>
> Avec l'auxiliaire *avoir*, le participe passé **ne s'accorde jamais avec le sujet**. Il s'accorde avec le complément d'objet direct (COD) quand celui-ci est placé **avant le verbe**.
> **Exceptions :**
> • Le COD *en* ne provoque jamais d'accord.
> • Le participe passé des verbes impersonnels est invariable.
> **Attention !** Certains verbes ont plusieurs sens (*vivre, coûter, peser*...). Ils acceptent parfois un COD, parfois un complément de temps, de manière, etc.

b. Observez les formes verbales en bleu et répondez aux questions.

1. Quel est le point commun de tous ces verbes ? ....
2. Quel verbe désigne une action que l'on pourrait compléter par la locution *lui-même* ou *elle-même* ? ....
   Soulignez le mot qui exprime *lui-même* ou *elle-même* et indiquez sa fonction. ....
3. Quel verbe désigne une action que l'on pourrait compléter par la locution *l'un(e), l'autre* ? ....
   Soulignez son COD.
   Relevez les deux verbes qui désignent une action que l'on pourrait compléter par la locution *l'un à l'autre*. Ces deux verbes ont-ils un COD ? ....
4. Le sujet du verbe *s'est ouverte* fait-il l'action d'ouvrir ? ....
5. Quels sont les deux verbes en bleu qui n'existent que sous la forme pronominale ? ....
6. Reformulez *elle s'est rendue* avec un verbe synonyme. *Se rendre* est-il ici proche du sens de *rendre* ?

Attention ! *Se* représente souvent un COD mais parfois un COI. Dans ce dernier cas, il n'y a pas d'accord.
Ex. : *se parler, se succéder, se plaire*.

8. Accordez les participes passés quand c'est nécessaire. Soulignez le mot ou le groupe de mots qui provoque l'accord.

1. Dans la chasse au trésor qu'avait organisé..... la municipalité, ils s'étaient aidé..... et attendu..... à chaque étape, et lorsque la deuxième place leur a été conjointement attribué....., ils se sont félicité..... de leur stratégie.

2. Élus et habitants se sont parlé..... et l'unanimité s'est finalement créé..... autour du projet de création d'une station multimodale. Les représentants des abonnés au TER se sont fait..... expliquer les trajets à venir après le déplacement de la gare.

3. Combien d'années a-t-il fallu..... attendre avant que le logement social devienne la priorité ? Des associations s'étaient donné..... comme objectif d'aider les pauvres mais c'est l'Abbé Pierre et ses compagnons qui se sont penché..... les premiers sur le cas des sans-abri.

4. Longtemps, les HLM des périphéries urbaines se sont ressemblé..... : de grands bâtiments fades. Des modifications se sont ensuite vu..... avec des logements sociaux intégrés à la ville, puis les autorités se sont aperçu..... que la mixité des bâtiments devait prévaloir.

5. Quelle part de réalisme y a-t-il eu..... dans la conception des villes idéales de la Renaissance ? Selon les intellectuels d'alors, les modèles que les philosophes antiques avaient voulu..... créer étaient favorables à l'économie, c'est l'intuition qu'ils en avaient eu......

6. Pour le pavillon français de l'Exposition universelle de Milan, les architectes se sont dit.... que les préconisations *made in France* dont les pouvoirs publics s'étaient récemment emparé.... seraient porteurs. Ils se sont donc procuré.... du bois issu de plantations du Jura.

Les types et les formes de phrase

9. a. 🎧 N2 Écoutez et cochez le type de phrase entendu.

Type de phrase	Ex.	1	2	3	4	5
Déclarative	✔					
Injonctive						
Interrogative						

D**1** – Désir de ville(s)

b. 🎧H2 **Réécoutez et soulignez la / les forme(s) correcte(s) pour chaque phrase.**
Exemple : Avant les travaux, il n'y avait absolument aucune vue sur la vieille ville ?
Affirmative – <u>négative</u> – personnelle – <u>impersonnelle</u> – exclamative – <u>emphatique</u>

1. Affirmative – négative – active – passive – personnelle – impersonnelle
2. Active – passive – personnelle – impersonnelle – exclamative – emphatique
3. Active – passive – personnelle – impersonnelle – exclamative – emphatique
4. Affirmative – négative – active – passive – personnelle – impersonnelle
5. Affirmative – négative – active – passive – personnelle – impersonnelle

10. Réécrivez les phrases selon le type et la forme indiqués en conservant le sens.
Exemple : Les nouvelles constructions passives sont trop rares. (emphatique / interrogative / impersonnelle)
→ Y a-t-il vraiment trop peu de nouvelles constructions passives ?

1. La mairie avait prévu un développement plus important. (interrogative / négative)
   → ....
2. La régie de transports en commun de la ville vend les tickets à l'unité ou par dix. (déclarative / passive / emphatique)
   → ....
3. Une enquête de satisfaction n'a-t-elle pas été organisée par la municipalité ? (déclarative / active)
   → ....
4. Vous faciliterez le passage des fauteuils roulants en n'attachant pas votre vélo ici. (injonctive / exclamative)
   → ....

L'emploi des temps du passé et les marqueurs temporels

11. Entourez la forme correcte.

1. Il fit l'acquisition d'une maison qui **devint** / **devenait** une étude d'architecte.
2. Elles décidèrent d'acheter un bureau dès qu'elles **eurent** remporté / **avaient** remporté un marché.
3. Nous pouvons dès à présent emménager ; l'agence **m'a donné** / **me donna** les clés !
4. Il était 7 heures ce matin-là, je **me levais** / **me levai** pour accueillir le maçon.
5. La ville avait été reconstruite par ceux qui **échappaient** / **avaient échappé** à l'éruption.
6. Depuis l'effondrement, il prétend que le sous-sol **a toujours été** / **est toujours** stable.

12. Complétez les phrases avec une expression de temps de la liste :
quand (x 2) • au moment où • tous les jours à midi • longtemps • ensuite • après que • puis • à peine • déjà

1. .... le train arriva en ville pour la première fois, la gare venait .... d'être achevée.
2. ...., ... sa femme était absente, il tirait un coup de canon pour qu'elle revienne déjeuner !
3. .... ils eurent .... hésité, ... qu'ils se furent entendus sur des modalités, c'est une entreprise locale qui fut choisie.
4. .... la première vague de travaux était lancée, cinq membres du Conseil municipal étaient .... suspectés de malversations et furent .... interrogés.

13. Complétez la phrase. Utilisez deux verbes conjugués au passé et variez les temps verbaux.
Lorsqu'elle eut achevé son inscription sur le site de covoiturage, ...
....

Nous améliorons notre style

Raconter au passé et assurer la cohérence dans le discours

14. a. Lisez le texte et identifiez le temps des verbes.

Après qu'il **eut payé** (1) au taxi la course qui l'**avait mené** (2) aux confins de la ville nouvelle, il **s'arrêta** (3) au pied
passé antérieur ....

du dernier immeuble achevé. Je **suis né** (4) ici, **se dit**-il (5), et j'**ai grandi** (6) dans cette campagne et aujourd'hui, c'est
....

un quartier vertical qui **a recouvert** (7) les espaces où l'on **voyait** (8) autrefois loin, à perte de vue… Il **marcha** (9)
....

à la recherche d'un banc : rien. Le mobilier urbain **avait disparu** (10), tous les parcs **étaient** (11) désormais en
....

hauteur. Une fois que la construction du quartier **serait terminée** (12), les rues **seraient** (13) pleines de véhicules :
....

à présent, plus personne n'**aimait** (14) flâner en bas des immeubles, les toits d'immeubles **s'étaient substitués** (15)
....

aux terrasses des trottoirs.

b. Associez les temps identifiés dans l'activité **14a** à leur valeur dans le texte.

Passé antérieur •
Passé simple •
Passé composé •
Plus-que-parfait •
Imparfait •
Conditionnel présent •
Conditionnel passé •

• Fait passé et achevé dans le témoignage du personnage ou fait passé du témoignage dont le résultat présent est important
• Description du passé achevé ou de la situation contemporaine à la narration
• Fait principal accompli avant un autre fait principal dans la narration
• Fait à venir dans la narration
• Fait à venir avant un autre fait futur
• Fait passé et achevé dans la narration
• Fait secondaire accompli avant le moment de la narration

> **Souvenez-vous**
>
> Le passé simple est un temps de **l'écrit littéraire ou historique** ou de l'écrit oralisé (exposé, conférence). Le passé composé le remplace à l'oral.

15. Entourez les formes verbales correctes.

Au XIXe siècle, après que le congrès de Vienne **eut statué / statua** (1) sur la paix en Europe, les peuples **détruisaient / détruisirent** (2) progressivement les fortifications autour de leurs villes. On **souhaitait / souhaiterait** (3) une ville ouverte, comme à Nice où les fortifications **eurent disparu / avaient disparu** (4) depuis un siècle lorsque la population des nouveaux quartiers **dépassait / dépassa** (5) celle de la ville historique. En outre, la construction du port **ne débutait / ne débuta** (6) qu'après l'ouverture : la ville **serait / aurait été** (7) à l'avenir une destination touristique, on **avait enfin réalisé / eut enfin réalisé** (8) que la beauté du lieu **égalait / égalerait** (9) sa valeur stratégique ! Bref, on **le comprit / l'a compris** (10) : la ville ouverte **n'exista pas toujours / n'a pas toujours existé** (11) telle qu'aujourd'hui.

16. Présentez l'évolution d'un quartier ou d'une ville où vous avez habité.

a. Préparez les étapes de votre narration à l'aide des valeurs verbales vues dans l'activité **14b**. Utilisez tous les temps identifiés.

b. Rédigez votre présentation.

DOSSIER 2 Alimentation, « Un plaisir à ras de terre » ?

Nous enrichissons notre vocabulaire

Les goûts alimentaires

> Leçon 1

1. a. Classez les verbes de la liste dans la bonne catégorie.

~~bouffer~~ • se délecter • se nourrir • s'alimenter • ingérer • s'empiffrer • picorer • dévorer • se goinfrer • grignoter • manger sur le pouce • avaler • engloutir • se faire péter le bide • festoyer • se régaler • se sustenter

1. Manger : *bouffer*, ...
2. Manger peu : ....
3. Manger rapidement : ....
4. Manger sans modération : ....
5. Manger avec plaisir : ....
6. Faire entrer un aliment dans le corps : ....

b. Classez les verbes selon le registre de langue.

Registre familier	Registre courant	Registre soutenu
bouffer,		

2. Écrivez des phrases avec les éléments proposés.

1. chez l'ambassadeur / se délecter

   ....

2. intoxication alimentaire / avaler

   ....

3. une alimentation équilibrée / grignoter

   ....

4. avoir une faim de loup / engloutir

   ....

3. a. Indiquez pour chaque définition une saveur de la liste.

le piquant • l'amertume • ~~le sucré~~ • l'acidité • le salé • l'aigre-doux

1. Seule cette saveur est innée. Elle est reconnue et appréciée par le nourrisson puisqu'elle est synonyme d'énergie. Elle apparaît plus intensément à chaud. → *le sucré*

2. Cette saveur est apportée par un exhausteur de goût, c'est-à-dire un élément qui fait ressortir le goût des aliments.
   → ....

3. Cette saveur provoque un réflexe spontané qui fait grimacer, sans que l'aliment ait un mauvais goût. Elle est d'autant plus ressentie que l'aliment est froid. → ....

4. Cette saveur est généralement peu appréciée car son goût âpre procure une sensation assez désagréable et persistante.
   → ....

5. Cette saveur mêle les goûts acides et sucrés. Les cuisines asiatiques en font un usage courant ainsi que les cuisines slaves et d'Europe du Nord. → ....

6. Cette saveur est directement liée au toucher. Elle provoque une sensation de brûlure et d'irritation dans la bouche.
   → ....

onze 11

b. Complétez le tableau avec l'adjectif correspondant aux saveurs puis classez les aliments, plats ou boissons suivants. Attention, certains appartiennent à plusieurs catégories.

a. le gingembre
b. la soupe de légumes
c. le piment
d. la datte
e. le thé vert très infusé
f. la rhubarbe
g. l'endive crue
h. le yaourt nature
i. la groseille
j. la raclette
k. la charcuterie
l. le cornichon de hamburger
m. le poivre
n. le chocolat noir 100 % cacao

Saveur	Adjectif	Aliments, plats ou boissons
1. *le sucré*	*sucré(e)*	
2.		
3.		
4.		
5.		
6.		

4. Présentez le plat traditionnel de votre pays que vous préférez. Précisez les saveurs associées et expliquez votre choix.

....
....
....
....

Agriculture et données chiffrées

> Leçons **2** et **3**

5. Complétez la présentation de l'agriculture française avec les mots de la liste. Faites les accords nécessaires.

agroalimentaire • hectare • hausse • collecte • excédent commercial • production • compensé • ~~puissance~~ • récolte • rendement • baisse • exploitation • surface cultivée • revenu moyen • exploitant

Agro-economie.fr

En 2018, la France est toujours la première *puissance* agricole européenne devant l'Allemagne et l'Italie. Tous secteurs confondus, sa .... (1) est estimée à 73 milliards d'euros. La .... (2) est également la plus vaste d'Europe avec près de 30 millions d'................ (3). Par ailleurs, la contribution de la branche agricole au produit intérieur brut (PIB) devrait être en .... (4) cette année. En 2018, les exportations de produits agricoles et .... (5) ont représenté 6,6 milliards d'euros d'................ (6), notamment du fait de bonnes .... (7). À noter : la sécheresse a pesé sur le .... (8) des céréales mais aussi des fruits et des légumes. Ce problème climatique a également fortement impacté la .... (9) de lait. Enfin, le nombre d'................ (10) agricoles continue à diminuer inexorablement. Cette .... (11) s'explique entre autres par l'extension de la taille moyenne des .... (12). Leur moyenne d'âge ne cesse par ailleurs d'augmenter puisque 50 % d'entre eux ont aujourd'hui plus de 50 ans ; les départs à la retraite ne sont de toute évidence pas .... (13) par l'arrivée de jeunes agriculteurs. Ceci s'explique par des inquiétudes économiques quant à l'avenir de l'agriculture française mais aussi et surtout par des .... (14) médiocres.

D**2** – Alimentation, « Un plaisir à ras de terre » ?

6. Observez l'infographie d'une étude. Présentez les faits marquants et les variations observées.

L'AGRICULTURE BIOLOGIQUE

41 600 EXPLOITATIONS ENGAGÉES EN BIO +13% >2017

155 347 EMPLOIS DIRECTS +14% >2017

2 millions D'HECTARES SOIT LA 3ᵉ SURFACE DE L'UE +17% >2017

7,5% DE LA SURFACE AGRICOLE UTILE FRANÇAISE

RÉPARTITION DES FERMES BIO EN %
- 8 cultures fruitières
- 6 porcins, volailles...
- 16 polyculture, polyélevage
- 9 ovins, caprins
- 20 bovins
- 15 grandes cultures
- 18 viticulture
- 8 maraîchage & horticulture

LA CONSOMMATION DE PRODUITS BIO PÈSE **9,7** MILLIARDS D'EUROS

LA BIO REPRÉSENTE : (2018)
- **40,2%** DES SURFACES DE PRODUCTION DE LÉGUMES SECS
- **23,3%** DES SURFACES DE PRODUCTION DE FRUITS
- **21,1%** DES SURFACES DE PLANTES À PARFUM, AROMATIQUES & MÉDICINALES
- **12%** DES SURFACES DE VIGNES

69% DES PRODUITS BIO CONSOMMÉS PROVIENNENT DE FRANCE

LAIT ET PRODUITS LAITIERS → **97,8%**
ŒUFS, VIANDES, VINS & ALCOOLS → **99%**
DE CES ALIMENTS BIO CONSOMMÉS EN FRANCE SONT

LE MARCHÉ DU BIO EN EUROPE
- 1ᵉʳ ALLEMAGNE 10,3 milliards d'€
- 2ᵉ FRANCE 8,3 milliards d'€
- 3ᵉ ITALIE 3,6 milliards d'€

PRODUITS BIO EN RESTAURATION COLLECTIVE +27% >2017

1. **Les faits marquants** : L'enquête réalisée par l'Agence Bio en juin 2019 ....
....
....
....
....
....
....
....

2. **Les variations observées** : Selon l'étude, ...
....
....
....
....
....
....
....
....

▶ Lexique thématique du dossier 2

7. Lisez les rubriques du lexique. Complétez-les avec des mots et des expressions que vous connaissez.

L'alimentation

Les goûts / les saveurs
fade (la fadeur), sucrée(e) (le sucré), salé(e) (le salé), acide (l'acidité), amer(ère) (l'amertume)

La composition
les vitamines, les sels minéraux, les fibres
les produits chimiques : un conservateur, un additif
calculer le nutri-score

L'alimentation saine
manger local, authentique, bio
la qualité nutritionnelle

La malbouffe
les aliments gras, à forte teneur en sucre et en sel, très caloriques, pauvres nutritionnellement, contenant peu de minéraux / de vitamines / de fibres végétales

La nourriture de réconfort
les sucreries / les friandises : un fruit confit, une pâte de fruits, un bonbon acidulé, une praline
calmer / compenser la tristesse, la solitude, l'épuisement, la colère, l'ennui, le stress, le manque d'estime de soi et de confiance en soi

L'agriculture

Produire
produire, la production, un(e) producteur (trice)
élever, un(e) éleveur (euse), l'élevage
la culture, cultiver, un(e) cultivateur (trice)

Commercialiser
la grande distribution
un supermarché paysan, un maraîcher
(s')approvisionner (un approvisionnement)
être en rupture de stock
fixer le prix de vente
un slogan, un logo, un label, une mention
une appellation (AOP, AOC, IGP)

Présenter une étude et ses résultats

publier / réaliser une étude sur
analyser, mettre en lumière, souligner
ne pas manquer de préciser, dévoiler, révéler
varier de ... à ..., deux fois plus
être multiplié(e) par deux, diviser par deux
diminuer, baisser, augmenter
être influencé(e) par différents facteurs

Nous perfectionnons notre grammaire

de devant un nom

8. Lisez l'article.

bien.manger.fr

La pomme **de terre** (1) contient environ 80 % **d'eau** (2), 18 % **de glucides** (3) (essentiellement **de l'amidon** (4) mais aussi **du sucre** (5) et **des fibres alimentaires** (6)), mais presque pas **de lipides** (7) et guère **de protéines** (8). Elle représente un bon apport en potassium, mais elle est très pauvre en calcium (seulement 11 mg **de ce sel minéral** (9) pour 100 g de pomme de terre), ce qui l'oppose aux légumes verts. Concernant la teneur en vitamine C, **de bons taux** (10) sont présents au moment **de la récolte** (11), mais disparaissent ensuite entre le stockage et la cuisson. Elle constitue donc presque uniquement un apport en glucides, c'est-à-dire une source **du carburant** (12) nécessaire à nos activités : elle fournit 80 calories pour 100 g. La pomme de terre cuite à l'eau et au four contient **de la vitamine B6** (13), 100 g apportent l'équivalent de 15 % **des valeurs nutritionnelles** (14) de référence. Enfin comment parler **de la pomme de terre** (15) sans parler **des pommes de terre** (16) ? **De nombreuses variétés** (17) existent. Sur les étals, on en voit **de nouvelles** (18) apparaître régulièrement, ce qui fait d'elle un légume à toujours redécouvrir !

a. Relevez les formes en gras qui sont des compléments du nom.

1, ...

b. Indiquez les formes qui correspondent aux cas suivants :

1. dans un complément du nom, l'article partitif disparaît après *de* : 1, ...

2. dans le complément d'objet d'un verbe à la forme négative, l'article indéfini ou partitif disparaît après *de* : ....
....

3. dans un complément du nom ou du verbe, *de* suivi des articles définis *le* et *les* entraîne les formes contractées *du* et *des* : ....

4. *du*, *de la*, *de l'*, *des* indiquent des quantités indéterminées : ....

5. *des* devient *de* devant un nom pluriel précédé d'un adjectif : ....

Souvenez-vous

du et *des* — quantité indéterminée
ou
contraction *de + le / les*

9. Lisez l'article. Entourez la forme correcte.

L'essor du véganisme

Le phénomène végan se manifeste désormais jusque dans les grands supermarchés puisqu'on y trouve *des* steaks de/du (1) soja à tous les parfums, de la/la (2) crème sans lait, du/le (3) fromage à la noix de cajou, les/des (4) saucisses à base de/des (5) protéines de/du (6) blé et de/des (7) pois, du/le (8) bacon de/des (9) légumes... Les habitudes de/des (10) Français seront-elles impactées par l'arrivée de/des (11) nouvelles pratiques venues d'/des (12) autres pays ? D'emblée, il faut le rappeler : la gastronomie française ne compte guère de/des (13) spécialités végétariennes... Au-delà du/de (14) régime alimentaire, le véganisme est aussi un mode de la/de (15) vie : il s'agit de ne pas consommer des/de (16) produits issus des/d' (17) animaux ou de leur exploitation. Dès lors, beaucoup d'/des (18) articles sont concernés, depuis les produits utilisant du/de (19) cuir, jusqu'à ceux contenant de/de la (20) cire d'abeille.

D**2** – Alimentation, « Un plaisir à ras de terre » ?

10. Complétez l'article avec *de*, *d'*, *du*, *de l'*, *de la*, *des*.

Tendance

Les influenceurs, nouveaux gourous .... (1) réseaux sociaux, cherchent à évincer l'un .... (2) piliers .... (3) système gastronomique ancien – le critique gastronomique – qui n'a plus guère .... (4) impact sur l'évolution culinaire. Ils menacent, à terme, l'existence .... (5) guides mais favorisent l'arrivée .... (6) téléphones portables et leur cortège .... (7) photographies… Ainsi, le culte .... (8) fadeur commence à se répandre au détriment .... (9) acidité et .... (10) amertume. Fréquemment, les fruits prennent la place .... (11) légumes et les fleurs celle .... (12) herbes aromatiques.

L'impératif : l'emploi des pronoms

11. 🎧M3 Écoutez la recette de la tarte tatin et complétez le tableau.

	Formes affirmatives	Formes négatives
Formes sans pronom personnel complément	....	....
Formes avec un pronom personnel complément	*concentrons-nous*	....
Formes avec deux pronoms personnels compléments	*passe-les-moi* *mets-m'en*	*ne me les coupez surtout pas*

Souvenez-vous

• À l'**impératif affirmatif**, le(s) complément(s) du verbe est/sont **après** le verbe. Le verbe et le(s) complément(s) sont associé(s) par **un trait d'union**.
Me et *te* deviennent *moi* et *toi* à la forme affirmative.
Exception : avec *en*, on trouve les formes *-m'en* et *-t'en*. **Ex.** : *Mets-m'en la moitié !*

• À la deuxième personne du singulier, **tous les verbes en -*er*** et les verbes conjugués sur le même modèle (*ouvrir, offrir, cueillir*, etc.) perdent le *s* final.
Exception : devant *y* et *en*, on ajoute *s* pour faciliter la prononciation. **Ex.** : *Vas-y !*

• À l'**impératif affirmatif**, le complément d'objet direct (COD) est toujours **avant** le complément d'objet indirect (COI).
Exception : quelle que soit sa fonction, *en* est en position finale.

• À l'**impératif négatif**, le complément d'objet direct (COD) et le complément d'objet indirect (COI) suivent le **même ordre** que dans les autres modes verbaux.

12. Réécrivez les phrases à l'impératif. Remplacez les éléments soulignés par des pronoms.
Exemple : *Nous devons dès à présent annoncer le palmarès des meilleurs scores nutritionnels au responsable qualité de notre atelier.* → *Annonçons-le-lui dès à présent !*

1. Vous devriez procurer les meilleurs produits frais aux enfants des cantines scolaires pour former leur palais.

   ....

2. Tu pourrais adresser un livret-conseil portant sur la conservation à ta clientèle afin de lutter contre le gaspillage.

   ....

3. Il te faudrait te souvenir des grands principes nutritionnels lorsque tu manges au restaurant.

   ....

quinze 15

La mise en relief

13. a. 🎧4 Écoutez. Relevez les phrases emphatiques.

2, ...

b. 🎧4 Réécoutez et complétez le tableau.

Phrase n°	Élément mis en relief	Structure de la mise en relief			Type de phrase		
		c'est... / ce sont qui / que	il y a... qui / que	voici / voilà... qui / que	déclarative	injonctive	interrogative
2	les céréales						
......	....						
......	....						
......	....						

14. Réécrivez les phrases en mettant en relief les groupes de mots soulignés. Variez les structures et faites les modifications nécessaires.

1. Le ministère de l'Agriculture a finalement reçu la charge de <u>cette remise à plat des doses de produits phytosanitaires autorisées</u>.

   ....

   ....

2. Les autorités sanitaires ont mis en garde <u>deux ans auparavant</u> contre l'abus de certaines boissons sucrées.

   ....

   ....

3. <u>Jean-Pierre Coffe</u>, un critique gastronomique, a permis de changer certaines pratiques dans la préparation de la charcuterie industrielle.

   ....

   ....

4. Toutes fêtes confondues, <u>Pâques</u> reste la période durant laquelle le plus de chocolat est commercialisé en France.

   ....

   ....

5. Sur le plan de travail de tous les pâtissiers amateurs se trouve <u>un robot pâtissier</u> permettant de mixer, pétrir et fouetter.

   ....

   ....

6. Ne vous y trompez-pas, <u>cette année-ci</u> verra les meilleurs rendements viticoles de la décennie !

   ....

   ....

15. a. Lisez l'article et soulignez un élément qu'il conviendrait de mettre en relief dans chaque phrase.

> **cuisinedumonde.fr**
>
> Ce continent a la cote en cuisine : l'Afrique ! En tout 54 pays cultivent un riche héritage culinaire. Et la tendance le montre bien, la cuisine africaine ne tend-elle pas à rayonner dans nos contrées occidentales ? Dans la grande diversité des plats, de multiples saveurs se combinent pour le bonheur de nos palais. Dans ces terroirs où les repas sont des moments de partage, les différentes voix de la cuisine africaine veulent introniser cette culture du partage.

b. Réécrivez l'article en utilisant des structures de mise en relief variées.

Nous améliorons notre style

> **Reprise et substitution : assurer la continuité dans un texte sans se répéter**

16. Lisez l'article. Relevez les expressions (pronoms, synonymes, termes génériques ou spécifiques) qui reprennent les éléments listés.

Sylvie Brunel : « En Afrique, l'agriculture moderne laisse de côté les masses paysannes »

Selon la géographe, les États peuvent lutter contre la précarité rurale en favorisant la création de groupements de producteurs, de coopératives et de syndicats.

La professeure à Sorbonne université et auteure de nombreux livres consacrés à la faim et au développement croit aussi que l'Afrique conserve le potentiel pour devenir « le grenier du monde ». L'enjeu sera de nourrir ce continent qui dispose pourtant de toutes les ressources pour être parmi les plus puissants. En effet, sa population doublera d'ici 2050, alors que l'agriculture y est moins productive que dans le reste du monde. La question des paysans, groupe essentiellement constitué de petits producteurs, est cruciale parce qu'ils sont très nombreux. Même si les villes s'accroissent très rapidement, les urbains ne dépasseront les ruraux qu'en 2030. Or, ces derniers souffrent car leurs systèmes agraires sont encore très fragiles et les pertes importantes. Mais quand on parle de l'agriculture africaine, on parle surtout de l'agriculture familiale, et celle-là, sauf quand elle est soutenue par l'État, est dans une situation fort délicate. Malgré leur puissance numérique, les masses paysannes sont moins écoutées que les citadins qui, eux, ont les moyens, en descendant dans les rues, de renverser le gouvernement. Ce dernier a donc préféré remplir les estomacs des urbains – les bourgeois, les étudiants, l'armée – à bas prix pour acheter la paix sociale.

Face à ces constats d'échec, deux modèles s'affrontent : un premier qui préconise de passer à l'agrobusiness et un second qui valorise l'agriculture paysanne. Le berceau de l'humanité tranchera-t-il entre l'un ou l'autre ?

1. Sylvie Brunel : *la géographe (terme spécifique)*, ...
2. L'Afrique : *ce continent (terme générique)*, ...
3. Les gens qui vivent en ville : ....
4. Les gens qui vivent à la campagne : ....
5. L'agriculture : ....
6. L'alternative proposée : ....

17. Réécrivez l'article pour supprimer les répétitions en couleur.

> https://www.lavoixdunord.fr
>
> La rue Esquermoise de Lille paraît calme, mardi 15 mai 2018, dans l'après-midi. Pourtant, la veille au soir, des militants végans ont détruit volontairement les vitres de la boucherie L'Esquermoise. « Ce n'est pas la première fois que ça arrive, mais la deuxième ou la troisième », signalent les propriétaires de la boucherie présents derrière le comptoir, au lendemain de la destruction des vitres de la boucherie.
>
> Filmés, les militants végans n'ont pas été discrets. Les militants végans ont laissé un message clair en dessous des vitres : « Non au spécisme ». Martine Aubry, maire de la ville de Lille, a immédiatement réagi. Elle affirme son soutien aux propriétaires de la boucherie, elle s'indigne dans un communiqué : « J'ai appris avec consternation que les vitres de la boucherie avaient été détruites. Chacun a le droit d'avoir des opinions et de les défendre. Mais rien ne justifie de détruire les vitres d'une boucherie. Je condamne fermement la destruction des vitres de la boucherie. » Et le premier magistrat de la ville indique que la Ville se constituera partie civile aux côtés des propriétaires de la boucherie, pour une action en justice. La destruction des vitres de la boucherie suscite la colère dans le quartier.

DOSSIER 3 Prenons soin de nous

Nous enrichissons notre vocabulaire

Les professionnels de la santé et les soins
> Leçons **1**, **3** et **4**

1. a. Associez les mots et les expressions synonymes. Soulignez ceux qui relèvent du registre familier.

un hosto | un médecin | un rhume | un médoc | une crève | un toubib | un centre de soins | un médicament | une blouse blanche | un comprimé | un coup de froid | un hôpital

1. ...., ..., ...
2. ...., ..., ...
3. ...., ..., ...
4. ...., ..., ...

b. Complétez les dialogues avec des mots et des expressions de l'activité **1a**. Faites les accords nécessaires.

1. – T'as vu le titre du *Figaro* ? « Robes noires et .... à nouveau dans la rue ce lundi. »
   – Ah ben, j'crois que les .... en ont vraiment ras-le-bol !
   – Et les avocats aussi !
2. – Arrête de te gaver de .... Tu n'as qu'un tout petit .... !
   – Tu rigoles ? Ça fait trois semaines que j'ai cette fichue ....
3. – Un nouveau .... high-tech ouvrira l'année prochaine en plein centre-ville. On y trouvera tous les professionnels du médical et du paramédical rassemblés dans un bâtiment conçu par un architecte en vue.
   – Tu vas voir les honoraires, ils vont bien grimper ! Le bon vieil .... public gratos pour tout le monde, c'est bientôt fini !

2. a. Lisez le texte. Associez les suffixes d'origine grecque à leur signification.

Marcel a été diagnostiqué psychopathe il y a dix ans et depuis, il voit son psychiatre fréquemment, lui seul pouvant renouveler et ajuster ses prescriptions de médicaments. Il voit plus régulièrement encore des psychothérapeutes qui l'aident à se sentir mieux et n'hésite pas à avoir recours aux services d'un naturopathe. Même s'il a aujourd'hui cessé de voir son psychologue, il n'oublie pas que c'est lui qui a posé le diagnostic et qui lui a trouvé un psychiatre spécialiste de sa pathologie.

a. -iatre • • 1. spécialiste d'une science
b. -logue • • 2. celui qui souffre d'une maladie ou qui soigne
c. -thérapeute • • 3. médecin
d. -pathe • • 4. celui qui prend soin de quelqu'un

b. Définissez les noms des professionnels de la santé.

1. Un(e) cardiologue : ....
2. Un(e) pneumologue : ....
3. Un(e) gynécologue : ....
4. Un(e) pédiatre : ....
5. Un(e) musicothérapeute : ....
6. Un(e) hypnothérapeute : ....
7. Un(e) homéopathe : ....
8. Un(e) ostéopathe : ....

D**3** – Prenons soin de nous

3. **Remplacez les mots et les expressions par un synonyme de la liste. Faites les accords nécessaires.**
   soignant • désertification médicale • corps médical • interne • généraliste • pathologie • professionnel de santé • doyen • urgentiste • infirmier

   1. Les habitants d'un village de Haute-Loire voient d'un mauvais œil le départ à la retraite du .... (médecin de famille). Celui-ci ne sera pas remplacé. En cause : la .... (pénurie de médecins dans les zones rurales). Les patients souffrant de .... (maladies) chroniques redoublent d'inquiétude. Désormais, le premier médecin sera à 40 km.

   2. Les .... (personnes qui travaillent dans le domaine médical) ont manifesté jeudi dernier pour alerter sur la situation de l'hôpital public qu'ils jugent à bout de souffle. Tous étaient représentés dans les rangs des manifestants, ... (directeurs d'université), médecins, ... (médecins en formation), ... (médecins des urgences), ... (auxiliaires médicaux). Le président de la République dit avoir entendu la colère des .... (du personnel médical).

   3. Une expérimentation de l'Assurance maladie consistant à dévoiler les motifs des arrêts de travail des salariés à leur employeur inquiète le .... (l'ensemble des médecins).

Les avancées de la recherche médicale

> Leçon **2**

4. **Complétez l'article avec les mots et les expressions de la liste. Faites les modifications nécessaires.**
   tester • résultat • découverte • artificiel • avancée majeure • chercheur • effet secondaire • laboratoire • expérience • scientifique

   ### Une découverte prometteuse

   Une équipe de .... (1) japonais a mis au point du sang .... (2). Universel et plus aisé à conserver que le sang naturel, il pourrait sauver de nombreuses vies. Ce sont des .... (3) du Collège médical de la défense nationale de la ville de Tokorozawa qui l'ont créé en .... (4). Selon eux, il pourrait être transfusé à des patients, quel que soit leur groupe sanguin. Les .... (5) de cette .... (6) ont été publiés dans la revue médicale *Transfusion* et sont très prometteurs. Ce sang a déjà été .... (7) sur dix lapins ayant perdu une importante quantité de sang. À l'issue des tests, aucun .... (8), comme la coagulation, n'a été signalé et six lapins ont survécu. Cette .... (9) est une .... (10) dans le domaine médical. Un nouveau pas de géant dans le domaine de la transfusion.

5. 🎧15 **Écoutez les présentations d'avancées médicales majeures et associez-les à un domaine.**

   a. la fécondation in vitro → n° ....
   b. l'anesthésie → n° ....
   c. la radiologie → n° ....
   d. les robots chirurgiens → n° ....
   e. la vaccination → n° ....
   f. l'impression en 3D d'organes artificiels → n° ....
   g. la chirurgie → n° ....
   h. la transfusion sanguine → n° ....

6. Lisez le document. Présentez l'enquête et les résultats obtenus. Utilisez les verbes suivants :
~~conduire~~ • citer • se prononcer en faveur de • craindre • déclarer • estimer • se méfier • inquiéter

Résultats d'une enquête sur l'e-santé

Question	Réponse	%
Dans quel domaine faut-il développer l'e-santé ?	Les objets connectés	64 %
Les nouvelles technologies sont-elles utiles en matière de prévention ?	Oui	76 %
Utilisez-vous les nouvelles technologies en matière de santé ?	Non	89 %
Pourquoi ?	Coût excessif	59 %
	Manque de fiabilité	50 %
Que doivent permettre les dispositifs numériques ?	Communiquer avec le médecin hors consultations	63 %
Les objets connectés sont-ils utiles dans le cas d'une maladie chronique ?	Oui	70 %
Quelles sont vos réticences ?	La sécurisation des données	50 %

L'IFOP *a conduit* une enquête auprès de ....

Panel : 1 200 patients   source : IFOP

Lexique thématique du dossier 3

7. Lisez les rubriques du lexique. Complétez-les avec des mots et des expressions que vous connaissez.

Le personnel soignant

un médecin, un généraliste
un urgentiste, un interne
un spécialiste (un cardiologue, un pneumologue)
établir un protocole de soin
examiner (un examen)
ausculter (une auscultation)
guérir (la guérison)
traiter (le traitement)
soigner (le soin)
un désert médical

L'enquête scientifique

conduire / mener une enquête scientifique
contribuer à la recherche médicale
un groupe de volontaires
les personnes interrogées, les sondés
déclarer, citer, estimer, penser, conclure
accepter, adopter ≠ refuser
se prononcer en faveur de qqch
se montrer réticent, craindre, se méfier

La maladie

une affection
une pathologie
un trouble
une maladie grave / chronique
une tumeur bénigne ≠ maligne

Les techniques de soin

le don
donner son sang / ses organes
greffer (une greffe)
transplanter (une transplantation)
un donneur (-euse)
un receveur (-euse)
la procréation médicalement assistée (PMA)
la médecine à distance, l'e-médecine
l'automatisation, la robotisation
les données numériques de santé
les médecines alternatives
la médecine naturelle ≠ conventionnelle

D3 – Prenons soin de nous

Nous perfectionnons notre grammaire

Les pronoms compléments

8. Écoutez les devinettes et soulignez de qui ou de quoi on parle.

Exemple : À consulter un médecin. / À son médecin traitant.

1. De sa carte vitale. / De son médecin traitant.
2. À des thérapeutes. / À des médecines alternatives.
3. Des guérisseurs. / Des remèdes naturels.
4. Des médicaments homéopathiques. / Des médecins homéopathes.
5. Le sport. / Qu'il faut faire du sport.
6. Au système français de formation des médecins. / À leur magnétiseur.
7. Aux heures supplémentaires. / Aux infirmières.
8. De l'hôpital. / Au service des urgences.

Souvenez-vous

* *le* ou *l'* remplit aussi la fonction de pronom COD neutre et remplace un élément indéterminé ou toute une proposition.
Ex. : *Se laver les mains avant et après chaque consultation ? Je **le** fais toujours.*

** Sauf si le complément suit :
– les verbes *tenir à, être à, penser à, songer à, faire attention à*
– les verbes pronominaux construits avec la préposition *à*,
on emploie alors : *à* + pronom tonique. Ex. : *Je pense **à toi**. Je m'adresse **à lui**.*

9. Complétez la présentation de la réforme des études de santé en France avec des pronoms compléments. Faites les élisions nécessaires.

Les études de médecine en France, bien des jeunes *y* songent comme à un paradis inaccessible, tant elles .... (1) semblent difficiles à réussir. Résultat : beaucoup ne se .... (2) engagent pas, la mixité sociale se .... (3) trouvant limitée. C'est en pensant .... (4), ces jeunes qui ne sont pas des bêtes de concours mais dont la vocation est forte, que le gouvernement .... (5) a modifié, ce parcours du combattant. Dès la rentrée 2020, un candidat disposera de différentes voies d'accès aux études de santé. Il y .... (6) aura deux principalement : via une licence à option « accès santé » ou via un parcours spécifique « accès santé ». Dans tous les cas, on .... (7) imposera d'être pluridisciplinaire, ce qui .... (8) évitera de ne rien valider au terme de sa première année, comme c'est trop souvent le cas aujourd'hui.

10. Répondez en utilisant des pronoms compléments. Attention à la place des pronoms !

Exemple : Les controverses autour de la PMA tiennent-elles à la procédure médicale elle-même ?
→ *Oui, elles y tiennent. / Non, elles n'y tiennent pas.*

1. Pensez-vous que la recherche nanocellulaire puisse apporter des solutions à la médecine ?

   ....

2. Voulez-vous consulter un spécialiste de médecine alternative ?

   ....

3. Tenez-vous à votre médecin de famille ?

   ....

4. Avez-vous dit à vos proches ce que vous souhaitez faire de vos organes après la mort ?

   ....

5. Osez-vous faire part de vos doutes à votre médecin ?

   ....

6. Pourriez-vous vous servir de remèdes naturels ?

   ....

7. Avez-vous déjà joint vos données médicales à un e-mail ?

   ....

> **Souvenez-vous**
>
> • Les pronoms compléments se placent **devant le verbe** qu'ils complètent, c'est-à-dire **devant le verbe conjugué** OU **devant le verbe à l'infinitif**.
> Ex. : *Quand présenteront-ils leurs conclusions à la ministre ? Ils **les lui** présenteront demain. / Ils comptent **les lui** présenter demain.*
>
> • L'**ordre des pronoms compléments** placés avant le verbe qu'ils complètent dépend des pronoms employés. L'ordre de priorité se présente ainsi :
> 1. me, te, se, nous, vous   2. le, la, l', les   3. lui, leur   4. y   5. en
>
> • Les compléments comportant des **pronoms toniques** (*à toi, de nous…*) se placent **après le verbe**.

L'expression de la cause et de la conséquence

11. a. Lisez le blog. Soulignez les termes introduisant une cause et encadrez les termes introduisant une conséquence.

Histoire d'un désamour

<u>Les raisons</u> pour lesquelles la médecine a chuté dans l'estime des Français, entraînant avec elle praticiens et médicaments, traitements et structures, sont difficiles à déterminer. Autrefois, du fait de son parcours et de ses connaissances, le médecin suscitait le respect, particulièrement à la campagne puisqu'il y était l'un des seuls à avoir étudié. Puis les temps ont changé et à force de modernisation, la connaissance et l'accès à l'information se sont généralisés, au point de donner l'impression à certains qu'ils en savaient autant que les spécialistes de santé. Sous prétexte de quelques recherches ou quelques exemples entendus ! Par ailleurs, dès lors qu'on a changé de regard sur les personnels de santé et les centres de soins, les impacts se sont multipliés. Des enquêtes ont notamment montré que, comme dans toutes les professions, des erreurs pouvaient être commises, des résultats pouvaient être faux. On le sait : toutes les erreurs n'ont pas d'explications scientifiques, certaines viennent du facteur humain. Bref : cela a eu pour effet de provoquer un sentiment de défiance, et sous l'effet de l'œil critique de la société moderne, le corps médical a rejoint le reste des humains « normaux » et critiquables…

D3 – Prenons soin de nous

b. Classez les expressions de l'activité **11a** dans le tableau. Complétez chaque liste avec des termes que vous connaissez.

Expressions introduisant…	Verbes	Noms	Connecteurs logiques
une cause	....	les raisons, ...	....
	....	....	....
	....	....	....
	....	....	....
une conséquence	entraîner, ...	....	....
	....	....	....
	....	....	....
	....	....	....

12. Transformez les énoncés en une phrase exprimant une cause et une conséquence. Utilisez les connecteurs logiques indiqués.

Exemple : La recherche en France a un peu perdu de son importance. Il manque le budget nécessaire (par). Certains diplômés parmi les plus brillants partent à l'étranger (si bien que).
→ *Par manque de budget nécessaire, la recherche en France a un peu perdu de son importance, si bien que certains diplômés parmi les plus brillants partent à l'étranger.*

1. En France, les dons d'organes sont très réglementés. On craint la marchandisation du corps humain (dans la mesure où). Les dons ne sont pas très répandus (de sorte que).

   ....
   ....

2. La PMA est de plus en plus répandue. Des tabous ont été levés (tant… que). De plus en plus de couples infertiles peuvent procréer (ainsi).

   ....
   ....

3. L'anonymat était au cœur de la législation sur les dons de gamètes. On cherchait à encourager ces dons (comme). Les recherches d'antécédents médicaux sont aujourd'hui problématiques (d'où).

   ....
   ....

4. La thérapie génique commence à faire ses preuves. La recherche réalise des progrès (tellement… que). Certains patients ont un nouvel espoir (dès lors).

   ....
   ....

5. Peu de recherches sont effectuées sur les maladies orphelines. Elles ne concernent que de rares patients (sous prétexte que). Ceux qui en souffrent ne bénéficient d'aucun traitement (par conséquent).

   ....
   ....

6. La nanomédecine commence à émerger. Ses développeurs publient des résultats encourageants (à force que). Elle pourra s'associer à d'autres traitements pour combattre de nombreuses maladies (de ce fait).

   ....
   ....

13. Rédigez l'introduction de la pétition « Pour le remboursement des séances de sport à ceux qui souffrent du dos ». Utilisez des termes exprimant la cause et la conséquence.

Nous améliorons notre style

La modalisation pour exprimer son point de vue

14. Lisez la lettre de démission collective de médecins hospitaliers envoyée à la ministre de la Santé. Cochez les procédés de modalisation utilisés et soulignez-les dans le texte.

> Madame la Ministre,
>
> Nous signataires, chefs de service, responsables d'unité fonctionnelle [...] ou de départements médico-universitaires, voulons vous faire part de notre profonde déception face à l'insuffisance du plan d'urgence annoncé le 20 novembre. C'est trop peu, trop partiel, trop étalé dans le temps. Nous sommes conscients qu'on ne corrige pas les insuffisances ou les erreurs du passé en deux ans mais il y a urgence. La dégradation des conditions de travail des professionnels est telle qu'elle remet en cause la qualité des soins et menace la sécurité des patients.
>
> Il faut un plan avec un volet national et un volet régional. Le financement de ce plan doit être calculé en fonction des objectifs de santé. [...] Selon nous, le volet national de ce plan devrait comprendre trois mesures essentielles :
> 1. une revalorisation significative des salaires, [...]
> 2. un objectif national des dépenses d'assurance maladie n'imposant pas de nouvelles économies aux hôpitaux, [...]
> 3. une révision profonde du mode de financement afin de permettre d'appliquer la règle du juste soin pour le patient au moindre coût pour la collectivité [...].
>
> C'est pour vous alerter solennellement que nous avons pris en toute responsabilité, la décision inédite et difficile de démissionner collectivement de nos fonctions ou mandats si des négociations ne sont pas engagées. [...]

1. ☐ Noms, pronoms ou possessifs renvoyant à l'énonciateur et / ou au destinataire
2. ☐ Vocabulaire expressif : péjoratif, mélioratif, évaluatif (noms, adjectifs, verbes)
3. ☐ Mots et expressions de l'opinion et du jugement
4. ☐ Mots et expressions du doute, de la certitude, des sentiments…
5. ☐ Subjonctif, conditionnel, futur pour prendre de la distance
6. ☐ Verbes de modalité
7. ☐ Phrases non déclaratives
8. ☐ Emphase, mise en relief
9. ☐ Ponctuation expressive

15. Enrichissez les phrases avec les procédés de modalisation indiqués.

Exemple : Les études de médecine sont difficiles. (emphase, vocabulaire expressif, ponctuation)
→ *Les études de médecine sont si difficiles que beaucoup d'étudiants finissent par abandonner !*

1. Le financement de la recherche médicale baisse. (opinion, mise en relief)
   ....
2. On envisage de lever l'anonymat du don d'organe. (doute, phrase interrogative)
   ....
3. Les médecins de campagne disparaissent. (conditionnel, pronom renvoyant à l'énonciateur)
   ....
4. Les traitements homéopathiques seront déremboursés. (verbe de modalité, vocabulaire expressif)
   ....

16. Réagissez à la lettre de démission collective des médecins hospitaliers. Donnez votre opinion, argumentez avec des exemples et utilisez des procédés de la modalisation.

DOSSIER 4 À corps et à cri

Nous enrichissons notre vocabulaire

Le corps déprécié
> Leçon 1

1. a. Lisez le billet d'humeur. Complétez le tableau.

Il est intolérable qu'une partie importante de l'humanité soit maltraitée par la société juste parce qu'elle dévie de la norme ! Aujourd'hui, il ne faut être ni trop petit, ni trop grand, ni trop gros, ni trop maigre, ni trop blanc, ni trop noir… sous peine d'être disqualifié ! La norme semble exclure la plupart d'entre nous finalement ! À moins que l'on ne prenne en compte les dieux et déesses – quoique ces termes soient discutables – de Photoshop qui agrandissent la communauté Instagram de jour en jour et n'ont l'air d'exister que pour elle ! La diversité serait-elle synonyme de discordance ? Nous condamnons fermement les comportements irrespectueux et anormaux d'une société qui dysfonctionne. Pourquoi faudrait-il délimiter les contours du corps idéal ? La perfection ne se trouve-t-elle pas justement dans la richesse et la variété d'une société inclusive ?

Préfixes et sens	Exemples du texte
in- / *im-* / *il-* / *ir-* : le contraire	*intolérable*, ...
dé(s)- / *dis-* : le contraire	....
mal- : le contraire	....
a- : l'absence, la privation	....
dys- : le mauvais fonctionnement, l'anomalie	....

b. Définissez les mots suivants.

1. irréversible : ....
2. dévêtu : ....
3. disgracieux : ....
4. malhabile : ....
5. atypique : ....
6. dysmorphie : ....

Le langage du corps
> Leçon 3

2. Entourez le mot correct.

Mauro fronce les **sourcils** / **yeux** (1). Tous ses collaborateurs se mettent le **pouce** / **doigt** (2) dans l'œil, vraiment. Jamais le directeur général de la boîte n'acceptera de mettre au point une collection grande taille. Rien que de s'imaginer en parler au grand patron, il sent la sueur perler sur son **cou** / **front** (3). À moins que… Il réfléchit, se caresse le **menton** / **pied** (4). À moins que ce ne soit Cathy qui défende le projet à sa place. Cathy, c'est une grande **langue** / **gueule** (5) et elle a la **langue** / **bouche** (6) bien pendue. Le genre de femme qui vous regarde droit dans les **paupières** / **yeux** (7) sans sourciller et vous dit que c'est comme ça et pas autrement. Point barre. Tout le contraire de Mauro. Son **pied** / **talon** (8) d'Achille : la timidité. Mauro, lui, c'est l'artiste au grand **cœur** / **cerveau** (9) qui sait révéler la beauté des corps, de tous les corps. Les mauvaises **lèvres** / **langues** (10) disent de lui qu'il se tourne les **pouces** / **orteils** (11), qu'il a un poil dans la **nuque** / **main** (12). En effet, il peut passer des heures assis à son bureau, le regard dans le vide à imaginer quelles étoffes il intégrera à sa nouvelle collection… Mauro se ressaisit. Il semble satisfait. Un sourire se dessine sur ses **lèvres** / **joues** (13). Cathy et lui vont désormais travailler ensemble, **paume** / **main** (14) dans la main.

Le handicap > Leçon **2**

3. a. Associez les expressions à leur synonyme.

1. réservé(e) aux handicapés
2. une personne malentendante
3. une personne à mobilité réduite
4. facile d'accès
5. une personne ayant une déficience visuelle
6. une personne atteinte de surdité
7. une personne en situation de handicap
8. une personne non voyante
9. un handicapé moteur
10. une limitation
11. un sourd
12. un handicapé
13. une incapacité
14. un aveugle
15. une personne valide

a. une personne qui a un handicap (en général)
b. une personne qui n'a pas de handicap
c. une personne qui a un handicap lié à la vue
d. une personne qui a un handicap lié à l'ouïe
e. une personne qui a un handicap lié à la mobilité
f. accessible aux personnes handicapées
g. une conséquence du handicap

b. Soulignez les expressions de la première colonne qui expriment une atténuation.

> **Souvenez-vous**
>
> On a recours à des **figures de style** telles que l'euphémisme ou la périphrase pour **atténuer** des faits ou des idées considérés comme déplaisants. Ces figures de style sont des outils du politiquement correct. Ex. : *une personne à mobilité réduite (= un(e) handicapé(e) moteur)*.

4. Complétez l'article avec les mots et les expressions de la liste. Faites les accords nécessaires.

estime de soi • pas • danse inclusive • handicap • paralysé • limiter • valide • fauteuil roulant • pratique discriminatoire • corps • mouvement avec les bras • en situation de handicap • paraplégique • capacité physique

La danse inclusive

Bouger un .... (1) qui ne répond plus, l'associer aux .... (2) des autres. C'est le principe même de la .... (3) qui mêle dans les mêmes chorégraphies des personnes .... (4) (malvoyants, ... (5), amputés, polyhandicapés) à des danseurs .... (6). Sans aucun objectif thérapeutique, cette conception de la danse considère qu'est danseur quiconque participe à un spectacle ou à un cours de danse, qu'importent ses .... (7). Florence Mariani, chorégraphe au sein de la compagnie de danse inclusive Inside, elle-même .... (8) à la suite d'un accident de la route, explique que cette discipline permet d'éliminer les .... (9) et d'améliorer l'.................. (10).

De loin, le tableau est étrange. Ça ressemblerait presque à une scène de film surréaliste. Dans un gymnase, d'imposants .... (11) s'alignent sur fond de musique Bollywood, tournent autour de deux danseuses qui enchaînent des .... (12), viennent les encercler, les frôler. Comme dans un cours de danse classique, Florence interrompt la musique pour replacer ses danseurs et en recadrer certains. Selon elle, le .... (13) ne doit pas .... (14) : au contraire, il ouvre des portes vers d'autres directions chorégraphiques et pousse à la créativité.

5. Rédigez le prospectus du cours de danse inclusive pour inviter des personnes à venir faire un essai gratuit. Utilisez des mots de l'activité **3b**.

Rejoignez-nous, venez essayer gratuitement notre cours de danse inclusive !

Lexique thématique du dossier 4

6. Lisez les rubriques du lexique. Complétez-les avec des mots et des expressions que vous connaissez.

La représentation du corps et l'image de soi

un idéal / un canon de beauté
un complexe, être complexé(e)
se sentir bien / mal dans son corps / dans sa peau
s'accepter bien / mal
s'assumer tel qu'on est
briser un modèle, casser les codes
redéfinir les standards de beauté
sortir / dévier de la norme

Le langage du corps

parler avec les mains
croiser les bras
hausser / froncer les sourcils
se caresser le menton
cligner des yeux
affronter le regard
serrer la main
une poignée de main

La validité et le handicap

une personne valide ≠ une personne handicapée / en situation de handicap
l'inclusion ≠ l'exclusion
un tabou
un fauteuil roulant
paraplégique, tétraplégique
un traumatisme crânien

L'art et le corps

la silhouette
les courbes
la carnation
la chair
une toile
une sculpture
une installation
une performance
une scénographie
une composition statique
une allégorie
une personnification
le premier plan, l'arrière-plan
représenter, symboliser, évoquer, incarner
susciter l'admiration

Nous perfectionnons notre grammaire

Les pronoms relatifs simples et composés

7. 🎧 Écoutez puis associez pour former des phrases correctes.

1. Être considéré comme de simples citoyens, c'est quelque chose
2. Ils vivent une situation d'exclusion
3. Des activistes dénoncent la société standardisée et les professionnels de la communication
4. Nous avons rencontré l'un de ces activistes,
5. Il s'agira d'une lutte
6. Sans le savoir, en ce qui concerne l'apparence, nous sommes soumis à des préjugés
7. Dans ce reportage, vous découvrirez le parcours d'obstacles

- que
- lequel
- à propos de laquelle
- pour qui
- dont
- à quoi
- qui

- devra regrouper de nombreuses associations si elle veut atteindre ses objectifs.
- a expliqué les actions à venir de son collectif.
- seule la beauté parfaite est acceptable.
- aspirent de plus en plus de jeunes gens en surcharge pondérale.
- doivent affronter ces jeunes au quotidien.
- trop peu de tabous ont été brisés.
- nous ignorons presque toujours l'existence.

Souvenez-vous

- *Qui* occupe la fonction de **sujet** dans la subordonnée relative et représente un élément animé ou inanimé.
Attention ! *Lequel, laquelle, lesquels* et *lesquelles* peuvent remplacer *qui* uniquement dans une proposition subordonnée explicative et facultative (dans ce cas, la relative est précédée d'une virgule). **Ex.** : *Ils ont créé une association en 2016, laquelle lutte contre l'exclusion.*

- *Dont* remplace un groupe de mots précédé par la **préposition** *de*.

- *Lequel, laquelle, lesquels* et *lesquelles* remplacent tout groupe de mots introduit par une **préposition** autre que *de* : *sur, sous, par, avec, à* (attention aux formes contractées *auquel, auxquels* et *auxquelles*), etc.

- *Duquel, desquels, desquelles* remplacent *lequel, lesquels* et *lesquelles* après une **locution prépositionnelle** finie par *de* : *près de, loin de, le long de, à propos de*, etc.

- Précédés d'une préposition, *qui* remplace un **élément animé** et *quoi* remplace les formes **indéfinies** *quelque chose, rien, ce*.

8. Complétez l'article avec des pronoms relatifs composés. Utilisez les prépositions ou les locutions suivantes : ~~parmi~~, *pour, contre, dans, par le biais de, à, sur la base de*.

Projet de loi

Afin de mieux aider les personnes en situation de handicap, bien des propositions de loi ont été déposées ces dernières années, *parmi lesquelles* celle que les députés examinent ce jour. Alain Milon, sénateur .... (1) la situation existante était trop complexe, veut rendre plus effective la loi de 2005 .... (2) était énoncée l'obligation d'assurer l'équité à toutes les personnes handicapées. Pour ce faire, le texte comprend diverses dispositions .... (3) on entend améliorer la prise en charge de certains frais et l'aide à l'insertion professionnelle des personnes non valides. Les situations d'exclusion et de précarité, c'est aussi ce .... (4) les associations se battent : les travailleurs handicapés sont confrontés à une inégalité professionnelle, les statistiques .... (5) elles interpellent le gouvernement le montrent clairement. Après son adoption par le Sénat en première lecture, c'est un texte .... (6) on souhaite une longue vie !

D4 – À corps et à cri

9. Lisez la présentation des centres de rééducation. Sur le même modèle, rédiger une présentation du fauteuil roulant. Utilisez cinq pronoms relatifs simples et composés différents.

Exemple. **Les centres de rééducation** : C'est quelque chose sur quoi on devra beaucoup travailler. Avec la durée de vie qui ne cesse d'augmenter, il faudra en construire d'autres pour lesquels un budget sera à définir. Ils regroupent les pratiques grâce auxquelles certains patients retrouveront leur confort de vie, lequel a été impacté par une pathologie ou un accident.

Le fauteuil roulant : ....

....

....

....

....

....

Le subjonctif (1)

10. Lisez ces déclarations sur le handicap et complétez le tableau.

Exemple : Il apparaît que des efforts sont encore nécessaires pour que tous les citoyens soient inclus.

1. On ne doit pas redouter que les citoyens soient confrontés à la différence, au contraire !
2. Il est temps que l'on prenne en main la sensibilisation des plus jeunes !
3. Le collège Carnot est l'unique collège de la ville qui a un accès pour enfant en fauteuil.
4. Il nous semble que les activités artistiques peuvent aider les enfants à s'épanouir.
5. Il est certain que la représentation des personnes handicapées est bien trop faible.
6. Quel dommage que la télévision ne fasse pas la part plus belle à la diversité des corps !
7. Le théâtre est la meilleure activité qu'on puisse trouver pour inclure valides et invalides.

	Expression		Formulation		
	d'un sentiment	d'un jugement	d'une pensée	d'une certitude	d'un constat
Exemple					✔
1.					
2.					
3.					
4.					
5.					
6.					
7.					

> **Souvenez-vous**
>
> • On emploie **l'indicatif** pour formuler des pensées, des certitudes ou des constats.
>
> • On emploie **le subjonctif** pour exprimer des sentiments ou des jugements.
> **Attention** aux propositions relatives du type *le seul qui…*, *l'unique que…*, *le plus beau dont…*, *la première à qui…* : on n'emploie le subjonctif que dans celles qui expriment un **sentiment** ou un **jugement**.
> Ex. : *C'est le seul musée qui expose des nus.* (réalité → indicatif)
> ≠ *C'est le seul musée que j'aie apprécié.* (sentiment → subjonctif)

11. Conjuguez les verbes entre parenthèses au subjonctif ou à l'indicatif.

Dans bien des domaines, on s'intéresse aux dernières recherches sur le langage du corps qui .... (1. être disponible). Vous trouvez étrange que l'on .... (2. vouloir) ainsi se tenir informé de nos gestes ? Vous n'êtes peut-être pas conscient(e) que notre comportement .... (3. tenir) aussi à l'air du temps et à la société qui nous entoure. Notre personnalité n'est pas la seule qui .... (4. avoir) une influence sur nos gestes, vous le savez puisque vous faites peut-être partie de ceux qui .... (5. être agacé), sur les photos, que la cousine .... (6. prendre) toujours la même pose, ou que le petit dernier .... (7. faire) des grimaces. Bref, il apparaît clairement que les gestes .... (8. être) révélateurs de notre personnalité mais également liés à la mode. Rien de surprenant : s'il est aujourd'hui normal que chaque profession .... (9. connaître) des gestes propres à son domaine, acceptons aussi que les divers groupes sociaux .... (10. développer) leur gestuelle spécifique. Quant à l'interprétation de tous ces signes émis par notre corps, seuls ceux qui en .... (11. avoir) une certaine connaissance .... (12. pouvoir) s'y risquer.

12. Commentez cette œuvre en utilisant les expressions suivantes :
- il apparaît que
- on voit que
- j'imagine que
- je suis étonné(e) / surpris(e) que
- j'ai tendance à préférer que
- j'apprécie / je n'apprécie pas que
- il est inouï que

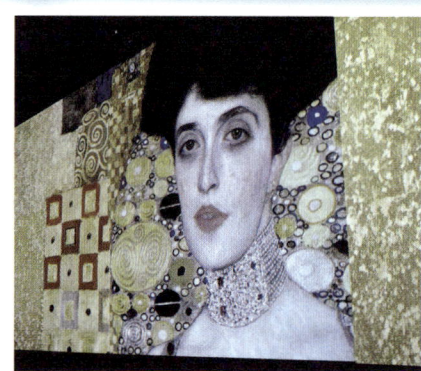

Construction de la phrase complexe (1) : subordonnées conjonctive, relative et interrogative indirecte

13. Complétez le tableau en cochant le type des propositions subordonnées soulignées.

	Proposition subordonnée		
	conjonctive	relative	interrogative indirecte
1. <u>Quand Marcel Duchamp peignit *Nu descendant un escalier n°2*</u>,			
2. il ne savait pas <u>combien il influencerait l'art moderne aux États-Unis.</u>			
3. <u>Bien que l'œuvre fît scandale lors de sa première exposition</u>, elle consacra la gloire du peintre.			
4. Le nu était alors un sujet très codifié <u>dont l'un des critères était la pose</u>,			
5. donc l'œuvre de Duchamp, <u>qui figure une série de mouvements</u>, sortait des normes.			
6. Il était par ailleurs clair <u>que son dynamisme l'éloignait du cubisme</u>			
7. mais n'explicitait pas encore <u>quel serait son lien avec le futurisme.</u>			

14. À partir des deux phrases simples, écrivez deux phrases complexes. Variez les liens de subordination.

Ce type de représentation ne me plaît pas. Il est trop déstabilisant.

Exemple : Ce type de représentation ne me plaît pas pour la simple raison qu'il est trop déstabilisant.

1. ....
2. ....

D4 – À corps et à cri

Nous améliorons notre style

Les organisateurs textuels : assurer la progression logique dans un paragraphe

15. a. Lisez le texte puis numérotez les éléments dans l'ordre où ils apparaissent. Repérez-les dans le texte.

> Notre attention portée aux célébrités du web est aberrante. / On trouve **en effet** normal de s'intéresser à leur look, à ce qu'ils font au quotidien, ne sachant **pourtant** rien de qui ils sont. / **Ainsi**, plus l'une de ces « stars » a de suiveurs, plus on la juge importante. / C'est **d'ailleurs** ce que le nombre de likes, objectif absolu des temps modernes, fait ressortir. / **De même**, on accepte de valoriser ceux et celles qui placent des produits et cherchent à vendre des formules, comme de simples publicitaires, **alors qu'**ils prétendent faire partie de la grande famille
> 5 des modèles à suivre pour les plus jeunes tout particulièrement. / On pense **notamment** aux artistes engagés ou représentants d'associations qui cherchent à sensibiliser à une cause. / Il est **dès lors** assez naturel que les jeunes gens influençables ne suivent que les modes les plus en vue et oublient parfois ce que leurs « modèles » du web ont vraiment à dire...

Idée défendue par l'énonciateur : *1 (l. 1)*   Exemple 2 : ....
Explication : ....   Idée secondaire 1 : ....
Idée secondaire 2 : ....   Conclusion : ....
Exemple 1 : ....

b. Relevez les organisateurs textuels selon leur fonction.

1. Introduire une explication : *en effet*
2. Présenter un exemple : ....
3. Déduire une idée secondaire : ....
4. Relever une opposition : ....
5. Introduire une idée parallèle : ....
6. Conclure : ....

> **Souvenez-vous**
>
> En général, un paragraphe a pour fonction de **commenter un fait, développer une idée** ou **répondre à une question**.

16. Complétez ce paragraphe avec les organisateurs textuels suivants :

donc • en effet • par exemple • de plus • en fait • particulièrement • car

La question se pose .... (1) depuis toujours, ou presque. On comprend que l'interrogation sous-entendue est de savoir ce que l'art peut bien apporter. .... (2), des décideurs hésitent sur les subventions à verser au théâtre. .... (3), on s'inquiète parfois concernant la moralité de l'art, on entend plus .... (4) des accusations de « provocation » artistique. .... (5), beaucoup pensent que l'art ne doit pas être jugé selon son utilité ou les messages qu'il véhicule .... (6) cela pourrait le dénaturer. Chacun peut interpréter une œuvre comme il l'entend. Concrètement, l'art ne doit .... (7) pas chercher à « servir » à quelque chose.

> **Souvenez-vous**
>
> Afin que les idées s'enchaînent naturellement dans un paragraphe, on utilise des **éléments de substitution** (reprise de l'information) et des **organisateurs textuels**.

17. Rédigez un paragraphe structuré qui développe l'idée suivante : « Dans le domaine de la mode, les modèles ne devraient pas être jeunes exclusivement. » Utilisez les notes ci-dessous et des organisateurs textuels variés.
Tous les acheteurs potentiels doivent être représentés. • Il ne faut pas disqualifier les modèles au-delà de 25 ans. • La majorité des clients ont plus de 25 ans. • On a plus d'argent à dépenser à 40 ans qu'à 25 ans. • Les publicités efficaces s'adressent à la majorité.

DOSSIER 5 Dans quel monde vit-on ?

Nous enrichissons notre vocabulaire

Les inégalités
> Leçons **1**, **2** et **3**

1. a. Associez les mots à leur définition.

l'égalité • l'équité • le plafond de verre • la parité • la discrimination • le sexisme • la xénophobie • le jeunisme • la discrimination positive

Exemple : *C'est la garantie de l'accès de chacun(e) aux mêmes droits et opportunités.* → *l'égalité*

a. Instrument qui vise la représentation égale de chaque sexe dans les institutions. → ....

b. Égalité des opportunités pour tous. → ....

c. Inégalité de traitement reposant sur une caractéristique de la personne (origine, genre, etc.). → ....

d. Impossibilité pour certain(e)s de progresser dans la hiérarchie sociale. → ....

e. Sentiment de crainte, d'hostilité, voire de haine envers les étrangers. → ....

f. Attitude de discrimination fondée sur le genre, visant surtout les femmes. → ....

g. Mesure qui favorise des personnes discriminées pour rétablir l'équité. → ....

h. Attitude qui favorise les jeunes et qui disqualifie les plus anciens. → ....

b. 🎧 48 Écoutez les huit extraits de journaux radiophoniques. Terminez la dernière phrase avec un mot de l'activité **1a**.

Exemple : *égalité*

1.	2.	3.	4.	5.	6.	7.	8.

Les âges de la vie
> Leçon **4**

2. Remplacez les expressions entre parenthèses par les mots et expressions de la liste.

une génération • la génération X • le management intergénérationnel • les baby-boomers • la socio-démographie • la génération Y

1. .... (l'art de faire travailler ensemble des personnes d'âges différents) permet de gérer les personnels en considérant leur singularité.

2. Comment intégrer dans une entreprise .... (les plus jeunes des salariés), que l'on accuse trop souvent d'impatience et d'égocentrisme ?

3. Peut-on les faire cohabiter avec .... (ceux qui sont nés dans les années d'après-guerre), qui sont à présent en fin de carrière ?

4. Sans oublier .... (les citoyens nés dans les années 1960 et 1970), démontrant soi-disant un opportunisme et une inquiétude caractéristiques.

5. La sociologie identifie .... (un groupe de personnes d'âges proches) en fonction de l'année de naissance mais surtout de l'appartenance à un contexte historique, culturel et économique commun.

6. Dans un souci de cohérence, les spécialistes de .... (discipline qui analyse les générations et décrit leurs traits caractéristiques) proposent de changer de génération tous les cinq ans.

D5 – Dans quel monde vit-on ?

L'engagement et le combat

> Leçons **1** et **2**

3. Complétez le texte avec les mots de la liste. Faites les accords nécessaires.

s'opposer • activiste • dénoncer • se mobiliser • défendre • militant • rebelle • lutte • valeur • transgresser

> **Du nouveau dans la langue !**
>
> Un nouveau mot est apparu dans le langage médiatique : celui d'« .... (1) », du terme anglais *activist*. En français, ce terme a une connotation négative. Il désigne des citoyens .... (2), souvent irrespectueux des lois et prêts à les .... (3) pour diffuser leurs idées. Sont ainsi considérés potentiellement dangereux pour la société : les membres de Greenpeace qui harcèlent des plateformes pétrolières pour .... (4) les dangers de cette industrie, les citoyens qui .... (5) à des expulsions de bidonvilles ou de squats, etc. Auparavant, on appelait ceux-ci des .... (6). Ce terme avait une connotation positive. Il désignait des personnes qui .... (7) pour .... (8) une cause. Il s'inscrivait dans une tradition de résistance à l'oppression et de .... (9) pour la liberté et la justice, des .... (10) à la base des démocraties.

4. Classez les expressions selon qu'elles expriment un objectif ou une action.

Expression	Objectif	Action
Exemple : *mettre en place une activité de sensibilisation*		✔
1. promouvoir l'égalité		
2. diffuser un tract		
3. faire signer une pétition		
4. forcer les décideurs à imaginer d'autres voies		
5. se rebeller		
6. manifester dans les rues		
7. protéger les droits humains		
8. lutter pour une cause		
9. envoyer une lettre de solidarité		
10. dénoncer des agissements		
11. produire des œuvres culturelles engagées		
12. faire pression sur les autorités		
13. divulguer un scandale		
14. faire bouger les lignes		
15. occuper un lieu		
16. signifier l'urgence du changement		
17. organiser une confrontation médiatisée		
18. boycotter		
19. dénoncer une pratique		
20. faire la grève de la faim		

5. a. Présentez le document en utilisant des mots et des expressions de l'activité **4**. Identifiez sa nature et décrivez-le. À quelle occasion et par qui est-il publié ? Expliquez l'action menée et ses objectifs.

b. Imaginez d'autres actions possibles pour alerter sur le sujet.

Lexique thématique du dossier 5

6. Lisez les rubriques du lexique. Complétez-les avec des mots et des expressions que vous connaissez.

L'engagement

un(e) militant(e), un(e) activiste
militer pour une cause, s'engager, être engagé(e) dans la lutte contre / pour…
manifester, se mobiliser
entraîner une prise de conscience
faire entendre sa voix
lutter contre des inégalités
dénoncer
revendiquer

Les inégalités

l'exclusion
la répression
l'oppression
la discrimination
la stigmatisation
l'inégalité homme-femme
le sexisme, la misogynie
le féminisme

Les âges de la vie

un trentenaire, un quadra(génaire), un quinqua(génaire), un sexagénaire…
une personne âgée, un senior
un baby-boomer, la génération X / Y / Z, un millénial
le jeunisme
un conflit intergénérationnel
bien / mal vivre son âge
assumer son âge

D5 – Dans quel monde vit-on ?

Nous perfectionnons notre grammaire

Les adjectifs : place et accord

7. a. 🎧 Écoutez l'extrait. Complétez le tableau sur la place de l'adjectif.

	immense	grand	simple	dix	nouvelle	vieille	autre	mauvaises	pire	ancienne	différents	vraies	longue
avant le nom	✓												
après le nom													

b. 🎧 Réécoutez et complétez les règles avec des exemples tirés de l'extrait.

1. En général, les adjectifs suivants se placent **avant le nom** :
   - les numéraux cardinaux (*un*, *deux*, etc.) et ordinaux (*premier*, *deuxième*, etc.) ;
   - *petit, grand vieux, jeune, nouveau, joli, beau, vilain, gros, bon, mauvais, gentil, long, meilleur, moindre, pire, autre*, etc.

   Exceptions : ces adjectifs peuvent être **après le nom** dans une structure comparative.

   Exemple : *un écart* .... ; *des musiques* ....

2. Les autres adjectifs sont placés **après le nom**.

   Exceptions : placés **avant le nom**, les adjectifs exprimant un jugement deviennent emphatiques.

   Exemple : *l'* .... *fossé* ; *une longue et* .... *série de malentendus*

3. **Attention !** Certains adjectifs changent de sens selon leur position :
   - ils prennent en général un sens figuré **avant le nom**

   Exemple : *aux vraies mariées* souligne ce qui est évoqué ;

   .... *génération* signifie « seulement cela, rien d'autre » ;

   cette .... *tradition* signifie « qui n'existe plus actuellement » ;

   .... *âges de la vie* signifie « plusieurs » ;

   - ils gardent leur sens propre **après le nom**.

   Exemple : *une ère socio-culturelle toute* .... insiste sur le caractère original ;

   une dame .... souligne les effets visibles de l'âge sur la personne.

8. Accordez si nécessaire les adjectifs en italiques extraits de l'activité **7**.

1. une ère *socio-culturel* → ....
2. des robes *neige* → ....
3. les tissus *noir de jais* → ....
4. des ensembles *bleu marine* → ....
5. des vestes *anthracite* → ....
6. des pantalons *léopard* ou *bleu métallisé* → .... ou ....
7. des couleurs *semi-acceptable* → ....
8. des chaussettes *safran* → ....
9. des chaussures *acajou* → ....
10. des bijoux *mauve* → ....
11. une tunique *grenat* → ....

> **❗ Souvenez-vous**
>
> - **Accord des adjectifs composés**
>   Seuls les mots variables et entiers s'accordent.
>   Ex. : des femmes <u>avant</u>-gardistes, une personnalité <u>franco</u>-anglaise.
>   préposition invariable   élément incomplet
> - Les noms simples (*orange, moutarde*...) ou composés (*bleu-vert, rose pâle*) utilisés comme adjectifs pour **désigner une couleur** sont invariables ; sauf *châtain, écarlate, rose, vermeille, pourpre, incarnat, mauve, violet, fauve* qui s'accordent.

trente-cinq 35

9. Placez les adjectifs entre parenthèses avant ou après le nom souligné. Faites les accords nécessaires.

De l'autre côté de la enceinte (gris – sale), la ville (ancien) (1) s'étendait. Et c'était une ville (vrai) (2), pas de celles
l'enceinte grise et sale

que le siècle (nouveau) (3) affectionnait tant. On y voyait vraiment des styles (superbe) (4), depuis les ruines

(gréco-romain) (5) jusqu'aux immeubles (assez grand) (6) de la fin du XXe siècle aux parois (lisse – multicolore) (7),

affichant parfois des tons (vert paon) (8) et des reflets (jaune d'or) (9), en passant par les façades (beau – rose) (10).

Depuis le séisme (dernier) (11), seuls les citoyens (plus brave) (12) que les autres avaient osé des escapades (rares) (13)

dans ces rues (petit) (14) car les autorités (politico-militaire) (15) avaient alors décidé d'y regrouper tous ceux que

l'algorithme (intelligent) (16) avait désignés comme citoyens (simple – psycho-incompatible) (17) avec les règles

(seul) (18) désormais en vigueur.

La comparaison

10. Écrivez des comparaisons de supériorité avec les éléments indiqués. Utilisez les formes *meilleur, mieux, moindre, pire, davantage* et les adverbes *bien* ou *beaucoup* pour renforcer la comparaison. Faites les accords nécessaires.

Exemple : l'estime que l'on a de soi – jouer un rôle – petit – les médias – dans les représentations du corps aux différents âges de la vie
→ *L'estime que l'on a de soi joue un rôle bien moindre que les médias dans les représentations du corps aux différents âges de la vie.*

1. les conjointes collaboratrices – bien protégées par le droit du travail actuel – avant les modernisations de 2002
   → ....
   ....

2. selon certains opposants à la loi – les mécanismes de discrimination positive – mauvais – les discriminations elles-mêmes
   → ....
   ....

3. la charge mentale – incomber – aux femmes – aux hommes – dans la plupart des familles françaises
   → ....
   ....

4. l'acceptation de l'autorité d'un homme – par ses pairs et homologues – bonnes – celle d'une femme – si le personnel d'une entreprise n'y est pas préparé
   → ....
   ....

> **Souvenez-vous**
>
> Pour **renforcer la comparaison**, on peut utiliser des adverbes comme *bien, beaucoup, vraiment*, etc., mais *beaucoup* ne peut jamais être utilisé avec *meilleur(e), moindre* ou *pire*.

D5 – Dans quel monde vit-on ?

11. Présentez les différences et les similitudes entre ces deux représentations des tâches féminines. Utilisez des adjectifs de comparaison : *analogue à, comparable à, similaire à, identique à, semblable à, même que, différent de, distinct de.*

La femme au foyer des années 1940 et la *wonderwoman* du XXIe siècle

....
....
....
....
....
....
....
....

12. Entourez les expressions de comparaison correctes.

Dans certains domaines professionnels, le phénomène de jeunisme est **tout autre** / **différent** (1) que dans les start-up les plus modernes. Par exemple, face à des parents venus inscrire leur enfant dans un établissement **telle** / **tel qu'** (2) une école de commerce, on n'attend pas de jeunes gens branchés mais des gens mûrs, **comme** / **comme si** (3) les seuls à pouvoir rassurer étaient d'autres parents. Dans un cabinet d'avocats, il en va **de même que** / **aussi que** (4) dans l'enseignement supérieur, la relation de confiance est **tel** / **telle** (5) le respect familial pour les aînés, et ceci **d'autant plus que** / **à mesure que** (6) l'affaire confiée au juriste est personnelle.

Les compléments circonstanciels

13. Indiquez les circonstances exprimées par les compléments circonstanciels soulignés : temps, lieu, manière, moyen, accompagnement, cause, conséquence, but, concession, condition ou comparaison.
Exemple : Récemment (*temps*), une étude a révélé de nombreuses erreurs dans l'orientation des lycéens (*lieu*) à cause d'un dysfonctionnement informatique (*cause*).

1. Dans cette banlieue (..................), on remarque rapidement (..................) les investissements réalisés afin d'offrir de meilleures infrastructures aux citoyens (..................).
2. Accompagné du chargé de mission (..................), le Premier ministre a annoncé un Plan banlieues faisant suite au rapport remis le mois dernier (..................).
3. Avec les dernières études socio-économiques réalisées (..................), un *think tank* propose des améliorations rapides à condition de remodeler le tissu urbain des grandes villes (..................).
4. Même si les manifestations ont été nombreuses (..................), il n'est pas question de revenir sur les lois de parité comme cela a été fait précédemment (..................).

14. Réécrivez les phrases avec les compléments circonstanciels indiqués.
Exemple : Les députés se pencheraient sur la question du CV anonyme. (temps – but – lieu) → *Lors de cette session parlementaire, les députés se pencheraient sur la question du CV anonyme afin de corriger les discriminations des jeunes dans les banlieues.*

1. Un homme a obtenu que sa candidature soit reconsidérée. (opposition/concession – manière)
2. Beaucoup de jeunes cherchent à changer de quartier ou de ville. (lieu – but)
3. Une victime de discrimination peut s'adresser à une association. (condition – manière)
4. Certaines entreprises sont des modèles de parité. (comparaison – temps – cause)

Nous améliorons notre style

Les registres de langue : marquer des situations d'énonciation

15. 🎧 10 Écoutez le récit. Faites les activités proposées à l'aide de la transcription.

a. Complétez le tableau.

Énonciateur	Registres de langue utilisés					Raison(s) de l'emploi du registre de langue
	soutenu	standard	familier	populaire	vulgaire	
1. Narrateur						....
2. Madame Tellier						....
3. Hélène avec Madame Tellier						....
4. Hélène avec son mari						....
5. Demandeurs d'emploi 1, 2 et 4						....
6. Demandeuse d'emploi 3						....

b. Écrivez le registre de langue correspondant aux caractéristiques suivantes. Donnez des exemples tirés de la transcription.

1. Jurons : registre ....

   Exemple(s) : ....

2. Vocabulaire simple et adapté à la situation, syntaxe correcte : registre ....

   Exemple(s) : ....

3. Vocabulaire riche et précis, tournures de phrases variées, phrases complexes, connecteurs, expressions imagées,

   formules de politesse élaborées : registre ....

   Exemple(s) : ....

4. Mots et expressions familiers, argot, élision du *ne* de la négation : registre ....

   Exemple(s) : ....

5. Vocabulaire approximatif et assez pauvre, interjections : registre ....

   Exemple(s) : ....

16. Réécrivez les déclarations des demandeurs d'emploi 1, 2 et 4 et celles d'Hélène à son mari en registre standard.

1. De « *J'ai bossé…* » à « *… toutes mes tripes.* »

   ....

2. De « *Ah oui, des boulots…* » à « *… un p'tit quequ' chose, Madame ?* »

   ....
   ....

3. De « *Je suis toute seule…* » à « *… Comment j'vais faire ?* »

   ....

4. De « *Fais chier…* » à « *… Jeunisme à la con, ouais !* »

   ....
   ....
   ....

17. Écrivez la suite du récit selon le scénario suivant.

1. Le narrateur (registre soutenu) explique que le lendemain, Hélène retourne au travail.

2. Hélène (registre standard) reçoit une demandeuse d'emploi qui perd son calme durant l'entretien (registre populaire).

3. Désemparée, Hélène appelle son mari à la pause déjeuner (registre familier).

DOSSIER 6 TAF (Travail à faire)

Nous enrichissons notre vocabulaire

Le droit du travail
> Leçons **1** et **3**

1. Remplacez les expressions par un synonyme de la liste. Faites les accords nécessaires.

jour de RTT • subalterne • délégué du personnel • mine • retraite • congé payé • syndicat • grève • diminution de salaires • main-d'œuvre • repos • revenu • assurance chômage • usine

LE DROIT DU TRAVAIL EN 8 DATES CLÉS

1841 La France fait travailler les enfants, une .... (1. ouvriers) peu chère et reléguée aux tâches .... (2. inférieures), dans les .... (3. exploitations de charbon), dans les .... (4. fabriques), etc. Le 22 mars 1841 est votée la loi interdisant le travail des enfants de moins de 8 ans.

1884 Une loi autorise la création des .... (5. associations défendant les intérêts des travailleurs).

1910 L'âge de la .... (6. fin de la vie active) est fixé à 65 ans.

1906 Une loi accorde à tous les salariés un .... (7. une suspension de travail) de 24 heures après six jours d'activité.

1936 Les .... (8. arrêts collectifs de travail) se multiplient en France. Pour ramener la paix sociale, le gouvernement Blum vote des réformes : deux semaines de .... (9. vacances indemnisées), semaine de 40 heures sans .... (10. que les rémunérations ne baissent), mise en place de .... (11. représentants des salariés).

1950 Une loi crée le Salaire minimum interprofessionnel garanti (SMIG). Cette loi garantit à chaque salarié un .... (12. salaire) minimum en fonction du budget du ménage.

1958 L' .... (13. indemnisation en cas de perte d'emploi) est mise en place.

2000 Le temps de travail passe à 35 heures. Les salariés qui travaillent plus se voient attribuer des .... (14. journées ou des demi-journées de repos).

La communication en entreprise
> Leçon **1**

2. a. Lisez le message et retrouvez les anglicismes correspondant aux définitions.

1. une conférence téléphonique réunissant plusieurs collaborateurs : ....
2. un séminaire de formation : ....
3. dès que possible : ....
4. débordé : ....
5. avoir l'esprit d'entreprise : ....
6. une échéance : ....
7. faire le point : ....
8. regarder, vérifier : ....
9. une réunion de groupe pour réfléchir ensemble sur un thème donné : ....
10. un apéritif entre collègues après une journée de travail : ....
11. un mél, un courriel : ....
12. un compte rendu : ....
13. une réunion : ....
14. un épuisement professionnel : ....

b. Laëtitia répond à Romain. Elle le rassure, donne son impression générale sur la réunion et lui promet de tout lui raconter par téléphone. Rédigez sa réponse amicale sans anglicisme.

Les postes et les missions

> Leçons **2** et **4**

3. a. 🎧 11 Écoutez les descriptions de poste. Associez-les à un métier de la liste. Complétez la première colonne du tableau.

le / la graphiste • le / la responsable des relations publiques • le / la chef(fe) de produit • le / la PDG • le / la stratège des médias sociaux • le / la chef(fe) de projet • le directeur / la directrice des ressources humaines • le / la responsable informatique

b. 🎧 11 Réécoutez. Complétez la deuxième colonne du tableau.

Métier	Verbe(s) ou expression(s) verbale(s) qualifiant la mission
1.	*avoir pour mission de, développer*
2.	....
3.	....
4.	....
5.	....
6.	................................., ...
7.	................................., ..., ...
8.	................................., ...

4. Proposez une description de poste pour les deux métiers suivants. Utilisez des verbes et expressions verbales de l'activité **3b**.

1. Nom de métier : commercial(e)

   Vous ....
   ....

2. Nom de métier : hôte(sse) d'accueil

   Vous ....
   ....

D6 – TAF (Travail à faire)

5. Rédigez l'offre d'emploi de la start-up Simpligo avec les informations suivantes. Adaptez votre langage au profil du candidat recherché.

Entreprise : Simpligo, start-up spécialisée dans les services informatiques pour les entreprises (visioconférence, gestion des tâches informatiques et Wi-fi).
Poste à pourvoir : chargé de communication et marketing
Mission : ancrer le positionnement de la marque, lancer de nouveaux produits, créer des publicités, mettre en place des événements, gérer le site web.
Profil du candidat : bac + 3, qualités relationnelles, autonome
Les plus : petite équipe jeune et dynamique, très beaux locaux en plein cœur de Paris, management participatif

Si toi aussi, tu rêves d'un job où tu puisses ....
....
....
....
....
....
....
....
....

Lexique thématique du dossier 6

6. Lisez les rubriques du lexique. Complétez-les avec des mots et des expressions que vous connaissez.

L'entreprise

une multinationale
une PME (petite ou moyenne entreprise)
une start-up
une microentreprise
une usine

Les postes de travail

un(e) PDG, un(e) président(e) directeur / directrice général(e)
un(e) chef(fe) d'entreprise
un(e) directeur / directrice
un(e) entrepreneur / entrepreneuse
un(e) cadre supérieur(e)
un(e) manager
une DRH, un(e) directeur / directrice des ressources humaines
un(e) employé(e)
un(e) salarié(e)
un(e) technicien(ne)
la main-d'œuvre
un(e) ouvrier / ouvrière qualifié(e)
un(e) délégué(e) syndical(e)
un(e) représentant(e) du personnel

L'organisation du travail

gérer, diriger une entreprise
occuper un poste / une fonction
travailler à la chaîne
la hiérarchie verticale / horizontale
le management collaboratif / participatif
le télétravail ≠ le présentéisme
faire une heure supplémentaire
poser une journée de RTT (réduction du temps de travail)

La recherche d'emploi

un(e) candidat(e)
un(e) recruteur / recruteuse
un poste à pourvoir
une candidature
un entretien d'embauche
une période d'essai
postuler à un emploi
envoyer une candidature spontanée
embaucher, recruter

Les problèmes sociaux

la fermeture d'une usine
la délocalisation
la grève
le mouvement social
la crise de l'emploi
le chômage

Nous perfectionnons notre grammaire

Les compléments circonstanciels : les prépositions

7. Complétez les compléments circonstanciels avec *à* ou *de*. Faites les modifications nécessaires.

Je garde un souvenir amer de mon expérience en open space. J'arrivais de mon école de commerce, l'esprit plein d'images hollywoodiennes : c'était pour moi le lieu où l'on se fait une carrière avec des collègues si proches qu'ils comprennent vos pensées .... (1) un simple regard, des supérieurs qui ne sont éloignés que .... (2) quelques pas, etc. J'y ai en fait vécu des moments bien différents : assise .... (3) mon bureau, je devais parler .... (4) voix basse pour ne pas déranger mes collègues, aller .... (5) pas feutrés .... (6) la photocopieuse pour ne gêner personne et je tremblais .... (7) peur quand le responsable criait les objectifs du jour. .... (8) 18 heures, je rentrais .... (9) le travail .... (10) mon domicile en marchant, juste pour me calmer !

Souvenez-vous

- *À* introduit des compléments qui désignent : le lieu où l'on est ou le lieu où l'on va, la manière, le moyen, l'heure.
- *De* introduit des compléments qui désignent : le point de départ ou l'origine, la manière, la cause, la mesure (distance, durée, prix, quantité).
- *De… à…* introduisent des compléments qui désignent des limites (distance, durée, prix, quantité).

8. Complétez les phrases avec les prépositions correctes. Faites les élisions et contractions nécessaires.

Exemple : (près de / auprès de) Vous devrez déposer vos demandes de congés *auprès des* ressources humaines. Le bureau qui vous a été attribué se trouve *près des* vestiaires.

1. (face à / en face de) .... les mutations du travail, changer de carrière n'est plus un tabou.

   Juste .... les grévistes, les journalistes attendaient l'arrivée du ministre.

2. (au regard de / en regard de) Les documents à fournir pour le visa sont indiqués .... chaque critère.

   Le Canada attire les Français .... les opportunités qu'ils y trouvent.

3. (du côté de / à côté de) Juste .... la France, plusieurs pays continuent à faire rêver les Français.

   Mais pour l'aventure, c'est .... l'Amérique qu'ils regardent en général.

4. (parmi / entre) Ces temps-ci, ... le délégué du personnel et le patron, les relations sont tendues.

   Aujourd'hui, choisir .... les candidats relève d'un processus très codifié.

5. (sur / au-dessus de) La durée de la période d'essai figure .... le contrat de travail.

   Un panneau d'affichage à l'attention de tous a été installé .... la photocopieuse.

9. Remplacez les termes soulignés par une préposition de l'activité 8.

Exemple. <u>Si l'on considère</u> les chiffres officiels, la productivité est meilleure en France. → *Au regard des chiffres officiels, la productivité est meilleure en France.*

1. Les dossiers d'immigration sont à déposer <u>à</u> l'office du travail canadien.

   ....

2. Les causes de départ vers l'étranger sont peut-être à trouver <u>dans</u> le manque de perspectives de carrière.

   ....

3. Peu de travailleurs peuvent aujourd'hui se vanter d'avoir choisi leur travail <u>au milieu de</u> plusieurs offres.

   ....

4. Le management horizontal modifie l'image d'un responsable qui serait <u>dans une position supérieure</u> aux employés.

   ....

D**6** –TAF (Travail à faire)

Le conditionnel

10. a. 🎧12 **Écoutez. Identifiez le temps des verbes de chaque extrait.**

Conditionnel présent : 1, ...

Conditionnel passé : 1, ...

b. Associez chaque extrait à une valeur du conditionnel.

Souhait : ......   Probabilité : ......

Fait imaginaire : ......   Atténuation : ......

Information non confirmée : 1   Regret : ......

Conseil : ......   Reproche : ......

11. Reformulez les propos des salariés d'une usine. Utilisez le conditionnel.

Exemple : Notre désir est simple : garder nos postes et nos conditions de travail.
→ *Nous voudrions simplement garder nos postes et nos conditions de travail.*

1. Il paraît que les grands directeurs se réunissent ce matin afin d'évoquer un plan social.
   ....

2. Mon seul regret : ne pas avoir été averti des difficultés de l'entreprise avant la presse.
   ....

3. Mon usine de rêve, on y va pour le plaisir autant que pour la paye.
   ....

4. Hier, on a eu la visite d'un concurrent, peut-être qu'il va pouvoir reprendre l'activité.
   ....

5. Si j'ai un conseil : il faut que les salariés soient tenus au courant des négociations.
   ....

6. Face aux difficultés, pourquoi le patron n'a pas cherché des partenariats ?
   ....

L'expression de l'opposition, de la concession et de la restriction

12. a. Lisez les résultats d'une enquête sur le management en France. Soulignez les mots ou les expressions indiquant une opposition, une concession ou une restriction.

La perception du management

D'après une récente enquête sur la perception que les différents acteurs de l'entreprise ont du management, et bien que la situation soit globalement positive, des contradictions apparaissent tout de même selon l'ancienneté des salariés et le statut de leur entreprise.

Ainsi, quel que soit leur type, les outils de gestion modernes sont bien perçus par les plus jeunes tandis que les plus anciens pointent leur complexité. Plus précisément, si les nouveaux les jugent trop présents, les anciens les considèrent chronophages. Un paradoxe : quitte à changer les outils de travail, autant que ce soit pour augmenter l'efficacité !

L'étude révèle également l'impact de ces outils sur l'humain, et là encore les réponses <u>divergent</u> : même si tous le ressentent, les plus jeunes s'en accommodent, alors que les anciens le vivent comme un problème majeur.

b. Classez les expressions soulignées dans l'activité **12a**. Puis, complétez les listes avec des expressions que vous connaissez.

Verbes : *diverger*, ...

Noms : ....

Expressions suivies de l'indicatif : ....

Expressions suivies du subjonctif : ....

Expressions suivies de l'infinitif : ....

Mots de liaison : ....

> **Souvenez-vous**
>
> Les expressions **suivies de l'indicatif** expriment en général **une opposition** tandis que les expressions **suivies du subjonctif** expriment presque toujours **une concession** ou **une restriction**.
>
> Exceptions : *Si* et *même si* (concession), *sauf que* et *si ce n'est que* (restriction) sont suivis de l'indicatif.
> *Sans que* (opposition négative) nécessite le subjonctif.
> Ex. : *La productivité a augmenté sans que le personnel ne fasse d'heure supplémentaire.*

13. 🎧13 Écoutez d'autres résultats de l'enquête sur le management en France. Cochez la valeur de ce qui est exprimé et relevez l'expression utilisée.

	Opposition	Concession	Restriction	Expression utilisée
Exemple		✔		*tout… que*
1.				....
2.				....
3.				....
4.				....
5.				....
6.				....

14. Soulignez les expressions correctes.

> L'université française propose peu de stages pratiques en France ou à l'étranger **quoiqu'** / **même s'**il y ait de nombreuses possibilités d'échanges universitaires. C'est pourquoi les étudiants se plaignent parfois d'un manque d'expérience « réelle », **alors qu'** / **encore qu'**ils aient souvent des expériences de petits jobs d'été. Des voies plus pratiques existent **cependant** / **au contraire**. Les BTS d'abord, une filière que l'on peut suivre en alternance ou non **sauf que** / **sans que** la valeur du diplôme soit affectée. Les licences professionnelles ensuite qui se préparent en lycée aussi **en dépit de** / **au lieu de** leur statut universitaire. Enfin, **quelque** / **bien que** déconsidéré qu'il reste, rappelons que l'apprentissage après le collège permet également d'accéder à des études supérieures une fois le baccalauréat validé.

15. À partir des informations suivantes, rédigez une opposition, une concession et une restriction. Utilisez des expressions variées des activités **12**, **13** et **14**.

Les Français bénéficient de 27 à 42 jours de congés payés et de RTT par an en moyenne. • La productivité en France est très élevée. • Le monde entier croit que les Français ne travaillent que 35 heures par semaine. • En France, il est socialement acceptable de ne pas adorer son travail. • Les Français ne sont pas les Européens qui travaillent le moins chaque semaine. • Il peut être choquant de faire passer son travail en premier.

Nous améliorons notre style

Les procédés pour rapporter des paroles : changer de point de vue

16. Lisez le texte et indiquez le type de discours.

> On prétend que l'entreprise et le travail jouent un rôle mineur dans la littérature française. Les éditeurs assurent pourtant que les auteurs sont nombreux à s'emparer de ce sujet. Marc Duplat, des éditions Jonard, commente : « Ce sont les tourments des salariés, des précarisés ou des exclus de l'emploi qui sont surtout traités. » Gérard Mordillat, fils d'ouvrier et auteur engagé, pense que la seule façon d'être écrivain est d'affronter le réel. « Il ne s'agit pas d'écrire un monde qui a renoncé aux possibilités de la lutte sociale, explique l'écrivain, mais un monde qui en ignore les possibilités. » Il est l'un des rares à clamer que la littérature est un moyen de tenter de changer le monde. En revanche, il dénonce la tendance à vouloir enfermer les auteurs dans un type de littérature en fonction de leur origine sociale. Qu'est-ce que c'est que cette manie de toujours vouloir coller des étiquettes ? Dire qu'un commentateur qualifiait récemment ses romans de romans sociaux ! Sérieusement ?! « Est-ce qu'on dit que d'Ormesson écrit des romans bourgeois et Houellebecq, des romans petits-bourgeois ? » tempête-t-il. « Dès qu'on parle du monde du travail, les commentateurs vous poussent en dehors de la création littéraire », déplore Gérard Mordillat.

1. Type de discours : ....
   Procédé : citer telles quelles les paroles de quelqu'un.
   Caractéristiques : verbe introducteur de parole, ponctuation adaptée (guillemets ou tirets de dialogue).
   Intention de l'auteur : être fidèle aux propos rapportés.

2. Type de discours : ....
   Procédé : reformuler les propos de quelqu'un.
   Caractéristiques : verbe introducteur de parole suivi d'une subordonnée, transformations grammaticales qui marquent le changement d'énonciation.
   Intention de l'auteur : prendre des distances vis-à-vis des propos rapportés.

3. Type de discours : ....
   Procédé : associer des caractéristiques du discours indirect à celles du discours direct.
   Caractéristiques : absence de verbe introducteur de parole, marqueurs d'oralité (ponctuation), absence de guillemets ou de tirets.
   Intention de l'auteur : faire accéder directement aux pensées de quelqu'un, marquer l'implicite (l'ironie par exemple).

17. Complétez les listes avec les verbes introducteurs de parole du texte.

Déclaratifs : *affirmer*, *ajouter*, *annoncer*, ...

Exprimant des sentiments et / ou un jugement de celui dont on rapporte les paroles : *s'inquiéter*, *s'indigner*, *s'étonner*, *s'enthousiasmer*, *s'amuser*, ...

Exprimant des sentiments et / ou un jugement de celui qui rapporte les paroles : *insinuer*, *prétexter*, ...
....

18. Rapportez les propos suivants. Variez les procédés et les verbes introducteurs de parole. Adaptez la ponctuation.

1. Une éditrice : « 90 % des livres sur l'entreprise ont été publiés après 2000. »
....

2. Un critique littéraire : « Il y en a marre de ces auteurs de la classe dominante qui écrivent sur la condition ouvrière ! »
....

3. Un lecteur : « Enfin un livre positif et jubilatoire sur le travail ! »
....

4. Un directeur éditorial : « Dès qu'on donne un cadre d'enquête aux romanciers, ils foncent sur le terrain avec gourmandise ! »
....

DOSSIER 7 Vague à l'âme

Nous enrichissons notre vocabulaire

L'expression des émotions et les humeurs noires
> Leçon 1

1. a. 🎧 14 Écoutez les réactions de spectateurs à la sortie d'une salle de cinéma. Classez-les selon le thème abordé.

a. Qualité de l'adaptation cinématographique : 4, ...

b. Type de film : ....

c. Travail du réalisateur : ....

d. Jeu des acteurs : ....

b. 🎧 14 Réécoutez. Associez chaque témoignage à une émotion et relevez le mot entendu.

	1	2	3	4	5	6
Déception	....	....	....	....	....	....
Admiration	....	....	....	....	....	....
Agacement	*énervant*	....	....	....	....	....

2. Complétez chaque liste avec les synonymes suivants. Soulignez ceux qui relèvent du registre familier.

le cafard • la morosité • avoir les nerfs en pelote • en avoir ras-le-bol • être à vif • ne plus pouvoir supporter • le désenchantement • en avoir marre • une dépression • être chamboulé

1. être bouleversé, ...
2. être agacé, ...
3. être las, ...
4. un vague à l'âme, ...
5. une déprime, ...

3. a. Complétez ces déclarations de patients à leur psychothérapeute. Utilisez des expressions de l'activité **2**.

1. Je ressens tellement d'ennui et de fatigue mêlés, tout est si lent, c'est toujours la même chose. Vraiment, j'éprouve une telle ....

2. Je ne comprends pas ce qui m'arrive : dès que quoi que ce soit me contrarie, j'..., j'ai l'impression que je ne peux plus rien tolérer. Je fais pourtant un tel travail sur moi-même !

3. Je rêvais d'un travail où les managers seraient à nos côtés, où la direction serait bienveillante. Je croyais l'avoir trouvé mais depuis le rachat de mon entreprise, mon .... est indéniable.

4. L'annonce de la maladie de ma mère m'a dévasté. Je sais qu'il est normal que je .... par cette nouvelle, et pourtant je sens que je ne peux y faire face seul.

5. J'ai toujours été une personne positive, mais ces derniers temps, sans aller jusqu'à parler de dépression, je sens bien que j'ai le ....

6. Chaque hiver, c'est la même chose. Avec la grisaille et les journées qui raccourcissent, je sens que la .... me gagne. Je n'arrive plus à être d'humeur légère.

b. 🎧 15 Écoutez les réponses du thérapeute. Associez-les aux patients de l'activité **3a**.

a. Patient .... d. Patient ....

b. Patient .... e. Patient ....

c. Patient .... f. Patient ....

46 quarante-six

D7 – Vague à l'âme

La médiation animale
> Leçon **3**

4. Complétez l'article avec les mots et les expressions suivants :

apaiser • dépression • stress • motivation • bien-être • trop-plein sensoriel • remonter le moral • confiance en soi • améliorer • s'ouvrir vers les autres

La zoothérapie, c'est quoi exactement ?

Utilisée en complément des thérapies traditionnelles, la zoothérapie vise le .... (1) d'un patient. Plus précisément, elle peut .... (2) la qualité de vie, réduire le .... (3) d'une situation difficile, ... (4) en cas de dépression ou encore aider ceux qui souffrent d'isolement à .... (5). Les résultats varient selon les individus et leurs problématiques particulières. Ainsi, un chien énergique pourra redonner de la .... (6) et de la joie à une personne souffrant de .... (7), tandis qu'un lapin, par son côté doux et passif, peut aider à .... (8) les gens très angoissés. Les animaux peuvent aider les enfants autistes à se désensibiliser pour atténuer leur .... (9), ils peuvent également aider une personne à retrouver .... (10), en lui permettant par exemple de se faire obéir.

5. Associez les actions menées dans une maison de retraite au but visé.

1. Organiser des visites avec des animaux de ferme pour des pensionnaires issus du milieu rural.
2. Proposer aux pensionnaires de caresser, brosser et nourrir un animal.
3. Accueillir de manière permanente des animaux.
4. Organiser des ateliers de communication non-verbale avec un animal regroupant personnel et résidents.
5. Permettre aux résidents au tempérament solitaire de passer du temps avec un animal.
6. Proposer aux résidents de sortir un petit chien et de le faire jouer avec une balle.

a. Conserver des repères et responsabiliser.
b. Encourager les promenades et favoriser la mobilité.
c. Se remémorer un passé heureux et apaisant.
d. Redonner sa place à l'affect et faire renaître l'expression.
e. Créer un lien plus naturel entre le personnel soignant et les pensionnaires.
f. Donner à la vie en maison de retraite un aspect plus « normal » et rassurer.

Les utopies
> Leçon **4**

6. Soulignez les expressions correctes dans cet article d'encyclopédie.

Utopie

Au sens premier, l'utopie désigne un pays **imaginaire / lointain** où règne un gouverneur **despotique / idéal** sur un peuple **heureux / assujetti** vivant selon **son libre-arbitre / la servitude**. Il s'agit donc d'un lieu, d'une civilisation, où les inégalités, les injustices, etc., **règneraient / n'existeraient pas**. Suivant cette définition, beaucoup estiment que **la transgression / l'organisation** de la paix universelle n'est qu'une utopie.

Parmi les différents modèles d'utopie proposés depuis le xvɪᵉ siècle, nombre d'entre elles se situent sur une île inconnue ou une montagne secrète. En effet, l'isolement permet de s'affranchir des **vertus / vices** des autres civilisations et de ne pas être sous **le joug / l'influence** de quelque pays hostile.

Dans ces contrées utopiques, tout est réglé pour l**e bonheur / la résilience** de chacun, que ce soit dans **la loi / la frugalité** d'une vie simple ou dans l'abondance d'une vie opulente.

7. Indiquez à quelle thématique renvoient les propositions utopiques.

	L'individu	La politique	L'économie	L'écoresponsabilité
1. Chacun devrait choisir sa manière de vivre comme bon lui semble.				
2. Les gouvernements devraient assurer à tous des revenus suffisants.				
3. Les citoyens pourraient être choisis à tour de rôle pour participer à l'élaboration de propositions de loi.				
4. Chacun pourrait être ambassadeur d'une cause et s'y consacrer.				
5. On pourrait imaginer un système où tous les gestes écologiques seraient récompensés.				
6. Et si, en alternant, on se mettait véritablement à la place des dirigeants pour de courtes périodes ?				
7. La frugalité des besoins sera la seule réponse à la crise environnementale.				
8. Les ressources vitales ne devraient pas faire l'objet de spéculations.				

8. Choisissez une proposition de l'activité 7 et développez-la. Expliquez pourquoi et comment elle pourrait améliorer la société.

....
....
....
....
....
....

Lexique thématique du dossier 7

9. Lisez les rubriques du lexique. Complétez-les avec des mots et des expressions que vous connaissez.

Les émotions et les humeurs noires

un vague à l'âme
une perte de repères
un désenchantement
une lassitude
la morosité
être à vif
être chamboulé
avoir les nerfs à fleur de peau / en pelote
faire une / être en dépression
avoir le cafard
être morose
émouvoir quelqu'un
toucher une corde sensible
réconforter quelqu'un
remonter le moral

La médiation animale

l'anthropomorphisme
un registre émotionnel
la sensibilité
apaiser
éprouver
susciter un sentiment / une émotion

Les utopies

le libre arbitre
une vertu ≠ un vice
une contrainte
la servitude
une loi, une règle, une obligation
la frugalité (frugal(e))
la résilience (résilient(e))
être sous le joug de…
assujettir
convoiter
nuire à quelqu'un
s'affranchir de…
repousser
enfreindre
transgresser

D7 – Vague à l'âme

Nous perfectionnons notre grammaire

Les adjectifs et les pronoms indéfinis

10. a. Lisez le billet d'opinion. Soulignez les adjectifs et les pronoms indéfinis.

> Chaque lecteur a son avis sur l'adaptation des livres au cinéma. Je n'en connais pas un seul qui soit indifférent à ce sujet. Certains s'enthousiasment pour l'interprétation brillante de tel ou tel acteur quand d'autres s'agacent du manque de fidélité à l'histoire originale. Les mêmes arguments reviennent pour n'importe quel film. Mais le constat est là : les livres font des films à succès. On en connaît quelques-uns d'extraordinaires. Plusieurs ont battu des records d'entrées. L'un d'eux, *Intouchables*, a réalisé quelque 20 millions d'entrées ! Même si l'on peut retrouver divers genres dans les adaptations cinématographiques, ce sont d'abord le roman et la nouvelle qui fournissent la matière première aux longs-métrages. Il arrive qu'un livre banal devienne un film magistral mais l'inverse est vrai aussi. L'important, à mon avis, est de ne pas laisser l'adaptation de son livre aux mains de n'importe qui. Nul ne me contredira, j'espère !

b. Classez les adjectifs et les pronoms indéfinis que vous avez soulignés. Ajoutez ceux que vous connaissez.

Les adjectifs indéfinis : *chaque*, ...
....

Les pronoms indéfinis : ....
....
....

! Souvenez-vous

1. **Les pronoms indéfinis** indiquant **une quantité** accompagnent souvent le complément *en*.
   Ex. : *Je n'en connais pas un seul.*

2. Les pronoms indéfinis peuvent être précisés :
   • Pronoms indéfinis + ***de / d'*** + **adjectif qualificatif**.
   Ex. : *On en connaît quelques-uns **d'extraordinaires**.*
   • *Quelques-un(e)s, certain(e)s, plusieurs, l'un(e), chacun(e), aucun(e)* { *de* + **nom** / *d'entre* + **pronom** }
   Ex. : *L'un **d'eux** a réalisé 20 millions d'entrées !*

3. *N'importe qui, n'importe quoi, n'importe comment*… marquent une indifférence qui peut être **péjorative**.

   Attention ! *quelque* (sans *-s*) + **nom** est un adverbe et signifie « environ » ou « un peu de ».
   Ex. : *quelque 20 millions d'entrées.*

11. Complétez avec un adjectif ou un pronom indéfini. Faites les accords nécessaires. Plusieurs réponses sont parfois possibles.

> http://www.bienetreanimal.com
>
> Le développement personnel représente *quelque chose* d'important dans la société actuelle. Je dirais même qu'il n'a jamais connu un .... (1) engouement. .... (2) des livres présents sur cette étagère est consacré au sujet. Vous pouvez lire .... (3) . Personnellement, j'en ai lu .... (4) . ... (5) sont très instructifs, ... (6) moins. .... (7) n'ignore le proverbe : « Ne fais pas à .... (8) ce que tu n'aimerais pas que l'on te fasse. » C'est sur cette règle d'or que le débat sur la cause animale s'est ouvert hier. .... (9) questions ont été soulevées lors du débat dont .... (10) ont suscité des huées du public.

12. Répondez aux questions avec les adjectifs et les pronoms indéfinis proposés.

1. Avez-vous déjà consulté des ouvrages de psychologie positive ? Qu'en pensez-vous ? (quelques-uns – certains… d'autres…)

   ....

2. À qui peut profiter la médiation animale ? (tel(le)(s) – quiconque)

   ....

3. Qu'est-ce que le bonheur pour les habitants de votre pays ? (les uns… les autres…)

   ....

4. Avez-vous testé des thérapies pour combattre la déprime saisonnière ? (divers(e)(s) – pas un(e) seul(e))

   ....

Le subjonctif (2)

13. a. Écoutez les réponses à l'enquête « Que proposez-vous pour créer une société idéale ? » Cochez les valeurs exprimées.

	Nécessité / Obligation	Souhait / Volonté	Ordre	Permission / Interdiction	Conseil / Proposition	Intention / But
Exemple		✔	✔			
1.						
2.						
3.						
4.						
5.						
6.						

b. Réécoutez. Classez les formes verbales des réponses de l'enquête selon la valeur du subjonctif.

Nécessité / Obligation : ....

Souhait / Volonté : *ai envie que*, ...

Ordre : *ordonne que*, ...

Permission / Interdiction : ....

Conseil / Proposition : ....

Intention / But : ....

> **Souvenez-vous**
>
> Attention !
> - Les verbes sont suivis directement de l'infinitif ou de *de* + infinitif si le sujet est le même.
> Ex. : *Nous refusons **de soutenir** une société qui ne respecte pas les différences.*
> - Le verbe *espérer* est suivi de l'indicatif.
> Ex. : *J'espère que cette société **existera** un jour.*

14. Transformez les phrases comme dans l'exemple.

Exemple : Nous devons éduquer les enfants avec les principes de la psychologie positive, la directrice y tient.
→ *La directrice tient à ce que nous éduquions les enfants avec les principes de la psychologie positive.*

1. Le bonheur devient une marchandise comme une autre, nous ne pouvons pas le tolérer.

   ....

2. L'arrivée des congés a pour conséquence l'abandon massif des animaux de compagnie, il faudrait l'empêcher.

   ....

3. La loi doit prendre en compte la sensibilité animale, nous l'exigeons !
....

4. La morosité envahit trop nos collègues, j'aimerais éviter cela.
....

5. Dans notre communauté, chacun doit vivre en harmonie avec la faune et la flore, nous y veillons vraiment !
....

6. Notre chef d'établissement devrait reconnaître les bienfaits d'animaux médiateurs en classe, voilà ce que je suggère.
....
....

15. Répondez à la question de l'enquête de l'activité **13a**. Faites cinq propositions. Utilisez les verbes et expressions suivants : *avoir envie que*, *refuser que*, *exiger que*, *faire en sorte que*, *l'idéal serait que*.

1. ....
2. ....
3. ....
4. ....
5. ....

Construction de la phrase complexe (2) : principale/subordonnée, juxtaposition, coordination

16. Soulignez les éléments corrects.

La pensée positive est un modèle **dans l'enseignement, le management et la parentalité** / **dans l'enseignement, le management, la parentalité**. Elle cherche **à valoriser les émotions positives** / **la valorisation des émotions positives**. **Parce que** / **En effet**, se concentrer uniquement sur les problèmes freine le développement personnel. **Et** / **De plus**, cela contribue à l'isolement des personnes. **Mais** / **Or**, on sait que pour être épanoui, il convient d'être engagé dans nos relations aux autres.

17. Reformulez les énoncés en supprimant le plus de répétitions possibles. Utilisez la virgule ou *et*.

Exemple : Il s'intéresse à ce problème, il veut résoudre ce problème.
→ *Il s'intéresse à ce problème et veut le résoudre.*

1. Les membres de la commission demanderont leur avis aux vétérinaires. Ils demanderont son avis au ministre de l'Agriculture. Ils demanderont leur avis aux membres de la Société protectrice des animaux.
....
....

2. La déprime saisonnière, c'est ce dont nous avons décidé de parler, c'est ce que vous avez peut-être déjà vécu.
....
....

3. Le philosophe a élaboré sa théorie sur la pensée utopique, il a expliqué sa théorie sur la pensée utopique.
....

4. Ceux qui vivent dans une grande ville ou près d'une grande ville sont plus enclins à développer des formes de stress.
....

Nous améliorons notre style

L'ironie dans tous ses états

18. a. Lisez les extraits et cochez les interprétations correctes.

1. De loin, mon père regardait son voisin s'approcher, celui contre lequel il en était à son troisième procès. Il parlait toujours de lui dans les mêmes termes, un homme si sympathique, qui était d'une compagnie si agréable, dont les actions étaient chaque fois si bien menées. Bref : un homme qu'il adorait.

   Le narrateur décrit un homme : ☐ admirable   ☐ détestable.

2. Le procès était passé, le verdict était tombé. Je pouvais entendre la voix de mon frère lorsqu'il avait pu m'appeler pour la première fois, il voulait me préserver de toute inquiétude et me décrivait ce lieu de détention comme une suite tout confort, aux grands volumes et à la luminosité incomparable.

   Il s'agit de la description :   ☐ d'un appartement confortable   ☐ d'une prison.

3. Il fut vraiment courageux dans sa jeunesse, il laissa toujours les questions sensibles aux autres !

   Il a fait preuve :   ☐ de lâcheté   ☐ de courage.

4. Sa mère est une vraie philanthrope, j'en ai la preuve : si elle doit choisir entre aider un animal ou un être humain, elle choisit systématiquement l'animal.

   Cette femme est :   ☐ philanthrope   ☐ misanthrope.

5. Il n'y a rien à dire, quand on voit sa salle d'attente vide, on ne peut que se dire que c'est un médecin efficace et réputé.

   Le médecin :   ☐ inspire confiance   ☐ peut rendre méfiant.

b. Parmi les intentions suivantes, soulignez celles qui ont motivé l'écriture des extraits.

faire rire aux dépens de quelqu'un • critiquer • s'amuser • mettre en avant • se moquer • idéaliser • caricaturer • valoriser • surestimer • dévaloriser

19. a. Pour rendre les propos ironiques, on utilise principalement quatre figures de style. Associez chacune d'elles à une phrase.

Une antiphrase : on dit le contraire de ce que l'on pense.

Un euphémisme : on atténue une expression qui peut déplaire ou choquer.

Un oxymore : on rapproche deux mots de sens contraire.

Une hyperbole : on exagère pour souligner une idée.

1. Tu as abandonné ton animal avant l'été. Bravo ! Beau comportement !
2. Ce garçon est un monument de prétention.
3. L'adaptation de ce livre est un magnifique ratage.
4. Il a dépensé tout son héritage en séances de développement personnel, il s'est laissé quelque peu emporter…

b. 🎧 17 L'ironie est également perceptible à l'oral. Écoutez les phrases et relevez les mots mis en relief par l'intonation.

1. ....   3. ....
2. ....   4. ....

20. a. Complétez cette critique du développement personnel. Utilisez au minimum une antiphrase, un euphémisme, un oxymore et une hyperbole.

> Entre Internet, la télévision, la radio, les magazines plus ou moins spécialisés, il est certain que personne n'a entendu parler du développement personnel. ....
> ....
> ....
> ....
> ....

b. Enregistrez la critique en insistant sur les éléments qui permettent de comprendre votre ironie.

DOSSIER 8 D'innombrables langues françaises

Nous enrichissons notre vocabulaire

L'expression littéraire
> Leçons **1** et **3**

1. a. 🎧 18 Écoutez les commentaires de lecteurs et associez-les à l'aspect de l'écriture dont ils parlent. Attention il y a trois intrus.

a. redonner ses lettres de noblesse à quelque chose : ......
b. les figures de style : ......
c. perpétuer une langue : ......
d. travailler sur sa mémoire : ......
e. retracer la mémoire de quelqu'un : ......
f. la prolixité : ......
g. les tournures : ......
h. une prouesse : ......

b. Remplacez les expressions par un aspect de l'écriture non sélectionné de l'activité **1a**.

1. Écrire une autobiographie requiert de .... (une véritable investigation de ses souvenirs).
2. C'est grâce à .... (l'usage des mots, de leur sens et de leur sonorité) que cet auteur parvient à faire ressurgir le monde de son enfance.
3. Son style si particulier tient davantage à .... (sa manière d'assembler les mots) qu'au lexique qu'il emploie.

Les langues et la francophonie
> Leçons **1** et **2**

2. a. Associez les expressions soulignées dans l'article aux définitions.

L'origine du créole des Antilles

À l'origine, il régnait dans les colonies du Nouveau Monde la plus grande *cacophonie* linguistique. On y entendait de multiples idiomes : autochtones, européens et ouest-africains. Une langue véhiculaire était indispensable pour communiquer et échanger. C'est ainsi qu'est née une première langue mêlée, le « baragouin », que l'on retrouve dans le verbe familier « baragouiner », c'est-à-dire parler une langue étrangère de manière incorrecte et incompréhensible. Peu après est né le créole des Antilles, la langue parlée par la première génération née dans ces îles, et dont les caractéristiques actuelles sont le reflet de l'histoire. En effet, les esclaves amenés d'Afrique parlaient des langues très diverses et dont l'usage était prohibé par les maîtres. Ceux-ci veillaient d'ailleurs à ne pas regrouper de communauté linguistique, évitant de ce fait les révoltes. Les jeunes esclaves ne devaient donc acquérir la langue des maîtres que pour saisir les ordres. Ainsi s'approprièrent-ils vocabulaire et sonorités, qu'ils intégrèrent peu à peu à leurs langues d'origine. Aujourd'hui, on définit le créole des Antilles françaises comme une langue constituée de mots de diverses origines mais possédant une syntaxe, une grammaire et une conjugaison propres aux langues d'Afrique de l'Ouest.

Exemple : Mélange discordant de voix ou de sons : *une cacophonie*

1. Groupe de personnes parlant la même langue : ....
2. Langue née du contact entre une langue de colonisation et d'autres langues : ....
3. Ensemble des règles pour parler et écrire correctement : ....
4. Langue ou dialecte propre à une région ou à un groupe social : ....
5. Mal parler : ....
6. Ensemble des formes verbales : ....
7. Relations entre les mots d'un énoncé : ....
8. Ensemble de mots : ....
9. Langue servant à la communication entre divers groupes linguistiques : ....
10. Ensemble des caractères des sons d'une langue : ....

b. Soulignez les expressions à connotation péjorative dans les réponses de l'activité **2a**.

3. Complétez l'article sur l'origine de l'Organisation internationale de la Francophonie avec les mots suivants :

~~francophonie~~ • enrichissement • promouvoir et diffuser • Charte de la Francophonie • rapprochement • dialogue • espace linguistique • institutions francophones • colonialisme • coopération

Qu'est-ce que l'OIF ?

Le terme « *francophonie* » est apparu à la fin du XIXe siècle et a acquis son sens commun lorsque des francophones ont pris conscience de l'existence d'un .... (1) partagé, propice aux échanges et à l'.................................... (2) mutuel.

À partir des années 1960, des .... (3) intergouvernementales voient le jour, puis la future Agence universitaire de la Francophonie, l'un des opérateurs spécialisés de la Francophonie, est créée. En 1995, la .... (4) est adoptée au titre de principal texte de référence, permettant de mettre en lumière le rôle de chaque entité. Léopold Sédar Senghor, poète et ancien président du Sénégal, a déclaré : « Dans les décombres du .... (5), nous avons trouvé cet outil merveilleux, la langue française. » Là s'exprime la philosophie des pères fondateurs de la Francophonie institutionnelle : mettre à profit le français au service de la solidarité, du développement et du .... (6) des peuples par le .... (7) entre les civilisations. C'est ainsi que fut créée le 20 mars 1970 l'Agence de coopération culturelle et technique qui allait plus tard devenir l'Organisation internationale de la Francophonie. Fondée autour du partage d'une langue commune, elle était chargée de .... (8) les cultures de ses membres et d'intensifier la .... (9) culturelle et technique entre eux.

4. Entourez l'expression correcte.

1. Dans le domaine de la diplomatie, il est de coutume d'éviter de **définir de manière étriquée** / **pointer du doigt** le régime politique d'un État.
2. Lors du dernier scrutin, l'opposition a encore une fois accusé le vainqueur des urnes d'avoir **truqué** / **bidouillé** l'élection.
3. Ayant publiquement annoncé son soutien à l'un des candidats, un diplomate a suscité **l'indignation** / **l'interaction** de la classe politique.
4. La coopération technique entre les pays peut être **l'accointance** / **le vecteur** d'une coopération culturelle plus profondément ancrée.
5. En inscrivant plusieurs dialectes à la liste des langues officielles, le gouvernement cherche à **redonner leurs lettres de noblesse aux particularismes régionaux** / **pérenniser les particularismes régionaux**.
6. Si l'on a **politisé** / **restreint** la question de l'enseignement du français à l'école, c'est à cause des élections qui approchent.

La communication orale

> Leçon 4

5. a. Associez les difficultés rencontrées lors de prises de parole en public aux conseils adaptés.

1. Je n'ose pas m'exprimer en public.
2. Les contradicteurs me déstabilisent.
3. On qualifie souvent mes interventions de trop sérieuses.
4. Je parle d'un sujet grave, je veux vraiment attirer l'attention de l'auditoire.
5. Je ne sais pas comment intéresser tout l'auditoire, quels que soient les âges ou les origines socioculturelles ?
6. J'ai parfois l'impression que certains s'endorment pendant mes présentations.
7. On dirait qu'une partie de l'auditoire n'arrive pas à me suivre.

a. Passer par tous les registres vous permettra de capter l'attention.
b. Il faut vaincre votre timidité.
c. Vous devez améliorer votre répartie.
d. Si vous ralentissez votre débit, on pourra mieux vous comprendre.
e. Essayez de varier le ton, votre discours sera moins monotone.
f. Avec une formule choc, nul ne pourra ignorer votre propos.
g. Faites un trait d'humour, cela détendra l'auditoire !

D8 – D'innombrables langues françaises

b. Imaginez deux autres difficultés. Proposez des conseils adaptés.

1. Problème : ....

   Conseil : ....

2. Problème : ....

   Conseil : ....

6. Présentez l'une des difficultés de l'activité **5a**, que vous avez déjà rencontrée. Expliquez quelles techniques vous utilisez pour vous améliorer.

Lors d'une présentation orale face au public, il m'est arrivé de ......
....
....
....
....
....
....
....

Lexique thématique du dossier 8

7. Lisez les rubriques du lexique. Complétez-les avec des mots et des expressions que vous connaissez.

Les langues et la francophonie

enrichir / défendre / perpétuer une langue
un anglicisme
un emprunt
disposer / se servir d'une langue
une langue nationale / régionale
une langue véhiculaire
un patois
la colonisation, la décolonisation
la coopération culturelle / technique
une communauté linguistique
une transmission
une reconquête des valeurs
redonner ses lettres de noblesse à quelque chose
pérenniser la grandeur de
le vocabulaire
la syntaxe
un lexique
un registre
la prononciation
le débit
un accent
une sonorité
un rythme
la prolixité
une figure de style (une métaphore)
la tournure

L'expression littéraire

une autobiographie
la mémoire de qqn/qqch
scruter dans sa mémoire
travailler sur sa mémoire
retracer une histoire
être marqué(e) par
embellir

La communication orale et l'éloquence

prendre la parole en public
un auditoire
une joute verbale
vaincre sa timidité
ménager un silence, hausser le ton
accélérer / ralentir le débit
avoir de la répartie
varier le ton
un ton lent / rapide / fort / doux / drôle / grave
passer par tous les registres
un slogan
une formule choc
une formule finale
un trait d'humour
une question oratoire

Nous perfectionnons notre grammaire

Gérondif, participe présent et adjectif verbal

8. Lisez les trois témoignages. Complétez les emplois du participe présent, du gérondif et de l'adjectif verbal avec les exemples en gras dans les témoignages.

> « Ma langue maternelle me **cloisonnant** dans un mode de réflexion, je me suis tournée vers le français comme langue d'écriture. **Provoquant** des émotions intenses en moi, la langue française me permet de réinventer mon existence **tout en allant** plus loin dans le processus créatif. Certes, l'écriture en français est plus **fatigante**, plus **contraignante** aussi mais je ne pense pas que j'aboutirais au même résultat en japonais. »
> Yoko, romancière

> « Les poètes **choisissant** le créole prônent une forme de militantisme sans que cela ne soit **provocant**. **Sachant** que les langues **dominantes** sont l'anglais et le français, la poésie créole apparaît comme un acte de résistance. J'ai pris conscience de l'importance de l'expression créole **en lisant** des articles sur la langue des esclaves. **En rendant** ses lettres de noblesse au créole, nous souhaitons rendre hommage à nos ancêtres. En Haïti, les librairies **consacrant** des rayons entiers à la poésie créole sont nombreuses. Le mouvement **s'intensifiant**, un festival de poésie créole sera organisé l'année prochaine. »
> Georges, poète

> « **Répondant** à la question d'un journaliste sur la traduction littéraire, j'ai réaffirmé mon plaisir à pouvoir rendre le style et la verve d'un auteur dans ma langue. Évidemment, c'est **en restant** fidèle au texte initial et **en ne se prenant pas** pour un auteur que l'on offrira la meilleure traduction. **Tout en traduisant**, certains réinventent le texte d'origine. Selon moi, c'est une erreur. »
> Léon, traducteur

1. Le participe présent :
   – remplace une subordonnée relative introduite par *qui* : *choisissant*, ...
   – exprime la cause : ...., ..., ..., ...
   – exprime la simultanéité : ....
2. Le gérondif :
   – exprime la simultanéité : ....
   – exprime la manière : ...., ...
   – exprime la condition : ...., ...
   – exprime l'opposition : ....
3. L'adjectif verbal, formé sur le participe présent :
   qualifie un nom avec lequel il s'accorde en genre et en nombre : ...., ...,
   ...., ...

> **Souvenez-vous**
>
> - Certains adjectifs verbaux **changent d'orthographe**.
> Ex. : *provoquant* (participe présent) / *provocant(e)(s)* (adjectif) ; *fatiguant / fatigant(e)(s)* ; *convainquant / convaincant(e)(s)* ; *différant / différent(e)(s)* ; *précédant / précédent(e)(s)* ; *négligeant / négligent(e)(s)* ; *communiquant / communicant(e)(s)*, etc.
>
> - On utilise *tout* devant le gérondif :
> – pour insister sur la durée
> Ex. : *La langue française me permet de réinventer mon existence tout en allant plus loin dans le processus créatif.*
> – pour renforcer une contradiction.
> Ex. : *Tout en traduisant, certains réinventent le texte d'origine.*

D8 – D'innombrables langues françaises

9. Reformulez les phrases avec un participe présent ou un gérondif.

Exemple : En même temps qu'elle célèbre la langue française, la semaine de la francophonie met à l'honneur l'interculturalité.
→ *Tout en célébrant la langue française, la semaine de la francophonie met à l'honneur l'interculturalité.*

1. Comme les dialectes et les patois disparaissent peu à peu, toute une culture régionale se meurt.
   ....
   ....

2. Bien qu'il parle le langage de ses parents teinté d'argot et d'expressions populaires, Marco dévore les auteurs francophones et rêve de devenir un grand écrivain.
   ....
   ....

3. Yanick Lahens qui baigne dans la littérature haïtienne depuis sa jeunesse va inaugurer la nouvelle chaire « mondes francophones » au Collège de France.
   ....
   ....

4. J'ai pris conscience de la richesse de la langue française au travers de la lecture d'auteurs francophones de pays différents.
   ....
   ....

10. a. 🎧 19 Écoutez cinq affirmations sur un concours d'éloquence. Cochez ce que vous entendez.

	Exemple	1.	2.	3.	4.	5.
Adjectif verbal						
Participe présent	✔					

b. 🎧 19 Réécoutez. Écrivez l'adjectif verbal ou le participe présent entendu.

Exemple : *différant*

1. ....
2. ....
3. ....
4. ....
5. ....

11. Enrichissez les phrases avec les indications entre parenthèses.

Exemple : (manière) Il a écrit un poème. → *Il a écrit un poème en intégrant des mots empruntés à différentes langues.*

1. (cause) Les langues régionales redeviennent tendance !
   → ....
   ....

2. (simultanéité) L'Organisation internationale de la Francophonie fait la promotion du français.
   → ....
   ....

3. (subordonnée relative introduite par *qui*) Les enfants ont plus de facilités à apprendre d'autres langues étrangères.
   → ....
   ....

4. (concession) La francophonie véhicule certains stéréotypes.
   → ....
   ....

L'expression de l'hypothèse : les structures avec *si*

12. 🎧▶20 Écoutez les commentaires. Complétez le tableau en indiquant le numéro du commentaire correspondant aux indications.

Combinaisons	Sens	n°
L'hypothèse concerne le passé		
a. *Si* + plus-que-parfait + conditionnel présent	L'action ne peut pas se réaliser.	5
b. *Si* + plus-que-parfait + conditionnel passé	L'action n'a pas pu se réaliser.	......
c. *Si* + passé composé + présent	La condition a une conséquence sur le présent.	......
d. *Si* + passé composé + futur / impératif	La condition a une conséquence sur le futur.	......
L'hypothèse concerne le présent		
e. *Si* + imparfait + conditionnel présent	L'action n'est pas réalisable.	......
f. *Si* + imparfait + conditionnel passé	L'action n'a pas pu se réaliser.	......
L'hypothèse concerne le futur		
g. *Si* + présent + futur / impératif	L'action est réalisable.	......
h. *Si* + imparfait + conditionnel présent	L'action est peu réalisable.	......

> **! Souvenez-vous**
>
> • Quand il y a **deux conditions exprimées**, on emploie généralement *que* + **subjonctif** dans la deuxième subordonnée.
> Ex. : *Si nous avions écouté le discours de Mabanckou et **que** nous **ayons adhéré** à son point de vue, nous comprendrions les raisons de son refus.*
>
> • *Si* + *il* = *s'il*.

13. Complétez les phrases en conjuguant les verbes au temps correct. Aidez-vous des informations concernant le sens.

Exemple : Si nous *empêchions* l'entrée de néologismes dans les langues, celles-ci n'*évolueraient* plus et *se figeraient* dans le temps. *(Nous ne l'empêchons pas donc les langues évoluent et ne se figent pas.)*

1. S'il .... (maîtriser) l'éloquence et la rhétorique, un orateur .... (avoir) toutes les chances de convaincre son auditoire lors d'une présentation.

   (C'est certain à condition que l'orateur maîtrise l'éloquence et la rhétorique.)

2. Si l'esperanto .... (être enseigné) largement au moment de sa création, l'anglais .... (occuper) probablement une place moins importante dans les échanges internationaux.

   (L'esperanto n'a pas été enseigné largement et l'anglais occupe une place importante.)

3. Edgar .... (s'inscrire) au concours d'éloquence qui a eu lieu la semaine dernière s'il .... (être) moins timide et qu'il .... (faire preuve de) plus de courage.

   (Il est timide et peu courageux.)

4. Si vous .... (participer) à notre atelier de slam lors de notre dernier stage, vous .... (apprécier) celui sur la poésie urbaine à la session suivante !

   (Vous n'y avez pas participé.)

14. Écrivez des hypothèses à partir des situations.

Exemple : Nous parlons tous la même langue. → *Si nous parlions tous la même langue, il y aurait moins de diversité de points de vue et les discussions seraient moins riches.*

1. On vous a interdit de parler votre langue et on vous en a imposé une autre.

   ....

2. Vous êtes chargé(e) d'une réforme pour simplifier la langue française.

   ....

D8 – D'innombrables langues françaises

Nous améliorons notre style

> Bien choisir ses mots pour raccourcir des phrases et condenser des idées

15. Lisez les témoignages des participants au concours national d'éloquence. Reformulez-les comme demandé. Attention : la reformulation peut conduire à des modifications importantes dans la structure de la phrase.

Geoffrey : « Du début à la fin, c'est une sensation d'être immergé. À ma plus grande surprise, dès que je suis arrivé, j'ai constaté l'effacement des régionalismes et le fait que les participants ont commencé à se rapprocher. »

Laïs : « Lors des concours d'éloquence, qu'il s'agisse de débats, d'éliminatoires face au jury ou de joutes verbales, on a toujours une occasion de faire connaissance avec quelqu'un, d'apprendre des choses, de découvrir des particularités régionales, d'observer de nouvelles techniques. »

Joris : « Le concours national présente des caractéristiques différentes d'autres concours régionaux. Grâce à ma première participation à Aix-en-Provence, j'ai réalisé que j'avais un goût prononcé pour la prise de parole en public. »

Romane : « Le fait que j'aie été qualifiée pour participer à ce concours était déjà une victoire pour moi et même si je n'ai pas eu la chance de remporter un prix, cette expérience reste gravée pour toujours dans ma mémoire. »

Naïla : « Ce que j'ai découvert lors de ce concours, c'est le public. J'avais déjà eu un public dans une compétition locale, bien sûr. Mais les spectateurs au niveau national sont encore plus investis ! Et puis nous recevons tellement d'énergie de cet auditoire ! »

1. Dans le témoignage de Geoffrey, soulignez les trois expressions verbales signifiant « immersion », « mon arrivée », et « un rapprochement ». Puis réécrivez son témoignage avec ces trois nominalisations.
   ....
   ....

2. Dans le témoignage de Laïs, soulignez les expressions correspondant à « un face-à-face » et encadrez les expressions correspondant à « un enrichissement ». Puis reformulez son témoignage avec ces deux mots génériques.
   ....
   ....

3. Reformulez le témoignage de Joris en utilisant deux verbes mieux adaptés : « différer » et « révéler ».
   ....
   ....

4. Dans le témoignage de Romane, soulignez les trois expressions exprimant « ma sélection », « ma défaite » et « inoubliable ». Réécrivez son témoignage avec ces trois mots.
   ....
   ....

5. Dans le témoignage de Naïla, soulignez les quatre noms qui désignent le même groupe de personnes. Réécrivez son témoignage en une seule phrase complexe.
   ....

> **Souvenez-vous**
>
> Pour raccourcir des phrases ou condenser des idées, on utilise : **la nominalisation** (item 1), **des termes génériques** (item 2), **des verbes adaptés** (item 3), **des mots précis** (item 4) ou **des phrases complexes** (item 5).

DOSSIER 9 Ère numérique

Nous enrichissons notre vocabulaire

Internet et les réseaux sociaux
> Leçons **1**, **2**, **3** et **4**

1. Lisez les témoignages. Entourez le mot correct.

1. Je n'ai jamais souhaité m'inscrire sur **une plateforme** / **un réseau social**. J'aime avoir des contacts réels et les échanges virtuels ne m'attirent pas.
2. Ce qui me surprend le plus est la capacité qu'ont certains influenceurs à avoir plus d'un million de **followers** / **lecteurs**, cela reste totalement mystérieux pour moi.
3. J'ai toujours cru que les **posts** / **tweets** n'avaient aucun intérêt littéraire, jusqu'à ce que je découvre ceux de mon autrice préférée. La qualité peut tenir en peu de mots !
4. Je ne publie que très peu sur Facebook, j'y **transfère** / **partage** en revanche tout ce qui me semble important à savoir.
5. Ce qui me rend méfiant, ce sont toutes ces publicités ciblées qui viennent s'insérer sur **mon fil d'actualité** / **ma plateforme**, je me sens un peu observé mais surtout manipulé.
6. Peut-être qu'il faudrait que je change de moteur de recherche si je veux échapper à **la collecte de données** / **l'historique de navigation**.

2. a. Lisez l'article et associez le préfixe des mots en gras à leur signification.

> L'ère numérique est une période **extraordinaire**, laissez-moi vous expliquer pourquoi : nous sommes tous devenus des citoyens du web, que l'on soit **hyperconnecté** ou super méfiant, nous connaissons tous ce monde virtuel. Qui n'a jamais eu recours à un **téléchargement** ? Qui ne s'est jamais interrogé sur ces étranges unités de mesure, le byte puis le **mégabyte** ? Pourtant, malgré cette familiarité, les craintes sont toujours plus nombreuses. On connaît le vol de données, la surveillance, la **cybercriminalité**, mais il y a pire encore : le passage du numérique à une intelligence artificielle destructrice ainsi que les thèses du **transhumanisme** et de certaines **pseudosciences** qui voudraient créer les **métahumains** des *comics* américains.

1. extra-
2. hyper-
3. télé-
4. pseudo-
5. cyber-
6. méga-
7. trans-
8. méta-

a. qui va au-delà
b. un million de
c. qui sort de
d. excessivement
e. qui dépasse
f. propre aux réseaux de communication numérique
g. à distance
h. faux / fausse

b. Écrivez la définition des mots suivants.

1. l'hypercontrôle : ....
2. une téléconférence : ....
3. extralégal(e) : ....
4. métaphysique : ....
5. un mégaoctet : ....
6. transnational(e) : ....
7. un pseudonyme : ....
8. la cyberculture : ....

D9 – Ère numérique

3. 🎧 21 **Écoutez et identifiez de quel anglicisme parlent les spécialistes.**

a. un community manager → ....
b. un tweet → 1
c. un follower → ....
d. un teasing → ....
e. un profiling → ....
f. un tracking → ....
g. un cookie → ....
h. un think tank → ....
i. un storytelling → ....

La cybersécurité > Leçon 2

4. Remplacez les expressions entre parenthèses par un mot de la liste. Faites les accords et les élisions nécessaires.

l'usurpation d'identité • l'escroquerie • le cyberharcèlement • la cyberdépendance • le chantage • la diffamation • l'authentification • le traçage

Un surf risqué ?

La cybercriminalité fait régulièrement parler d'elle et justifie toujours plus de protections pour la navigation, privée ou professionnelle. Bien sûr, on a tous entendu parler de ces grandes entreprises victimes de .... (1. demandes de rançon), ou d'..................... (2. fausses opérations marchandes ou bancaires). Certains spams que nous recevons au quotidien nous montrent également combien .... (3. l'appropriation de nom de quelqu'un) est fréquente. Enfin, les faits divers recèlent de nombreux cas de .... (4. manœuvres de dénigrement) et de .... (5. actes malveillants et répétés ayant pour but de nuire) plus ou moins agressifs. S'il est sûr que statistiquement, les risques d'être victimes de ces actes malveillants sont faibles, n'oublions pas ce qui nous menace tous : .... (6. l'addiction à des pratiques en ligne) et .... (7. le suivi de nos mouvements en ligne et l'utilisation personnelles de nos données à des fins commerciales). Il nous faut donc rester vigilants et tout faire pour que .... (8. les vérifications de nos connexions) soient les plus fortes.

S'informer sur Internet > Leçon 3

5. Complétez les conseils aux parents avec les expressions de la liste. Faites les accords nécessaires et conjuguez les verbes.

esprit critique • décryptage • croiser • presse • farfelu • angle de traitement • vérification des faits • amalgame • fiabilité

CONSEILS AUX PARENTS

❶ Faites-leur découvrir la .... pour enfant, qui explique l'actualité simplement et qualitativement, bien loin des rumeurs ou des .... qui stigmatisent certains.

❷ Aidez-les à exercer leur .... : repérer une actualité .... peut être l'occasion de se demander pourquoi son auteur l'a publiée : pour rire, faire de la publicité, nuire ?

❸ Menez l'enquête : .... une information sur un fait divers, en observant l'..................... des différents médias ou en utilisant un décodeur comme le Décodex du journal *Le Monde*, moteur de recherche et de vérification de la .... des sources.

❹ Si vous voulez leur apprendre à distinguer une publicité d'une opinion, le .... d'image peut aussi être une activité ludique, en complément de la .... pour les seules informations.

Le transhumanisme

> Leçon **4**

6. a. 🎧 22 Écoutez les extraits de romans de science-fiction. Cochez le sujet transhumaniste évoqué.

	1.	2.	3.	4.	5.	6.
L'intelligence artificielle						
Le rajeunissement						
L'accroissement de l'intelligence						
L'immortalité						
La modification de l'état psychique						
Le téléchargement de l'esprit						

b. Choisissez un sujet transhumaniste et expliquez en quoi cette évolution modifierait la vie quotidienne.

....
....
....
....
....
....
....
....
....
....

Lexique thématique du dossier 9

7. Lisez les rubriques du lexique. Complétez-les avec des mots et des expressions que vous connaissez.

Internet et les réseaux sociaux

un réseau social
un moteur de recherche
une plateforme
un tweet, un retweet
un *hashtag*
un cercle (sur Google +)
une épingle (sur Pinterest)
un partage
un commentaire
un *teasing*
un fil d'actualité
taguer
identifier
suivre le fil de sa pensée
jouer avec les codes
diffuser une idée
faire le buzz
un compte d'auteur(-trice)
un *follower*
un *community manager*

La sécurité sur Internet

gérer son profil numérique / son image / ses données personnelles
une identité numérique
un pseudonyme
l'anonymat
une (double) authentification
la collecte de données
la surveillance collective
un historique personnel de navigation
l'utilisation des données personnelles
la reconnaissance faciale
le profilage
le traçage
la publicité ciblée
une activité malveillante
une escroquerie
une usurpation d'identité
le cyberharcèlement
la diffamation
la cybercriminalité
un(e) cybercriminel(le)
détourner une photo

La désinformation

une *fake news*
une infox
un angle éditorial orienté
un amalgame
un non-dit
un mensonge par omission
le filtrage
le *fact-checking*

Le transhumanisme

l'immortalité
le rajeunissement
l'accroissement de l'intelligence
la modification de l'état psychologique
l'abolition de la souffrance
le téléchargement de l'esprit
une puce
un implant, implanter

D9 – Ère numérique

Nous perfectionnons notre grammaire

Le discours rapporté au passé

8. a. 🎧 23 Écoutez un intervenant en éducation aux médias qui rapporte ses échanges avec des jeunes lors d'un atelier. Complétez les échanges au discours direct avec le verbe au temps correct.

Les organisateurs de l'atelier : « Vos informations personnelles *peuvent* facilement être déviées de leur contexte. Il .... (1) que vous .... (2) comment vous protéger. .... (3) confiance à des personnes inconnues sur Internet. »

Une jeune fille : « J'............... (4) victime de cyberharcèlement à la suite d'une mauvaise rencontre sur Internet. »

Un garçon : « Je n'............... (5) pas conscience de l'importance du droit à l'image jusqu'à aujourd'hui parce que je n'............... jamais .... (6) à un tel atelier. Je .... (7) de comprendre à quel point ce droit est fondamental. À partir de maintenant, je .... (8) la photo de mes amis sur Snapchat uniquement quand je leur .... (9) l'autorisation. »

Tous les participants : « Nous .... (10) nous montrer plus vigilants concernant notre image et celle des autres sur les réseaux sociaux. .... (11)-vous organiser des ateliers similaires durant l'année ? »

b. Complétez le tableau de la concordance des temps.

Discours direct →	Discours indirect
1. présent	....
2. passé composé	....
3. imparfait	....
4. plus-que-parfait	....
5. passé récent	....
6. futur simple	....
7. futur antérieur	....
8. futur proche	....

! Souvenez-vous

Attention !
- Les modes conditionnel et subjonctif ne changent pas.
Ex. : « *Il faut que vous **sachiez** comment vous protéger.* » → *Nous leur avons principalement expliqué qu'il fallait qu'ils **sachent** comment se protéger.*
- L'impératif est remplacé par *de* + infinitif.
Ex. : « *Faites-le !* » → *Il nous a demandé **de le faire**.*

9. Écrivez l'expression de temps correspondante au discours direct ou indirect.

Discours direct	→	Discours indirect
1. aujourd'hui	→	....
2.	→	ce matin-là / ce soir-là
3.	→	à ce moment-là
4. ce mois-ci	→	....
5. hier / avant-hier	→	....
6. demain / après-demain	→	....
7.	→	le lendemain matin / soir
8.	→	la semaine précédente / suivante
9. il y a quinze jours	→	....

10. Transformez les témoignages au discours indirect. Variez les verbes introducteurs.

1. Un auteur : « J'ai toujours perçu les réseaux sociaux comme de vulgaires machines à bavardage. Il y a deux ans environ, pour en avoir le cœur net, je me suis dit : il faut que je me crée un profil ! À ma grande surprise, j'y ai découvert un univers propice à la création dont je ne pourrais plus me passer. »

Il y a quelques années, un auteur avait confié à notre magazine qu' ....
....
....
....

2. Karina, 15 ans : « J'adore les réseaux sociaux que je trouve parfaits pour faire de nouvelles connaissances. Mais il m'est arrivé une mésaventure qui a commencé le mois dernier. J'ai rencontré un garçon de mon âge qui avait la même passion que moi pour le monde aquatique. On a commencé à échanger des photos. Il a fini par me donner rendez-vous avant-hier. Et là, je me suis retrouvée nez à nez avec un homme de 40 ans ! J'ai alerté la police. Plus jamais je ne chatterai avec des inconnus ! Vous aussi, méfiez-vous ! Je n'aurais jamais imaginé ça avant ! »

→ *Il y a quelques semaines, Karina a raconté sur notre blog qu'elle* ....
....
....
....
....
....

L'expression du but

11. a. Lisez l'article. Soulignez les mots et les expressions du but.

Quel avenir pour le transhumanisme ?

Les humanistes, initialement, <u>cherchent à</u> exploiter la raison, la science et la technologie en vue de contrer les souffrances de l'Homme : pauvreté, maladie, handicap, etc. Les transhumanistes, quant à eux, ont l'intention de développer les possibilités techniques afin que les gens puissent vivre plus longtemps. Le transhumanisme s'appuie sur les avancées de l'intelligence artificielle et de la biologie de sorte que l'on puisse mettre un terme à la vieillesse, aux maladies et, enfin, à la mort. Objectif ultime : l'apparition d'une nouvelle humanité. Ce courant alimente de nombreux débats et polémiques. Ainsi, Elon Musk a affiché ses réticences sur le développement des nouvelles technologies lors d'un débat face à Jack Ma de crainte que l'intelligence artificielle ne devienne une entité supérieure destructrice. À l'inverse, d'autres, histoire de booster leurs capacités humaines, sont prêts à tout : greffes d'électrodes, implants cérébraux, etc. Mais la fin justifie-t-elle les moyens ?

b. Complétez le tableau avec les mots et les expressions soulignés dans le texte. Ajoutez ceux que vous connaissez.

Les expressions du but	
Conjonctions + subjonctif	....
Prépositions / Locutions + infinitif	....
Verbes / Locutions verbales + infinitif	*chercher à*, ...
Noms	....

D9 – Ère numérique

Souvenez-vous

pour
en vue de
de crainte de
de peur de
} + infinitif / nom

chercher (à)
viser (à)
ambitionner (de)
} + infinitif / nom

Ex. : Les humanistes cherchent { à exploiter la raison. / le bien-être de l'Homme.

Attention !
De manière que, de façon que, de sorte que + indicatif = expression de la conséquence.
De manière que, de façon que, de sorte que + subjonctif = expression du but.
Ex. : […] *de sorte que l'on **puisse** mettre un terme à la vieillesse, aux maladies et, enfin, à la mort.* → but
[…] *de sorte que nous **pourrons** être en meilleure santé.* → conséquence

12. Écrivez la phrase avec les éléments donnés. Faites les accord nécessaires.

Exemple : la coopération internationale – nécessaire - limiter la cybercriminalité – en vue de
→ *En vue de limiter la cybercriminalité, la coopération internationale est nécessaire.*

1. le gouvernement – lancer une nouvelle campagne d'information – les enfants – savoir ce qu'est l'identité numérique – de sorte que – ambitionner de

   ....
   ....

2. le cyberharcèlement – entraîner de graves dommages auprès des adolescents – la directrice du collège – inviter des psychologues – conduire des ateliers de sensibilisation – afin que – de crainte que

   ....
   ....

3. le profilage – créer des publicités comportementales – l'internaute – recevoir uniquement des publicités liées à ses intérêts – l'objectif – de façon à ce que

   ....
   ....

Le *ne* explétif

13. 🎧 24 Écoutez les commentaires sur l'analyse des données. Associez chaque commentaire à un emploi du *ne* explétif et relevez les expressions utilisées.

Commentaire	Emploi	Expressions
4	Après de rares conjonctions	*avant que* ....
....	Après une expression de crainte	....
....	Après une expression du doute à la forme négative pour exprimer une idée positive	....
....	Après une comparaison d'inégalité	....

Souvenez-vous

Le *ne* explétif n'a pas de sens négatif. Il n'est **jamais obligatoire** et relève du **registre soutenu**.

14. Donnez votre opinion sur la publicité ciblée. Utilisez les quatre emplois du ne explétif.

Nous améliorons notre style

Expliciter un concept difficile

15. 🎧25 Écoutez le début de la conférence sur la cybersécurité. Complétez le tableau avec les extraits de cette conférence. Reportez-vous à la transcription si nécessaire.

Procédé	Expression(s) utilisée(s)
1. Définir un mot	....
2. Anticiper une question	....
3. Introduire une explication	....
4. Faire un rappel	....
5. Donner un exemple	....
6. Faire une analogie	....

16. Associez chaque expression au procédé utilisé.

1. je vais illustrer mon propos avec l'exemple de
2. désigne
3. laissez-moi vous expliquer
4. et dans le cas où
5. un terme
6. on peut comparer
7. que ce soient [...] ou encore
8. vous allez me poser la question
9. imaginons que
10. rappelons que

a. Définir un mot
b. Anticiper une question
c. Introduire une explication
d. Faire un rappel
e. Donner un exemple
f. Faire une analogie

17. Complétez la présentation du big data avec les expressions de l'activité 16.

Qu'est que le big data ?

Le *big data*, c'est un *terme* qui .... (1) la masse des données qui transitent chaque jour sur le web .... (2) des photos, des vidéos, des likes sur Facebook, des horaires de train, des affiches de films .... (3) des historiques de la météo depuis les années 50. Il faut savoir que cette masse de données augmente de manière gigantesque. .... (4) Francesca qui, lorsqu'elle poste sur son profil Facebook une vidéo d'elle faisant du yoga au fin fond de la forêt amazonienne, va générer une nouvelle donnée : le like de son amie Rachel, qui à son tour va générer un commentaire de Stéphane, le cousin de Rachel, etc. .... (5) c'est là qu'interviennent les programmeurs et mathématiciens qui créent des algorithmes ultra complexes pour traiter la masse de données qui circulent sur Internet. .... (6) : « Mais à quoi ça sert de faire ça ? » .... (7). On se rend compte que les traiter, ça peut servir à plein de choses. .... (8) un hôtel d'une île du Pacifique souhaite prévoir son taux de remplissage pour l'été prochain, il va pouvoir le faire en fonction du nombre de billets vendus sur les sites des compagnies aériennes. .... (9) un candidat d'une élection présidentielle veut connaître les attentes de ces électeurs, il pourra le faire en analysant leurs tweets. Bref, ... (10) le *big data* à un gros cerveau qui se souviendrait de tout ce qui se passe sur Internet.

DOSSIER 10 Histoire vs mémoire

Nous enrichissons notre vocabulaire

Mémoire et transmission de l'histoire

> Leçons **1** et **3**

1. Lisez l'article et classez les expressions en gras dans le tableau.

Un voyage dans la Résistance

Le projet actuellement mené autour de la **Seconde Guerre mondiale** (1) par le professeur d'histoire-géographie d'un collège de Thiers, dans le centre de la France, est assez singulier. L'enseignant a fait le choix de s'appuyer sur l'**application mobile *Voyage en Résistance*** (2), une application du type *Pokémon Go* qui permet d'explorer la ville avec des points géolocalisés : à travers **des missions à réaliser** (3) et des *check points* qui racontent l'**histoire de la Résistance** (4). Le jeu **recrée virtuellement le passé** (5) local et offre la possibilité de **se glisser dans la peau d'un résistant** (6) lors de la Seconde Guerre mondiale.

Pourquoi ce projet ? Tout d'abord, pour **enseigner l'histoire** (7) et **faire réfléchir les élèves** (8) en mobilisant les savoirs acquis en classe. Par ailleurs, le but est de les aider à **développer leur esprit critique** (9) à travers l'**enquête** (10) qu'ils doivent mener. En effet, la **Résistance** (11) est globalement connue, mais certaines **remises en question** (12) inquiètent l'enseignant. Dès lors, une **démarche historique** (13) qui nécessite de **confronter différentes interprétations de l'histoire** (14) et de **croiser les sources d'information** (15) évite aux élèves d'**avoir un biais** (16). Enfin, dans la ville de Thiers, il n'existe aucune **donnée enregistrée** (17). En travaillant avec les **Archives départementales** (18) et en rentrant davantage de données dans le jeu, les élèves et leur professeur espèrent aider les Thiernois à **se souvenir de leur passé** (19) et à **se rappeler les événements marquants** (20) de la Résistance locale.

Les événements du passé et leur mémoire	Le travail de l'enseignant ou de l'historien	L'expérience du jeu	La mémoire mise en danger
1, ..., ..., ..., ...	....., ..., ..., ...	....., ..., ..., ..., ...	....., ...

> **Souvenez-vous**
>
> On dit : *se souvenir **de** qqch/qqn* mais *se rappeler qqch/qqn*.

2. a. Associez les mots à leur définition.

1. un cessez-le-feu
2. un armistice
3. une contre-vérité
4. l'obscurantisme
5. une commémoration
6. une réconciliation
7. une revanche
8. une persécution

a. Action de rappeler et célébrer le souvenir d'un événement ou d'une personne.
b. Fait de reprendre l'avantage après avoir eu le dessous.
c. Action de ramener l'accord et l'harmonie entre des personnes en mésentente.
d. Traitement injuste et cruel infligé avec acharnement.
e. Convention signée entre les pays combattants pour mettre fin aux hostilités.
f. Arrêt officiel des combats.
g. Attitude de ceux qui s'opposent à la diffusion de l'instruction et de la culture.
h. Affirmation catégorique manifestement contraire aux faits.

b. Complétez les phrases avec des mots de l'activité **2a**. Faites les accords nécessaires.

1. Le Haut Commissariat pour les réfugiés a été créé après la Seconde Guerre mondiale pour venir en aide aux personnes qui avaient fui les combats et les ....

2. En Afrique du Sud, la Commission Vérité et .... avait pour but de promouvoir l'unité nationale et la paix qui dépasse les conflits et les anciennes divisions.

3. Les actualités comme les faits historiques sont sujets à des .... parfois difficiles à combattre pour les enseignants.

4. On espère toujours que la mémoire du passé ne sera pas utilisée pour nourrir l'esprit de ...., d'où l'importance de l'enseignement de l'histoire.

5. Lors du sommet, les leaders de la région réunis avec les émissaires des Nations Unies n'ont pas réussi à obtenir de .... entre les pays en guerre.

6. En France, certains pensent que les cérémonies de .... ne s'adressent pas suffisamment aux jeunes gens et manquent de pédagogie.

Histoire et justice d'assises
> Leçon 4

3 Lisez le résumé d'un procès d'assises. Entourez les expressions correctes.

Le procès de Klaus Barbie

Le procès de Klaus Barbie s'est ouvert le 11 mai 1987 devant **la cour d'assises / le tribunal** (1) du Rhône à Lyon et un **jury / juge** (2) populaire. L'ancien officier SS vivait en Bolivie lorsqu'il a été identifié par des enquêteurs et d'anciennes victimes françaises ; la France a obtenu **sa démission / son extradition** (3) en 1983. Au terme de plusieurs années d'instruction, le **chef d'inculpation / jugement** (4) retenu est crime **de droit commun / contre l'humanité** (5) puisque sont notamment retenus des actes de tortures et **la déportation / le déplacement** (6) de Juifs et de résistants vers les camps d'extermination entre 1943 et 1944. Trois avocats ont assuré sa défense face **à l'avocat / au procureur** (7) général et aux 113 associations et particuliers s'étant portés **partie civile / opposants** (8), représentés par 39 avocats. Après quelques jours **d'audience / d'écoute** (9), l'accusé a refusé d'assister à la suite du procès. Cependant, lorsqu'ont commencé les **auditions / rencontres** (10) de témoins victimes de Barbie, il a été obligé de **venir / comparaître** (11) à nouveau. Ce sont ensuite les témoins de la défense qui ont été cités. Les deux dernières semaines ont été consacrées aux **plaidoiries / réquisitoires** (12) des parties civiles et des avocats de la défense ainsi qu'**à la plaidoirie / au réquisitoire** (13) du procureur général. Le verdict a été **donné / rendu** (14) le 4 juillet : Klaus Barbie est condamné à la réclusion criminelle **éternelle / à perpétuité** (15).

Histoire et union internationale
> Leçon 2

4. 🎧26 Écoutez les étapes de la formation du Mercosur. Associez-les aux titres suivants :

l'harmonisation des législations • une zone de libre-échange • une entrée en vigueur • la coordination des politiques économiques • un élargissement • la libre circulation • l'union douanière • la coopération économique

1. ....
2. ....
3. ....
4. ....
5. ....
6. ....
7. ....
8. ....

5. a. Numérotez dans l'ordre les étapes de construction d'une zone de libre-échange.

..... : ratification d'un accord

..... : rapprochement de plusieurs pays

..... : entrée en vigueur d'un accord

..... : forum de négociation

..... : signature d'un accord

..... : élargissement à un nouveau membre

b. Classez les modes de coopération suivants du moins intégré (1) au plus intégré (6) :

l'harmonisation économique • une zone de libre-échange • l'intégration politique • un rapprochement • le fédéralisme • la libre circulation

1. ....
2. ....
3. ....
4. ....
5. ....
6. ....

6. Choisissez un événement historique commémoré dans votre pays. Quel est le type de commémoration organisé ? Comment est-il expliqué dans l'enseignement scolaire ?

....
....
....
....
....
....

Lexique thématique du dossier 10

7. Lisez les rubriques du lexique. Complétez-les avec des mots et des expressions que vous connaissez.

Mémoire et transmission de l'histoire

un cessez-le-feu
un armistice
les combattants ≠ les victimes
le patriotisme ≠ le nationalisme
une commémoration
la réconciliation ≠ une revanche
une persécution raciale
la pensée historienne

la collecte de données
se prononcer sur…
formuler / émettre une hypothèse
une source d'information
une cause sociale / politique / économique
adhérer à un récit
développer son sens critique

Histoire et justice d'assises

une cour d'assises
une plaidoirie ≠ un réquisitoire
une partie civile
la défense
le procureur général
un crime contre l'humanité / de droit commun

être condamné(e) à…
un jury populaire
rendre un verdict
une (demande d') extradition
peser sur les débats
suivre une audience

Histoire et union internationale

la construction européenne
le panafricanisme
l'Unité africaine
un rapprochement
une unification
un élargissement
le fédéralisme
la coopération
l'intégration politique
un marché commun
la libre circulation

supranational(e) ≠ intergouvernemental(e)
le séparatisme
l'euroscepticisme
une zone de libre-échange
réduire les droits de douane
une entrave administrative
des taxes douanières
être en proie à [un problème]
être en butte à [une difficulté]
ratifier un accord

Nous perfectionnons notre grammaire

La forme passive

8. a. Lisez l'article sur le procès de Jeanne d'Arc. Soulignez 15 verbes à la voix passive ou qui expriment le passif.

Les faits : En 1431, après être parvenue à asseoir Charles VII sur le trône, Jeanne d'Arc est capturée par les Bourguignons qui sont de mèche avec les Anglais.

Le procès : Pierre Cauchon, évêque et conseiller du roi d'Angleterre, est chargé de l'instruction. La porte de la chapelle royale du château de Rouen se ferme sur l'audience qui commence. Cauchon est entouré de 120 religieux. Qu'est-il reproché à Jeanne d'Arc ? De porter un habit d'homme, d'entendre des voix diaboliques, d'être une sorcière.
Jeanne se défend seule, tête nue, en habits d'homme. Elle se fait interroger sur sa tenue. « Les voix ne m'ont dit que d'être bonne chrétienne et de servir mon roi, le reste n'est pas de votre procès », affirme-t-elle. La brochette d'éminents intellectuels est surprise de sa répartie et tente de lui faire avouer ses fautes par tous les moyens. Elle ne cède pas. Le procès est perdu d'avance. Le 23 mai, on déclare Jeanne d'Arc coupable.

L'épilogue : Le 24, Cauchon lui propose un marché. À moins qu'elle ne porte plus l'habit d'homme, elle sera brûlée vive. Elle se laisse convaincre et signe son abjuration. En contrepartie, elle s'est entendue promettre qu'elle serait détenue à perpétuité dans une prison de l'Église. En réalité, Jeanne est renvoyée dans son cachot anglais. Cauchon n'a pas tenu sa promesse. Jeanne reprend son habit d'homme. Elle n'échappe pas à la condamnation et est brûlée vive le 30 mai.

b. Classez les formes soulignées en fonction du procédé.

1. La voix passive formée avec *être* + participe passé. Le COD de la voix active devient sujet de la voix passive.

   Exemples : *est capturée*, ...

2. Le passif impersonnel utilisé avec un pronom impersonnel ou neutre.

   Exemple : ....

3. La forme pronominale de sens passif. Le sujet est inanimé*.

   Exemple : ....

4. Le verbe *faire* + infinitif.

   Exemple : ....

5. Les formes *se faire / se laisser* + infinitif. Le sujet est animé*.

   Exemples : ....

6. Les formes *s'entendre / se voir* + infinitif. Le sujet est animé*.

   Exemple : ....

7. L'emploi du pronom *on* (= *quelqu'un*).

   Exemple : ....

*animé = être vivant ; inanimé = chose, objet

Souvenez-vous

- On utilise *se laisser* + infinitif pour insister sur la passivité du sujet.
Ex. : *Il s'est laissé emmener par la police.* (= On insiste sur le fait qu'il n'a opposé aucune résistance.)

- En général, les verbes à la forme passive sont construits avec la préposition *par* pour introduire celui qui réalise l'action.
Ex. : *Jeanne d'Arc est capturée par les Bourguignons.*

Néanmoins, il arrive qu'on utilise la préposition *de* dans les cas suivants :
– avec des verbes de description. **Ex. :** *être entouré(e) de*
– avec des verbes de sentiments. **Ex. :** *être aimé(e) de*
– lorsque le verbe est au sens figuré. **Ex. :** *être surpris(e) de*

D10 – Histoire vs mémoire

9. Complétez les extraits de la déclaration* en conjuguant le verbe au temps et à la voix adaptés (active ou passive).

La paix mondiale ne saurait *être sauvegardée* (sauvegarder) sans des efforts créateurs à la mesure des dangers qui la *menacent* (menacer). [...] L'Europe n'.................. pas .... (1. faire), nous avons eu la guerre. [...] Le rassemblement des nations européennes exige que l'opposition séculaire de la France et de l'Allemagne .... (2. éliminer). [...] Le gouvernement français .... (3. proposer) de placer l'ensemble de la production franco-allemande du charbon et d'acier sous une Haute Autorité commune, dans une organisation ouverte à la participation des autres pays d'Europe. [...] La solidarité de production qui .... ainsi .... (4. nouer) manifestera que toute guerre entre la France et l'Allemagne devient non seulement impensable, mais matériellement impossible. Cette production .... (5. offrir) à l'ensemble du monde, sans distinction ni exclusion, pour contribuer au relèvement du niveau de vie et au progrès des œuvres de paix. [...] Ainsi .... (6. réaliser) simplement et rapidement la fusion d'intérêts indispensable à l'établissement d'une communauté économique et .... (7. introduire) le ferment d'une communauté plus large et plus profonde entre des pays longtemps opposés par des divisions sanglantes. [...] Les négociations indispensables pour préciser les mesures d'application .... (8. poursuivre) avec l'assistance d'un arbitre désigné d'un commun accord : celui-ci .... (9. avoir) charge de veiller à ce que les accords .... (10. être) conformes aux principes et, en cas d'opposition irréductible, ... (11. fixer) la solution qui .... (12. adopter). Un représentant des Nations Unies auprès de cette Autorité .... (13. charger) de faire deux fois par an un rapport public à l'O.N.U. rendant compte du fonctionnement de l'organisme nouveau notamment en ce qui concerne la sauvegarde de ses fins pacifiques.

*La déclaration du 9 mai 1950 faite par Robert Schuman est considérée comme le texte fondateur de la construction européenne.

10. Cochez les phrases correctes exprimant le passif.

1. ☐ On joue seul au jeu vidéo *Soldats inconnus*.
   ☐ Le jeu vidéo *Soldats inconnus* se joue seul.
   ☐ Le jeu vidéo *Soldats inconnus* est joué seul.
2. ☐ Un chercheur s'est vu accorder une prime de plusieurs milliers d'euros pour avoir élaboré une méthode révolutionnaire d'apprentissage de l'histoire.
   ☐ Un chercheur a été accordé une prime de plusieurs milliers d'euros pour avoir élaboré une méthode révolutionnaire d'apprentissage de l'histoire.
   ☐ Il a été accordé une prime de plusieurs milliers d'euros à un chercheur pour avoir élaboré une méthode révolutionnaire d'apprentissage de l'histoire.
3. ☐ L'histoire s'enseigne différemment selon les pays.
   ☐ L'histoire se fait enseigner différemment selon les pays.
   ☐ L'histoire est enseignée différemment selon les pays.
4. ☐ Le professeur a fait réaliser une frise retraçant la construction de l'Union européenne à ses élèves.
   ☐ Les élèves se sont laissé réaliser une frise retraçant la construction de l'Union européenne.
   ☐ Une frise retraçant la construction de l'Union européenne a été réalisée par les élèves.

11. Complétez avec la préposition *de* ou *par*. Faites les contractions nécessaires.

Exemple : Ce professeur d'histoire est aimé *de* tous ses élèves.

1. Surnommé le Bien-Aimé, Louis XV était très apprécié .... le peuple au début de son règne.
2. Le soldat a été touché .... une balle ennemie.
3. Marguerite fut prise .... un élan de joie lorsque l'on annonça la fin de la guerre.
4. L'Union européenne est composée .... 27 États membres.
5. Les troupes ont été surprises .... un assaut ennemi en plein milieu de la nuit.
6. Beaucoup d'Européens ont été surpris .... la décision de la Grande-Bretagne de quitter l'Union européenne.

12. Reformulez le fait historique avec les procédés demandés.

Carlos : un procès historique

Afin de pouvoir organiser le procès du terroriste international Carlos, les services secrets français et le gouvernement du Soudan organisent sa capture à Khartoum le 14 août 1994 (*faire* + infinitif). Le 12 décembre 1997, on ouvrait le premier procès en France de Carlos à la Cour d'assises de Paris (forme pronominale de sens passif). Après plusieurs procès tenus en son absence, le « révolutionnaire autoproclamé » était jugé pour ses premiers assassinats commis en France (*se voir* + infinitif).

....
....
....
....

La nominalisation

13. 🎧27 Écoutez un professeur d'histoire en classe de Terminale présenter sa matière à des parents d'élèves. Complétez le document remis aux parents avec des nominalisations.

ATTENTES EN CLASSE DE TERMINALE :
– .... des périodes historiques ;
– .... des faits de natures, de périodes et de localisations différentes ;
– .... du savoir acquis avec ce que l'élève entend, lit, vit ;
– ...., ... et ....
d'un document iconographique ;
– .... du lexique à bon escient ;
– .... de documents de sources différentes, etc.

GRANDE PARTICULARITÉ ET .... DE L'ENSEIGNEMENT DE L'HISTOIRE :
– .... des objectifs,
– .... d'une culture générale solide,
– .... de la pensée historienne.

> **Souvenez-vous**
>
> La nominalisation permet à la fois la **concision** et la **densité de l'information** ainsi que l'**objectivité du point de vue**. Elle entraîne des **modifications de la phrase** :
> adjectif ou verbe + adverbe → nominalisation + adjectif OU adjectif + nominalisation.
> Ex. : *L'enseignement de l'histoire est très particulier.* → *Grande particularité de l'enseignement de l'histoire.*

14. Formez des titres à partir des phrases proposées. Plusieurs titres sont possibles.

Exemple : Le régime a été renversé alors que l'on ne s'y attendait pas. → *Renversement inattendu du régime*

1. Les troupes belges ont été retirées progressivement. → ....
2. Napoléon a été vaincu en Haïti mais cela reste méconnu. → ....
3. Comme on le prévoyait, les Alliés ont gagné. → ....
4. Le Mur de Berlin est tombé. → ....
5. L'Union européenne ne s'est pas construite en un jour ! → ....
6. Les militaires ont échoué douloureusement dans leur tentative de coup d'État. → ....
7. La peine de mort a été abolie. → ....
8. Lorsque l'Europe est passée à la monnaie unique, il y a eu des controverses. → ....

Nous améliorons notre style

Enchaîner thèmes et propos pour faire progresser un texte

15. Lisez l'extrait de roman et répondez aux questions.

> Il est 10 heures. Le son des cloches laisse place dans les rues de La Penne à des bruissements. La rumeur gonfle à mesure que l'on s'approche du monument aux morts du village. C'est l'emplacement de la cérémonie de ce jour. La commémoration du 11 novembre est dans l'esprit de toutes les âmes croisées ce matin. Habitants d'ici ou d'ailleurs, ils rejoignent le groupe déjà constitué et parlent doucement en regardant la silhouette
> 5   du maire qui s'avance.
>
> Patrice Briandet apparaît concentré, presque grave. Maire de La Penne, il mesure une fois de plus l'importance de cette commémoration. Il a préparé un discours à la mémoire des veuves et orphelins de la Grande Guerre, en plus du discours que le Ministère des armées a fait parvenir à tous les maires de France, comme chaque année. C'est en homme chaleureux qu'il conclura la cérémonie avec quelques paroles spontanées pour les uns et les
> 10 autres.
>
> La cérémonie débute. On procède au lever des couleurs de la France. Après les remerciements officiels, les discours se font hommages. Les noms des victimes sont ensuite prononcés : « mort pour la France » répond seize fois l'assemblée. Lorsque la gerbe de fleurs est déposée, les porteurs de drapeaux inclinent leurs bannières et une minute de silence gagne chacun. Finalement, la Marseillaise retentit : l'émotion de l'assemblée est à son comble.

   a. Dans le paragraphe 1, quel est le lien entre les groupes de mots de même couleur ? ....

   b. Le récit est-il statique ou en mouvement ? ....

   c. Quel est l'aboutissement du paragraphe 1 ? ....

   d. Quel est le thème du paragraphe 2 ? ....

   e. Soulignez tous les mots qui le désignent dans le paragraphe 2.

16. a. Relisez le paragraphe 3 et identifiez son thème central. ....

   b. Quel est le lien entre les éléments soulignés et le thème central ?

   ....

17. Associez les éléments pour obtenir des affirmations correctes.

   1. Les éléments entourés en noir   répètent un thème pour marquer l'insistance.
   2. Les éléments entourés en rouge   ont une fonction emphatique.
   3. Tous les éléments entourés   mettent un thème en relief.

> **Souvenez-vous**
>
> Dans le récit, la progression de l'information se fait de différentes manières :
>
> 1. avec un **thème constant** pour insister sur une idée ou une personne.
>   Ex. : *Le drapeau est hissé. Il représente la France. La bannière tricolore est également portée par un homme.*
> 2. en alternant la reprise d'éléments connus (= le **thème**) et l'ajout d'informations nouvelles (= le **propos**) pour amener le lecteur vers un élément important.
>   Ex. : *Chacun peut assister à la cérémonie. Celle-ci se tiendra sur la place. Cette dernière sera donc fermée à la circulation.*
> 3. avec les **thèmes dérivés** d'un thème central pour structurer une description ou l'organiser dans l'espace.
>   Ex. : *Le monument impressionne. La sculpture est réaliste : les soldats semblent épuisés, leur visage exprime le désespoir. Le socle en marbre étincelle.*

18. Continuez le paragraphe selon les trois techniques de progression de l'information.

   La commémoration la plus importante de mon pays...

DOSSIER 11 Interculturel

Nous enrichissons notre vocabulaire

L'accès à la culture
> Leçons **1** et **3**

1. Lisez le bilan que dresse un universitaire. Identifiez les mots et les expressions du texte propres à chaque rubrique.

> **Bilan sur la politique d'accès à la culture**
>
> Une large partie de la population profite d'une offre culturelle riche et diversifiée grâce aux investissements publics et aux initiatives du secteur associatif. Mais une autre partie, en particulier les catégories les plus populaires, ne bénéficie toujours pas des équipements et des événements culturels soutenus par la puissance publique. Les solutions proposées en faveur de la démocratisation de l'accès à la culture, dans les théâtres, salles de concert et musées ou dans les centres culturels et d'animation, ont donc bien montré leurs limites.
>
> Ainsi, les actions visant des publics « spécifiques » comme les actions de médiation ne touchent pas assez de personnes, et notamment pas ceux qui sont peu familiers de l'offre culturelle. Les actions de communication quant à elles jouent parfois sur le registre de la connivence, ce qui laisse de côté les individus ne possédant pas les clés de la culture dominante. Par ailleurs, le numérique n'est qu'un outil qui ne peut à lui seul surmonter les inégalités sociales. Enfin, les institutions publiques ne disposent pas d'objectifs chiffrés, donnant lieu à un suivi et une évaluation, concernant l'élargissement de leurs publics aux catégories les plus modestes.
>
> En somme, malgré les efforts déployés, un clivage demeure pour ceux qui éprouvent un sentiment d'illégitimité. Renverser cette situation suppose une démarche double pour permettre une réelle démocratisation de l'accès aux équipements culturels publics : l'optimisation de l'offre existante pour mieux servir les besoins des citoyens et une révision du fonctionnement des institutions culturelles pour briser les réflexes d'autocensure.

1. Les personnes en situation d'inégalité face à l'accès à la culture :

   ....
   ....
   ....

2. Les acteurs de l'accès à la culture :

   ....
   ....

3. Les mesures et outils favorisant l'accès à la culture :

   ....
   ....
   ....
   ....

2. Lisez les analyses de spécialistes et complétez-les avec une expression de la liste. Faites les accords et les élisions nécessaires.

politique racoleuse • autocensure • malentendu culturel • démocratisation des savoirs • discrimination liée à la culture • appropriation culturelle

1. Même si la méritocratie républicaine est fortement revendiquée en France, les parcours scolaires restent cependant particulièrement liés aux origines socioculturelles des individus. Comment ne pas y voir des ....
.... ?

2. Annoncer des chiffres ambitieux et des objectifs pharaoniques, c'est ce que certains politiciens font, pensant satisfaire les attentes en matière d'accès à la culture. De fait, il ne s'agit là que d'une ....

3. Selon moi, c'est surtout en inscrivant durablement l'éducation artistique et culturelle dans les politiques éducatives que l'on pourra avancer sur le dossier de la ....

4. Si l'on mettait en place un service public de « culture à domicile » qui tire pleinement profit des opportunités offertes par le numérique, plus de jeunes auraient accès à la culture et oseraient présenter des concours prestigieux. On verrait ainsi baisser les cas de ....

5. Les peuples sont de plus en plus exposés aux autres cultures, dès leur plus jeune âge. C'est pourquoi il serait bon de mettre en place des enseignements interdisciplinaires qui sensibiliseraient à l'interculturel. On pourrait ainsi éviter bien des ....

6. Ce qui est aujourd'hui crucial, notamment dans les quartiers dits défavorisés, c'est de tout faire pour que les jeunes se sentent inclus. Cela passe entre autres par une approche respectueuse et inclusive des aspects caractéristiques de leur culture et de celles de leurs ancêtres, afin que jamais ils ne se sentent victimes de ....

L'humour et la comédie

> Leçon 2

3. 🎧 28 Écoutez les critiques d'une émission de radio et indiquez ce dont ils parlent.

un sketch • l'humour fédérateur • l'humour potache • le burlesque • une comédie de boulevard • le sens de la répartie • la provocation • la liberté d'expression

1. ....
2. ....
3. ....
4. ....
5. ....
6. ....
7. ....
8. ....

4. Complétez la chronique avec des mots et des expressions de l'activité 3. Faites les accords nécessaires.

L'autre jour, je regardais un .... (1) et je me disais que l'humoriste avait eu la main lourde sur la .... (2) : il était franchement à la limite de l'injure. En même temps, je réalisais que justement, c'était ça qui me faisait rire : la méchanceté dans l'humour. J'ai donc décidé de comprendre pourquoi ce côté mauvais me plaît dans l'humour.

Contrairement à la conception américaine, je ne pense pas que l'.............................. (3) puisse fonctionner à tous les coups : on ne peut pas tous rire au même humour, ou alors il faut rester dans le .... (4) et ne rire que des mimiques et des situations. Bien sûr, comme beaucoup, j'ai commencé par rire avec les copains de lycée devant des humoristes et des films dont l'.............................. (5) ne parlait qu'à nous, les jeunes, et ne laissait guère de chance aux « vieux ». Puis pour l'école, il a fallu que je lise et que je voie des .... (6) qui, elles, s'attaquent à la bourgeoisie. Est-ce à travers ces répliques que j'ai développé mon goût pour cet humour un peu dur ? En fait, la réponse ne se trouve pas dans l'analyse du .... (7) des dialogues qui me mettent en joie. Elle n'est sûrement pas non plus du côté des grandes théories sur la .... (8) à la française que je valoriserais à l'extrême. Tout simplement, je suis une personne bien élevée, polie, et je n'ose jamais me moquer ou faire des vannes. Alors j'adore celles et ceux qui le font pour moi !

Culture et identité
> Leçon 3

5. Soulignez les expressions correctes dans ces analyses sur l'art et l'identité.

1. Malgré les plus sombres **prévisions / connivences**, la mondialisation ne s'est pas traduite par **l'appropriation / l'effacement** des différentes identités culturelles mais bien au contraire par l'émergence de **nombreux enrichissements / nombreuses revendications** identitaires, qu'elles soient religieuses, nationales ou ethniques.

2. L'idée **d'universalité / de clivage** de l'art, échappant à tout enracinement historique ou géographique, telle que l'UNESCO la promeut, fait hurler au **scandale / génie** ceux qui la voient comme une manière **de baigner / d'imposer** les canons de la culture **dominante / communautaire**.

3. Avec l'arrivée **sur le marché artistique / dans les centres culturels** des grandes fondations liées au luxe, certains artistes qui signent des articles produits par ces firmes sont **fustigés / acclamés** pour la **libéralisation / marchandisation** de l'art que cela représente.

4. Paradoxalement, en ouvrant les monuments du **savoir / patrimoine** comme Versailles à des événements artistiques ou culturels, la puissance publique participe aussi **au communautarisme / à la commercialisation** et s'expose à **l'autocensure / la contestation**, notamment identitaire.

L'expérience culturelle
> Leçon 4

6. 🎧29 Écoutez les témoignages sur des malentendus interculturels. Associez-les à un domaine.

 .... a. La place du religieux .... d. Les relations entre les gens
 .... b. La perception du temps .... e. La nourriture
 .... c. Les codes vestimentaires .... f. La représentation de la famille

7. Présentez les étapes conduisant à l'intégration ou au rejet de votre culture par un(e) Français(e) qui viendrait s'installer dans votre ville ou votre pays. Aidez-vous du graphique ci-contre et donnez des exemples.

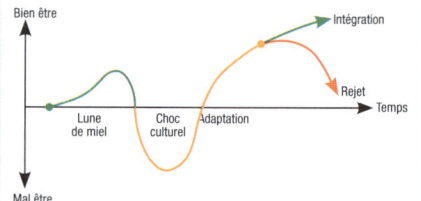

Lexique thématique du dossier 11

8. Lisez les rubriques du lexique. Complétez-les avec des mots et des expressions que vous connaissez.

La culture et ses composants

la culture artistique
la culture partagée
la culture universelle
un centre culturel et d'animation
un acteur culturel
une composante culturelle
un enrichissement culturel
une représentation culturelle

L'accès à la culture et l'interculturel

être imprégné(e) par
se glisser / s'immerger dans une culture
se mettre en connivence avec
s'arracher à sa territorialité
la démocratisation des savoirs
un clivage
l'égalité des chances
une discrimination liée à la culture
se sentir illégitime
l'autocensure
la culture dominante
l'appropriation culturelle
le communautarisme
un malentendu interculturel
un choc culturel

L'humour et la liberté d'expression

une comédie populaire
une comédie de boulevard
un film comique
un humour fédérateur / potache
le burlesque
un quiproquo
mettre quelqu'un en joie
la jovialité
la vulgarité
le mauvais goût
le rire sacrilège
désacraliser
fustiger
la subversion
la diffamation
hurler au scandale

D11 – Interculturel

Nous perfectionnons notre grammaire

L'expression du temps : les conjonctions de subordination

9. a. Écoutez l'interview d'un étudiant retenu pour participer au Programme égalité des chances et démocratisation de Sciences Po. Complétez les phrases avec les conjonctions de la liste. Faites les élisions nécessaires.

d'ici à ce que • maintenant que • après que • à mesure que • chaque fois que • avant le moment où • jusqu'à ce que • avant que • en même temps que • du plus loin que • à peine […] que

1. .... il a assisté à la présentation du programme dans son lycée, il n'avait pas pensé à cette voie.
2. .... il se rapprochait de la terminale, il a commencé à réfléchir à son avenir.
3. Il pensait se tourner vers la fac d'économie .... il comprenne qu'il pouvait entrer à Sciences Po.
4. .... il sait qu'il va intégrer ce programme, il est conscient de ses lacunes.
5. .... il se souvienne, ses parents ne l'ont jamais emmené à une exposition.
6. Il se sentait illégitime .... il ne passe son entretien à Sciences Po.
7. .... il se sentait attiré par la culture, il s'en interdisait l'accès.
8. .... il allait au cinéma, c'était pour voir une grosse production américaine.
9. .... le jury l'a informé qu'il n'avait pas les mêmes connaissances culturelles que les autres candidats, il a compris qu'il fallait combler ce manque.
10. .... est-il sorti de l'entretien .... il a acheté tous les classiques !
11. .... il franchisse les portes de Science Po en septembre prochain, il compte bien visiter un maximum d'expo !

b. Complétez le tableau avec les conjonctions de subordination de l'activité 9a. Ajoutez d'autres conjonctions de temps que vous connaissez (+).

	Mode	Conjonctions
Antériorité	Indicatif	.... + ...
	Subjonctif	...................., ..., ..., + ...
Simultanéité	Indicatif	...................., ..., ..., + ...
Postériorité	Indicatif	...................., ..., + ...

> **! Souvenez-vous**
>
> **Attention !** *Avant que* accompagné d'un *ne* explétif relève du registre soutenu.
> *À peine […] que* entraîne l'**inversion sujet / verbe** et relève aussi du registre soutenu.
> Ex. : *À peine **est-il sorti** de l'entretien qu'il a acheté tous les classiques !*

10. Reformulez les phrases avec la conjonction de subordination demandée. Attention au temps des verbes.

Exemple : Tout en s'enrichissant d'une nouvelle langue et d'une nouvelle culture, mon père avait la douloureuse impression de tourner le dos à ses origines. (en même temps)
→ *En même temps qu'il s'enrichissait d'une nouvelle langue et d'une nouvelle culture, mon père avait la douloureuse impression de tourner le dos à ses origines.*

1. Immédiatement après avoir fini la visite guidée de l'exposition, les visiteurs se sont rués sur les produits dérivés de la boutique du musée. (à peine… que)

....

2. Dans l'attente de la sortie de notre guide sur la gestion de la communication interculturelle en entreprise, nous proposons une série de webinaires. (d'ici à ce que)

   ....
   ....

3. En continuant à privatiser des espaces culturels tels que les musées, nous nous éloignons de l'accès à la culture pour tous. (tant que)

   ....

4. Tu regarderas le spectacle de l'humoriste Melha Bedia et tu me donneras ton avis. (dès que)

   ....

5. Avant la lecture d'un article sur l'appropriation culturelle, Isabelle n'avait pas conscience des blessures qu'un tel acte pouvait provoquer. (avant que)

   ....
   ....

Le subjonctif : emplois particuliers

11. a. Lisez les dialogues. Soulignez les verbes au subjonctif.

1. – Que j'aie besoin de me remonter le moral ou que tout aille bien, ma préférence va vers les comédies.
   – Pas moi. Ce n'est pas que les comédies ne me fassent pas rire, mais je trouve qu'elles manquent souvent de finesse.

2. – Soit qu'il ait mal saisi son humour, soit qu'il soit peu réceptif aux mimiques qui façonnent son personnage, le public suédois ne semble guère emballé par le spectacle de l'humoriste québécois.
   – Les spectateurs suédois ont surtout souligné le fossé qui existe entre leurs deux humours.

3. – Connaissez-vous un espace où nous puissions réaliser un projet de médiation interculturelle ?
   – La médiathèque est le meilleur lieu qui soit. Je ne connais d'ailleurs aucun autre lieu qui ait autant de ressources accessibles à tous les publics.

4. – Que l'accès à la culture ne soit pas le même pour tous, c'est une évidence. Nous lançons donc un appel à propositions : non que le ministère de la Culture n'y ait déjà songé mais la réflexion locale nous semble plus adaptée. Des idées d'amélioration pour notre commune ?
   – Oui ! Que l'inscription à la bibliothèque soit gratuite !
   – Ou qu'on mette en place des tutorats intergénérationnels !

b. Cochez le(s) dialogue(s) correspondant à l'usage du subjonctif et complétez avec un/des exemple(s) tiré(s) du/des dialogue(s).

1. On utilise le subjonctif dans une complétive placée en début de phrase. → Dialogue(s) ☐ 1 ☐ 2 ☐ 3 ☑ 4
   Exemple : Q*ue l'accès à la culture ne soit pas le même pour tous, c'est une évidence.*
   Attention ! Si l'on inverse l'ordre, la complétive est à l'indicatif.
   Exemple : *Il est évident que l'accès à la culture n'est pas le même pour tous.*

2. On utilise le subjonctif seul. Il a alors une valeur d'impératif. Il exprime une volonté, un souhait ou un conseil même s'il n'y a pas de verbe introducteur. → Dialogue(s) ☐ 1 ☐ 2 ☐ 3 ☐ 4
   Exemple : ....

3. On utilise le subjonctif pour exprimer une cause. → Dialogue(s) ☐ 1 ☐ 2 ☐ 3 ☐ 4
   • Une cause est rejetée au profit d'une autre.
   Expressions : *ce n'est pas que* + subjonctif, *mais* + indicatif ;
   .... + subjonctif, ... + indicatif

- Plusieurs causes sont possibles. Cette forme relève du registre soutenu.

Expressions : .... + subjonctif .... + subjonctif ;

.... + subjonctif .... + subjonctif

4. On utilise le subjonctif dans les relatives. → Dialogue(s) ☐ 1 ☐ 2 ☐ 3 ☐ 4

- Il exprime la possibilité.

Exemple : ....

- Il exprime le sentiment, le jugement.

Exemple : ....

- Il exprime la rareté.

Exemple : ....

12. Complétez avec l'indicatif ou le subjonctif. Attention aux temps des verbes.

1. Sarah se sent parfois en décalage avec les comportements des habitants : non qu'elle .... (méconnaître) la culture de son pays d'accueil mais il lui .... (arriver) d'éprouver des difficultés à adapter ses réactions.

2. Pour moi, il n'y a rien qui .... (être) plus important que le dialogue entre les cultures.

3. Après avoir passé plus d'un quart de sa vie au Canada francophone et anglophone, il est certain que Mayumi, qui .... (être) japonaise, ... (avoir) une identité multiple.

4. Ce n'est pas parce que Marco .... (haïr) les musées qu'il n'y .... jamais .... (mettre) un pied mais plutôt parce que son éducation ne l'y .... pas .... (conduire).

5. Les jeunes ne se passionnent pas pour la culture ? Mais enfin, qu'on leur .... (remettre) un pass culturel gratuit pour l'ensemble des activités de la ville !

6. Que l'on ne .... (rire) pas des mêmes choses selon les cultures, c'est une évidence.

13. Répondez aux questions suivantes. Respectez l'usage du subjonctif indiqué.

1. Quel est votre musée préféré et pourquoi ? (expression de l'exception dans une relative)

....

....

2. À votre avis, pourquoi certaines personnes ne regardent que les films dans leur version originale ? (cause rejetée au profit d'une autre)

....

....

La ponctuation

14. 🎧 31 Écoutez les témoignages de jeunes nés en France de parents étrangers. Rétablissez la ponctuation et les majuscules selon les indications.

1. je me sens à la fois française algérienne et polonaise mais plus encore ma famille est composée de diverses ethnies thaï polynésienne etc encore plus d'ingrédients dans le mixeur

Signes	Nombre
.	3
,	3
!	2
( )	1 paire

2. quel bonheur de rentrer au pays mais la joie de l'atterrissage a laissé place à la frustration dépaysé et dérouté je me sentais étranger dans mon pays j'étais surnommé le Français

Signes	Nombre
.	3
,	1
!	1
« »	1 paire

Nous améliorons notre style

Comprendre l'humour : jeux de mots et calembours

> **Souvenez-vous**
>
> Le **calembour** est un jeu de mots fondé sur **l'homophonie** (mots identiques à l'oral mais différents à l'écrit), **la polysémie** (les différents sens d'un même mot), **la paronymie** (mots de forme relativement voisine) ou **l'invention d'un mot** proche d'un mot existant.

15. Lisez les citations humoristiques. Soulignez le(s) mot(s) ou le(s) groupe(s) de mots sur le(s)quel(s) porte le calembour. Précisez le procédé utilisé : homophonie, polysémie, paronymie, invention d'un mot.
Exemple : « Je suis adroit de la main gauche et je suis gauche de la main droite. » (Devos)
Polysémie portant sur gauche (le côté) et gauche (maladroit) et paronymie portant sur adroit (habile) et droite (le côté).

1. « – Qu'est-ce que vous regardez ? C'est la carte routière ? – Non ! C'est la carte des vins. C'est pour éviter les bouchons ! » (Devos)

   ....

2. « C'est pour satisfaire les sens qu'on fait l'amour ; et c'est pour l'essence qu'on fait la guerre. » (Devos)

   ....

3. « Ce n'est pas dur la politique comme métier. Tu fais cinq ans de droit et tout le reste c'est de travers. » (Coluche)

   ....

4. « La grande différence entre les oiseaux et les politiques, c'est que de temps en temps, les oiseaux s'arrêtent de voler. » (Coluche)

   ....

5. « Écrire sans fautes ou écrire cent fautes ? Certains ont déjà du mal à ce stade. » (Philip Geluck)

   ....

6. « Le progrès : trop robot pour être vrai. » (Jacques Prévert)

   ....

7. « C'est vraiment la francacophonie. » (Marc Favreau)

   ....

8. « Mon Dieu, que votre volonté soit fête ! » (Frédéric Dard)

   ....

16. Lisez les devinettes et imaginez la réponse. Utilisez des calembours portant sur le(s) mot(s) entre parenthèses.
Exemple : Quel est le comble pour un maître-nageur ? (bain) *Avoir peur des bains de foule !*

1. Quel est le comble d'un teinturier ? (tache / tâche)

   ....

2. Quel est le comble pour un juge ? (avocat)

   ....

3. Quel est le comble pour une pomme de terre ? (frite / s'effriter)

   ....

4. Quel est le comble pour un footballeur ? (but)

   ....

5. Quel est le comble pour une girafe ? (cou / coup)

   ....

DOSSIER 12 (R)évolutions écologiques

Nous enrichissons notre vocabulaire

Causes et impacts du réchauffement climatique
> Leçon 1

1. a. 🎧H32 Écoutez les témoignages et classez-les selon le domaine évoqué.

Les causes du réchauffement climatique : ....

Les conséquences du réchauffement climatique : ....

Les actions envisagées : 1, ...

b. 🎧H32 Réécoutez. Associez les réponses des experts aux témoignages de l'activité **1a**.

a. Sans même aller jusqu'au concept de décroissance, il est aujourd'hui raisonnable d'affirmer que nous avons suraccumulé les équipements, notamment à usage individuel. → Témoignage n° ....

b. Il faut toutefois ne jamais perdre de vue le pluralisme et la liberté. L'ensemble des interdits ne peut, à terme, être plus vaste que l'ensemble de nos droits. → Témoignage n° ....

c. Il semblerait que la majorité des gouvernements ait pris acte de la réalité du réchauffement climatique. Malheureusement, beaucoup de leaders craignent de perdre le soutien de leur population s'ils adoptent des mesures trop drastiques. → Témoignage n° ....

d. Effectivement, le dernier rapport de l'ONU sur ce point est alarmiste. De 500 000 à un million d'espèces pourraient disparaître, dont beaucoup dans les prochaines décennies. → Témoignage n° ....

e. Ce qu'il faut bien comprendre, c'est que ce changement annoncé, même s'il paraît faible, aura des répercussions énormes à l'échelle du globe : montée des eaux, catastrophes naturelles, sécheresses, raréfactions de nombreuses ressources, rien ne sera indemne. → Témoignage n° ....

f. D'une certaine manière, on peut dire que la plupart des pays n'ont pas opté pour des mesures coercitives, encourageant plutôt les actes écoresponsables. Les discours cherchent à atteindre les individus, alors que c'est tout le système de production qu'il faut renverser. → Témoignage n° ....

g. Les mesures existantes ne suffisent pas. Moyennant des transactions, chaque filière peut compenser son carbone sans changer ses pratiques. C'est au niveau des processus de fabrication et de production même qu'il faut s'attaquer pour les décarboner. → Témoignage n° ....

h. Il existe des alternatives intéressantes, c'est vrai. Bien sûr, changer nos pratiques et modes de vie nécessite des efforts, des investissements. C'est en tout cas la voie que de plus en plus de gouvernements prennent, en subventionnant les achats « verts » par exemple. → Témoignage n° ....

2. Complétez l'article avec les formes verbales suivantes au participe passé ou à l'infinitif.

prévoir • impacter • ~~dévoiler~~ • prononcer • mener • encourir • pousser • adopter • rendre compte • atteindre • rehausser

Réchauffement climatique : changer la donne reste-t-il possible ?

Depuis que les experts ont commencé à *dévoiler* leurs premiers rapports sur la hausse des températures au cours des décennies à venir, les recherches .... (1) travaillent notamment à des modèles climatiques permettant de .... (2) les conséquences .... (3) à l'échelle du globe. On sait que de nombreuses espèces, tout comme certaines pratiques humaines, seraient .... (4).

Les premiers modèles envisageaient une augmentation maximale de 4,8 °C et déjà l'unanimité des scientifiques s'avérait impossible à .... (5). Aujourd'hui, le phénomène de réchauffement climatique s'annonce plus .... (6) que prévu selon des experts du GIEC : une équipe vient de .... (7) d'une partie de ses recherches et on parle d'une hausse allant jusqu'à 7 °C.

Inutile de le dire : les conséquences tournent alors à la catastrophe. Comment dès lors trouver le consensus scientifique qui, seul, pourra .... (8) les décideurs à agir efficacement ? L'accumulation de preuves convergentes ne suffisait déjà pas précédemment à .... (9) des politiques environnementales fortes, alors si l'on doit .... (10) ses ambitions, notamment en matière de réduction des émissions de gaz à effet de serre, que peut-on légitimement espérer ?

Le climatoscepticisme

> Leçon **2**

3. Associez chaque argument climatosceptique à son explication.

1. Le réchauffement climatique n'existe pas.
2. L'homme n'est pas responsable du réchauffement climatique.
3. L'ensemble des causes de réchauffement n'a pas été suffisamment exploré.
4. Les modèles « réchauffistes » présentés sont incertains.
5. Le réchauffement climatique sera bénéfique pour l'homme.
6. Les théories « réchauffistes » risquent de mener à une dictature écologiste.

a. La science comme les réponses de nos sociétés comportent des aléas, ainsi des erreurs dans les prévisions peuvent être commises.
b. On voit bien depuis que les mesures existent que la hausse thermique ne suit pas la courbe de production de CO_2.
c. La mise en place de taxes destinées à limiter l'utilisation d'énergies fossiles va mener à l'effondrement de nos économies et à l'appauvrissement de la majorité.
d. De nouvelles activités pourraient permettre de créer beaucoup de richesses et d'emplois, notamment le forage dans certaines régions jusqu'alors trop inhospitalières.
e. Des cycles naturels ont toujours existé dans l'évolution des températures, les dinosaures en ont d'ailleurs fait l'expérience bien avant l'apparition de l'homme.
f. Pour arriver à une modélisation exhaustive, il faut également s'intéresser aux facteurs naturels que sont les paramètres astronomiques de la terre, l'activité volcanique, ou encore l'énergie solaire.

4. a. Associez les huit paires d'expressions antonymes.

1. la maîtrise d'une question
2. une politique incitative
3. l'obscurantisme
4. un corpus représentatif
5. une attaque *ad hominem*
6. un procès abusif
7. le négationnisme
8. un raisonnement fallacieux

a. la diffusion des connaissances
b. une méconnaissance du sujet
c. un choix de données orienté
d. une démonstration exacte
e. l'acceptation d'une vérité établie
f. une mesure coercitive
g. une mise en accusation légitime
h. une charge idéologique

b. Choisissez un argument de l'activité **3**. Expliquez-le et proposez une contre-argumentation. Utilisez des expressions de l'activité **4a**.

....
....
....
....
....
....
....

D12 – (R)évolutions écologiques

Choix politiques et écologie
> Leçons **3** et **4**

5. 🎧 33 Écoutez la chronique et complétez le tableau d'analyse des gestes présentés.

Objectif visé	Geste								
	12	14	32	34	36	37	42	43	50
Limiter la pollution des sols et de l'eau									
Préserver l'atmosphère	✔								
Protéger la biodiversité animale									
Économiser les ressources et l'énergie									
Réduire l'empreinte carbone									

6. Rédigez la quatrième de couverture du guide *Ecofrugal* : donnez envie aux lecteurs de lire ce guide en présentant quelques-uns des conseils dispensés pour économiser et protéger la planète.

....
....
....
....
....

Lexique thématique du dossier 12

7. Lisez les rubriques du lexique. Complétez-les avec des mots et des expressions que vous connaissez.

La dégradation de la planète
la surpêche
la souffrance animale
l'épuisement des ressources fossiles
la pollution
l'émission de gaz à effet de serre
le dérèglement climatique
une canicule, une sécheresse
la fonte de la banquise
l'acidification des sols / des eaux

Le climatoscepticisme
un(e) climatosceptique
l'obscurantisme
étayer ≠ affaiblir une opinion
recourir à une méthode
mettre en doute l'existence de quelque chose
attaquer une personne / une institution
contester des raisonnements / données scientifiques
nier le changement climatique
une attaque *ad hominem*
un discours négationniste
une méconnaissance du sujet
un raisonnement fallacieux
un choix de données orienté

La lutte contre le réchauffement climatique
un scénario pessimiste
la coopération internationale
le développement durable
la neutralité carbone
la décarbonisation
diversifier les sources d'énergie
végétaliser les villes
un comportement écoresponsable
être impacté(e) / affecté(e) par
élaborer un modèle climatique
des preuves convergentes
rechercher un consensus scientifique

L'écologie politique
une mesure coercitive
l'extension massive du domaine des interdits
la décroissance
se reconvertir dans le vert

Nous perfectionnons notre grammaire

Les combinaisons de négations

8. a. 🎧 34 **Écoutez les témoignages. Dites si les affirmations sont vraies ou fausses et justifiez avec des extraits des témoignages.**

Témoignage 1 :

Exemple : Je continuerai à m'habiller dans les enseignes de la fast fashion. ☐ Vrai ☑ Faux

→ *Je ne mettrai plus jamais un pied chez Zara, Mango ou H&M.*

1. J'avais déjà eu des scrupules à garnir ma garde-robe de vêtements peu coûteux. ☐ Vrai ☐ Faux

....

2. Je me suis fait la promesse de cesser tout achat si je ne savais pas exactement comment le vêtement avait été réalisé. ☐ Vrai ☐ Faux

....

3. Il y a toujours quelqu'un pour me proposer de faire les boutiques ! ☐ Vrai ☐ Faux

....

Témoignage 2 :

4. Mon père a arrêté de manger de la chair animale. ☐ Vrai ☐ Faux

....

5. Il continue de consommer des produits venant des animaux. ☐ Vrai ☐ Faux

....

6. Il ne dit pas ce qu'il pense. ☐ Vrai ☐ Faux

....

7. Il sera encore invité partout ! ☐ Vrai ☐ Faux

....

Témoignage 3 :

8. Aujourd'hui, rien ne justifie d'être propriétaire d'une voiture. ☐ Vrai ☐ Faux

....

9. Tout le monde est prêt à abandonner la voiture. ☐ Vrai ☐ Faux

....

b. Dans les justifications de l'activité **8a**, soulignez les combinaisons de négations.

Exemple : Je <u>ne</u> mettrai <u>plus</u> <u>jamais</u> un pied chez Zara, Mango ou H&M.

c. Complétez le tableau.

Combinaisons		Phrase(s)
ne… plus	*jamais*	exemple
ne… jamais		

D12 – (R)évolutions écologiques

> **Souvenez-vous**
>
> - Les adjectifs et pronoms indéfinis **de sens négatif** (*rien, personne, aucun, nulle part*) remplacent *pas* et peuvent se combiner avec *jamais* et *plus*.
>
> - Ils peuvent être sujet de la phrase.
> Ex. : *Plus personne* ne me propose de virées shopping !
>
> - Aux temps composés et devant un infinitif :
> – *Rien, jamais, plus* se placent avant le participe passé et avant l'infinitif.
> Ex. : *Il ne sera **plus jamais** invité nulle part. / **Ne plus jamais** rien acheter.*
> – *Personne, nulle part, aucun(e)* se placent après le participe passé et après l'infinitif.
> Ex. : *Il ne sera plus jamais invité **nulle part**. / Ne voir **personne**.*

9. 🎧 35 Écoutez les déclarations. Complétez-les en imaginant une évolution. Utilisez des combinaisons de négations variées.

Exemple : Il y a un siècle, on respectait encore la faune et la flore.
→ Avec l'évolution de nos modes de vie, *on **ne** respecte **plus** suffisamment **ni** l'une **ni** l'autre.*

1. Maintenant, ...
2. Mais dans quelques années, ...
3. Depuis que j'ai vu un documentaire sur les bienfaits du commerce d'occasion, ...
   ....
4. Je crains que d'ici quelques années, ...
5. Depuis que les champs autour de chez elle sont arrosés de pesticides, ...
6. Depuis que je me suis installé une application pour calculer mon empreinte carbone, ...
   ....

10. À la manière des témoignages de l'activité 9, décrivez un comportement que vous avez adopté pour protéger l'environnement. Utilisez des combinaisons de négations variées.

....
....
....
....

L'omission de la négation

11. a. Soulignez les phrases qui relèvent du registre soutenu et encadrez celles qui relèvent du registre familier.

1. J'arrête pas de lire des articles super trash sur l'état des océans. / Je ne cesse de lire des articles alarmistes sur l'état des océans.
2. La maire du village n'ose imaginer la réaction d'une partie des viticulteurs à l'annonce de l'interdiction prochaine du glyphosate. / La maire du village ose pas imaginer ce que vont dire les viticulteurs quand elle va annoncer qu'on interdira bientôt le glyphosate.
3. Pourrons-nous contenir la hausse des températures ? J'en sais rien. / Je ne sais que répondre.
4. Il peut plus supporter ceux qui disent que le réchauffement climatique existe pas. / Il ne peut tolérer le déni du réchauffement climatique.

b. Complétez la règle.

1. Au registre soutenu, après les verbes ...., ..., ..., ..., on peut supprimer le *ne*.
2. Au registre .... et souvent à l'oral, on supprime souvent le *ne* de la négation.

12. Réécrivez le texte au registre soutenu. Utilisez les verbes *cesser, oser, savoir* et *pouvoir*.

Myriam se croyait écolo et organisait sa vie qu'en fonction de ça. Elle était fière de sa nouvelle voiture électrique bleu métallisé mais elle a pas su quoi répondre quand un de ses amis lui a dit que la fabrication de sa nouvelle bagnole était pas si écolo que ça. Comme elle a pas eu le courage de débattre avec son ami, elle a préféré se taire. Par contre, lui, il a pas arrêté de lui envoyer des vannes toute la soirée.

Myriam ne pouvait s'empêcher d'organiser sa vie en fonction de son pseudo engagement écologique.

....
....
....
....

L'usage de *tout* : adjectif, pronom ou adverbe

13. Lisez le post de l'association. Complétez les usages de *tout* avec les exemples du texte.

> Bonjour tout le monde (1) !
> L'association Mtaterre invite tous les lycéens (2) à participer à une réunion d'information au sein de l'établissement.
> La politique des « tout » petits pas (3) n'a aucun sens, avancer tout doucement (4) ne sert à rien, aussi mener des actions concrètes rapides nous paraît crucial :
> – tous les jours (5) : utilisation de moyens de transports doux pour venir au lycée ;
> – toutes les deux semaines (6) : grand nettoyage collectif d'un espace naturel de la ville ;
> – une fois par mois : organisation d'une manifestation pacifiste pour alerter les adultes sur leur inaction et tous les (7) inviter à nous rejoindre dans notre combat.
> Comme nous sommes toutes (8) et tous (9) fatigués des discours politiques pseudo écologistes et que nous les trouvons tous (10) inutiles et inefficaces, cessons de nous lamenter tout seuls (11) dans notre coin et agissons collectivement ! Toutes celles (12) et tous ceux (13) qui souhaitent lutter activement pour l'avenir de la planète trouveront les moyens de le faire au sein de notre toute récente (14) association. Nous espérons la mobilisation de la communauté lycéenne tout entière (15) ! Faisons tout (16) pour un avenir meilleur !

- L'adjectif indéfini *tout* s'accorde avec le nom ou le pronom démonstratif qui suit. Il exprime une idée de totalité : n° 1, ..., ..., ..., d'habitude : n° .... ou de périodicité : n° ....

- Le pronom indéfini *tout* exprime une idée de totalité.
  – Il peut être neutre et représente un ensemble de choses indéterminées. Il est invariable : n° ....
  – Il peut être pluriel (*tous, toutes*) et reprendre le sujet : n° ...., ... ou le COD : n° ...., ...

- L'adverbe *tout* signifie *entièrement, totalement, très*. Il est généralement invariable : n° ...., ..., ..., ... sauf devant un adjectif féminin qui commence par une consonne ou un *h* aspiré : n° ....

14. Soulignez la réponse correcte.

1. Amanda était **tout / toute** énervée et ses amies **tout / toutes** surprises d'avoir entendu des discours climatosceptiques à la conférence sur l'accélération de la fonte des glaces.
2. Dans **tous / tout** les scénarios envisagés par le GIEC, la diminution des émissions devra être **tout / toute** particulièrement rapide pour parvenir à la neutralité carbone en 2060.
3. La liste des actions concrètes à conduire revêt une importance **tout / toute** particulière.
4. Depuis 1995, plus d'une centaine de pays se réunissent **tout / tous** les ans lors des COP.
5. Je conseille à **tout / tous** ceux et **toutes / tout** celles qui font de beaux discours sur l'environnement de calculer leur empreinte carbone.

D12 – (R)évolutions écologiques

Nous améliorons notre style

> Raconter le futur et assurer la cohérence dans le discours

15. a. Lisez le texte et identifiez le temps des verbes en gras.

Aujourd'hui, je **retourne** (1) pour la première fois dans mon village natal. Je sais que je **vais être** (2) sous le choc car la biodiversité y est tellement malmenée. Dans trois mois, les autorités **procèderont** (3) aux dernières évacuations des habitations du bord de mer, après que nous **aurons publié** (4) les mesures, que je <u>suis sur le point de réaliser</u>. Elles <u>doivent confirmer</u> ce que beaucoup annonçaient, lorsqu'on commençait à comprendre qu'on <u>allait devoir</u> s'adapter, que le futur **s'avèrerait** (5) bien différent des futurs d'avant, surtout une fois qu'on **aurait** enfin **décidé** (6) de préférer l'avenir au présent… La ligne côtière **aura** sans doute encore **perdu** (4) du terrain… et bientôt ce qui reste du port **aura disparu** (4). Vous **resterez** (3) bien discrète, m'ont-ils dit, de peur que les locaux ne s'en prennent à moi…

1. ....
2. ....
3. ....
4. ....
5. ....
6. ....

b. Associez les temps identifiés et les trois formes soulignées dans l'activité **15a** à leur valeur dans le texte.

1. Présent
2. Futur proche
3. Futur simple
4. Futur antérieur
5. Semi auxiliaires (*devoir* + inf. / *être sur le point de* + inf.)
6. *Aller* à l'imparfait + inf.
7. Conditionnel présent
8. Conditionnel passé

a. Événement presque immédiat ou envisagé comme certain
b. Fait accompli avant un autre fait futur / Expression d'une probabilité à venir
c. Faits à valeur de futur proche
d. Futur simple dans le passé
e. Expression d'une réalité future / Atténuation d'un ordre
f. Futur antérieur dans le passé
g. Expression d'une action proche presque commencée
h. Futur proche dans le passé

> **Souvenez-vous**
> - Le **futur simple** indique une réalité future et s'accompagne généralement d'une expression de temps.
> - Le **futur proche** exprime l'intention du locuteur et sa certitude pour le futur.

16. Entourez la forme verbale correcte.

Ce soir, je **fais / allais faire** (1) la première mission qui me **permettra / permettrait** (2) ou non de rentrer dans l'organisation secrète ECO+. Voici le plan dicté par Luca : « À vingt-deux heures, tu **t'approcheras / es sur le point de t'approcher** (3) de la ferme d'élevage intensif et tu **vas libérer / libèreras** (4) tous les poulets. Une fois que tu **vas faire / auras fait** (5) ça, tu nous **auras envoyé / enverras** (6) le texto suivant : *ça roule ma poule*. On **comprendra / aura compris** (7) alors que tu as réussi et on **se chargera / doit se charger** (8) du reste… » Je **vais mener / mènerai** (9) une action pour ECO+. Dans quelques heures, les poulets **auraient été libérés / auront été libérés** (10) et moi, j'**aurai basculé / basculerais** (11) dans l'activisme écologiste ! Tous pensaient que je **reprendrais / reprendrai** (12) l'exploitation familiale après que j'**allais terminer / aurais terminé** (13) mes études d'ingénieur agronome. Je suis **sur le point d'accomplir / accomplirai** (14) ce qui **décidera / aura décidé** (15) de mon avenir…

17. Continuez le récit de la deuxième mission dictée par Luca le chef de la bande. Utilisez un maximum de temps identifiés dans l'activité **15b**.

*Ce soir, on **rend** la station-service à la nature. Luca nous a indiqué qu'on **allait la végétaliser** des pieds à la tête…*

STRATÉGIES

Production guidée : l'article informatif

1. Vous devez écrire un article informatif sur un projet architectural innovant lancé à Bordeaux. Choisissez le plan le plus adapté.

☐ 1. divers atouts de la construction – description générale du projet – caractéristiques du nouveau bâtiment

☐ 2. description générale du projet – caractéristiques du nouveau bâtiment – divers atouts de la construction

☐ 3. description générale du projet – divers atouts de la construction – caractéristiques du nouveau bâtiment

2. Reformulez le titre de manière à le rendre accrocheur.

La ville de Bordeaux construit la plus haute tour de France en bois et pas en béton.

....

3. Reformulez le chapeau en hiérarchisant les informations de la plus importante à la moins importante.

Le pin est un matériau plus léger, plus écologique et plus rapide à monter que d'autres. C'est celui issu des forêts de Corrèze qui a été choisi pour construire le plus haut bâtiment de France à Bordeaux, et dont la première poutre a été posée la semaine dernière.

4. Écrivez la légende de la photo illustrant l'article. Utilisez les éléments suivants :

tour d'habitation Hypérion • la plus haute construction en bois de France • livraison : dans un an

....
....
....

5. Lisez les notes. Indiquez si elles correspondent à l'accroche ou à la chute. Justifiez votre choix.

1. Renouveau architectural ? Norvège, mars 2019 : inauguration de la plus haute tour en bois du monde (85,4 mètres). Ambition des Japonais : construction d'un gratte-ciel en bois d'ici cinq ans (350 mètres de haut) !

2. Bois considéré comme un matériau vulnérable dans l'imaginaire collectif (ex. : conte populaire des *Trois Petits Cochons*).

6. Lisez les idées à développer dans chaque paragraphe. Mettez-les dans l'ordre en fonction du plan que vous avez choisi (activité **1**).

☐ 1. La tour : 98 logements, 16 étages. Architecte : Jean-Paul Viguier. Coût du projet : 17,9 millions d'euros. Appartements : entre 60 et 100 m², 3 800 euros le mètre carré en moyenne. Ressemblance : Kapla géant végétalisé (balcons, jardins suspendus).

☐ 2. Atout essentiel dans le contexte actuel : impact carbone moindre. 45 % de moins qu'un bâtiment traditionnel. Autres atouts : moins de bruit pendant les travaux. Plus rapide à monter.

☐ 3. Projet de la ville de Bordeaux : construction de la tour en pin Hypérion (nom de l'arbre le plus haut du monde), 55 mètres, dans le cadre de la rénovation du quartier Saint-Jean Belcier. Livraison : dans un an. Record de hauteur en France pour un bâtiment en bois.

7. Rédigez le corps de l'article en 250 mots environ : l'accroche, trois paragraphes et la chute. Appuyez-vous sur les informations données dans les activités **5** et **6**.

STRATÉGIES

Production guidée : l'essai argumentatif

1. Analysez le sujet : entourez le thème (= ce dont on parle) et encadrez la thèse (= ce qu'on dit du thème).

Sans gluten, sans sel, sans cuisson, sans produits d'origine animale : les régimes spécifiques sont de plus en plus à la mode. Il s'agit de choix individuels qui créent aussi l'engouement de petits groupes. Mettent-ils en danger le vivre ensemble ?

> **! Souvenez-vous**
> Le thème est souvent précisé dans l'intitulé du sujet.

2. Entourez les éléments corrects pour formuler une problématique.

Peut-on de nos jours / Doit-on dans le futur / Pourquoi toujours vivre conformément à ses choix alimentaires en préservant la convivialité ? / sans mettre en danger l'entre-soi ? / en les imposant aux autres ?

> **! Souvenez-vous**
> La problématique est toujours une question qui n'a pas de réponse évidente et qui contient une contradiction ou au moins une tension.

3. Lisez les notes et complétez le plan dialectique.

1. En France : choucroute et salade niçoise compatibles !
2. Table = lieu de convivialité où on doit refuser les débats enflammés.
3. Goûts propres à des choix plus idéologiques.
4. Moins d'espace pour le dialogue → collectif amoindri.
5. Nécessité d'un consensus pour préserver l'unité.
6. Pas de viande à table, végans et non végans restent ensemble.
7. Par exemple : les végans.
8. Diversité des goûts dans toutes les cultures et les communautés.
9. Nourriture qui fait partie du plaisir à « être ensemble », partage.

Thèse

Argument : *3*

Exemple : ....

Conclusion intermédiaire et transition vers l'antithèse : ....
....

Antithèse

Argument : ....

Exemple : ....

Conclusion intermédiaire et transition vers la synthèse : ....
....

Synthèse

Argument : ....

Exemple : ....

Conclusion intermédiaire : ....
....

4. Au brouillon, ajoutez des arguments et des exemples personnels dans chaque partie et rédigez l'essai argumentatif à partir du plan dialectique.

STRATÉGIES

Le billet d'humeur : réagir à une tendance

1. Lisez le billet d'humeur et cochez ses caractéristiques.

> http://www.monblog.fr/blogdeMarius
>
> **Étudier la médecine à l'étranger, c'est pas pour les nuls !**
> Je me suis réveillé hier matin, LA révélation imprimée sur toutes les cellules de mon cerveau : JE DOIS PARTIR ! Étudier ailleurs, étudier autrement. Larguer les amarres. Partir m'ont dit mes proches ? Mais partir où ? Ah, le monde inconnu, leur ai-je dit… Pas de panique, je ne vais pas à l'autre bout du monde, seulement en Belgique. Mais tu t'en crois capable ont-ils insisté ? Eh bien oui, papa, maman, papi, mamie, oui. Il faut le vouloir pour le pouvoir. Être capable de vivre en autonomie (hum, financièrement et psychologiquement soutenu je veux dire, merci ma famille adorée), être organisé, ouvert envers d'autres cultures, d'autres manières de voir les choses. Bref, tout moi : je crois en mes rêves plus qu'en mes peurs… !
> Mais pourquoi, pourquoi a répété mamie… Car le système NE ME VA PAS ! Je veux évoluer dans un système moins compétitif, pas moins excellent, plus diversifié et plus progressif ce qui me permettra de mieux m'approprier les notions primordiales. Je résume : la Belgique, c'est tout ça, et sans concours d'entrée ! Par conséquent quand tu es en première année, tu es VRAIMENT EN MÉDECINE ! Alors, ça n'intéresse que moi ? Pas si sûr…

1. Ce billet d'humeur traite ☐ des études de médecine. ☐ des avantages à étudier la médecine à l'étranger.
2. Le sujet est ☐ général. ☐ précis.
3. Son auteur ☐ donne son point de vue. ☐ informe.
4. Ce billet d'humeur contient ☐ des éléments anecdotiques. ☐ des références à l'actualité.
5. Le ton est ☐ conventionnel. ☐ polémique.
6. Le registre est parfois ☐ soutenu. ☐ familier.

2. Relisez le billet d'humeur et répondez aux questions.

1. Par quel procédé l'auteur introduit-il son billet ? ....
2. Quelle est la fonction principale des éléments autobiographiques utilisés ?
   ....
3. Comment l'auteur établit-il une forme de complicité avec le lecteur ? Relevez et expliquez le passage qui invite le lecteur à se prononcer.
   ....
   ....
4. Selon vous, ce texte engage-t-il son auteur ? Relevez des marques de la présence de l'énonciateur dans l'article pour justifier votre réponse (vocabulaire expressif, ton, registres, structures…).
   ....
   ....

3. a. Vous écrivez un billet d'humeur sur le non-remplacement du médecin de votre quartier parti en retraite. Répondez aux questions suivantes sous forme de notes.

1. En quoi la situation vous touche-t-elle ? Que représente ce médecin pour vous ?
2. Avez-vous un souvenir ou une anecdote sur lui à partager ?
3. Quel sentiment et quelle opinion souhaitez-vous communiquer à vos lecteurs ?

b. Choisissez un titre et une chute.

c. À partir de vos notes, rédigez votre billet d'humeur.

STRATÉGIES

L'exposé oral : présenter une œuvre d'art

1. 🎧 36 Écoutez l'introduction de l'exposé sur l'œuvre ci-contre. Entourez les éléments corrects du résumé.

1. L'exposé concerne **Henri Matisse** / **une peinture** / **un courant pictural**.
2. L'exposé a pour but de **décrire l'œuvre** / **donner ses impressions** / **démontrer comment l'œuvre a participé à moderniser l'art**.
3. La présentation comportera **deux** / **trois** / **quatre** parties.

2. Numérotez les parties dans l'ordre de l'exposé.

☐ Des règles nouvelles de l'espace grâce à la danse
☐ La description de l'œuvre
☐ Couleurs saturées du fauvisme et style candide

3. 🎧 37 Écoutez les extraits de l'exposé. Cochez Vrai ou Faux et justifiez.

1. La description de l'œuvre est argumentative. ☐ Vrai ☐ Faux
   Justification : ....
2. Le locuteur fait des pauses car il manque d'idées. ☐ Vrai ☐ Faux
   Justification : ....
3. Il utilise un accent d'insistance sur des organisateurs du discours. ☐ Vrai ☐ Faux
   Justification : ....

4. Classez ces expressions selon leur fonction dans l'exposé oral :

Mon exposé aujourd'hui • Je veux vous montrer • Je commencerai • Regardons pour commencer • vous pouvez voir • regardez de plus près • Parlons à présent de • que je viens d'évoquer • Penchons-nous maintenant sur • n'oublions pas que • remarquez que • Notez aussi que • Pour conclure

1. Pour indiquer le début de chaque partie : ....
   ....
2. Pour inviter à regarder des détails de l'œuvre : ....
   ....
3. Pour attirer l'attention sur un élément important : ....
   ....
4. Pour faire référence à des propos qui précèdent ou qui suivent : ....
   ....

5. a. Observez ce portrait de femme réalisé par Seanbear et préparez un exposé oral.

1. Décrivez l'œuvre.
2. Commentez les couleurs et les tracés du tableau.
3. Parlez de la position et du mouvement du corps.
4. Rédigez l'introduction et la conclusion.

b. Enregistrez votre exposé.

Jouez sur la prosodie afin de donner du relief à votre exposé.

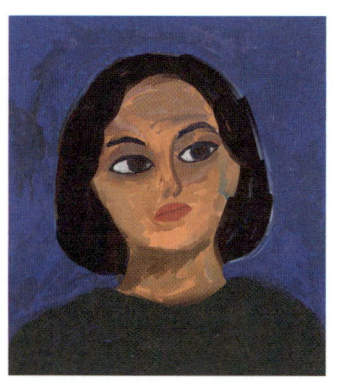

STRATÉGIES

Production guidée : le manifeste

1. Les seniors demandent à être traités comme les autres citoyens dans l'espace public. Rédigez le manifeste du collectif « Les *pas si vieux* en colère ». Cochez ses caractéristiques.

   1. Qui s'exprime dans ce manifeste ?

   ☐ je ☐ nous ☐ ils

   2. À qui s'adresse-t-il ?

   ☐ au gouvernement ☐ aux autorités locales ☐ aux policiers ☐ aux seniors ☐ à l'ensemble de la population

   3. Quels sont les objectifs du document ?

   ☐ informer ☐ dénoncer ☐ inciter à l'engagement ☐ manifester

2. Trouvez un titre adapté au manifeste en choisissant un élément dans chaque colonne.

Mon manifeste pour	un souhait	de traitement	équitable !
Notre manifeste pour	une exigence	de reconnaissance	cordial(e) !
Leur manifeste pour	une demande	de discours	identique !

3. Associez les extraits du manifeste à chaque partie du plan.

   a. Nous ne voulons plus être considérés comme des individus simplement séniles ou sourds !

   b. Mobilisez-vous à nos côtés !

   c. Nous, personnes de 60 ans et plus, n'acceptons plus le traitement dont nous faisons l'objet.

   d. Pour faire entendre notre ras-le-bol, nous n'avons pas peur d'agiter les rues.

   e. Accepteriez-vous d'être traités d'une manière aussi stigmatisante ?

   f. Nous attendons la simple ÉGALITÉ.

   1. La situation dénoncée : *c*, ...
   2. Les demandes : ....
   3. Les actions envisagées : ....
   4. Un appel au soutien : ....

4. Complétez la liste des demandes possibles des seniors.

   1. Dans les transports publics et dans les files d'attente : *ne pas être vus comme handicapés, perdus,* ....
   2. Dans les lieux de service public : *ne pas être considérés comme séniles, sourds,* ....
   3. Auprès des commerçants : *être perçus comme des clients normaux, à la mode,* ....

5. Indiquez s'il s'agit d'une situation dénoncée ou d'une action envisagée.

	Situation dénoncée	Action envisagée
Exemple : Blocage à trottinette des boulevards principaux.		✓
1. Brouillage des réseaux Wi-Fi du métro aux heures de pointe.		
2. Représentation collective des seniors comme individus physiquement diminués.		
3. Grève du sourire sur la voie publique.		
4. Trop de pitié et de condescendance envers les plus de 60 ans.		
5. Traitements infériorisants et infantilisants.		
6. Boycott des places assises dans les transports en commun.		

6. Reformulez l'appel au soutien du collectif pour le rendre mobilisateur.

   S'il vous plaît, pourriez-vous venir afin de nous aider à rendre la population consciente de notre situation. Vous pouvez par exemple signer la pétition en ligne sur notre site : www.passivieuxencolère.fr.

7. Rédigez le manifeste du collectif « Les *pas si vieux* en colère ». Ajoutez des idées personnelles.

STRATÉGIES

Production guidée : la lettre de motivation

1. Vous rédigez une lettre de motivation pour une candidature spontanée à un poste de tuteur de français dans l'université de votre ville. Cochez le plan adapté à cette lettre.

☐ 1. Résumé de votre CV – Informations biographiques – Adéquation de votre profil avec l'entreprise – Demande de rendez-vous

☐ 2. Introduction de votre candidature – Présentation de vos qualités essentielles – Résumé de votre parcours – Adéquation de votre profil avec l'entreprise

☐ 3. Introduction de votre candidature – Résumé de votre parcours et de vos compétences – Adéquation de votre profil avec l'entreprise – Information sur votre disponibilité

2. Rédigez le paragraphe introducteur de votre lettre de motivation avec les expressions suivantes :

saison estivale • sur la recommandation du professeur de Linguistique du département de français • adresser ma candidature • posséder des compétences et une expérience adaptées • poste de tuteur / tutrice de français

....
....
....

3. Classez les informations suivantes dans les rubriques.

DALF C1 • passionné(e) par la chanson et le cinéma français • cours particuliers à des lycéens • échange universitaire à Lille • cours de français niveau avancé • au pair en Belgique francophone • famille en Bretagne • licence de littérature francophone

Formation : ....
Expérience professionnelle : ....
Informations personnelles : ....

4. Associez les formes verbales aux compétences personnelles et professionnelles. Plusieurs réponses sont possibles.

Être doté(e) de/d' • • clarté et rigueur
Avoir le sens de/d' • • transmettre ses connaissances
Faire preuve de/d' • • le système phonétique français
Avoir des capacités à • • les responsabilités
Savoir • • solides connaissances en pédagogie
Maîtriser • • expliquer des points difficiles
 • • une bonne aptitude à communiquer

5. Notez brièvement vos motivations.

1. Ce qui vous intéresse dans le poste de tuteur : ....
....

2. Ce qui vous intéresse dans un poste à l'université : ....
....

6. Entourez les éléments adaptés au dernier paragraphe de votre lettre de motivation.

Je vous remercie sincèrement de l'attention / Merci pour l'attention que vous accorderez à ma demande / ma candidature. Je me tiens à votre disposition pour vous expliquer / Je voudrais vous expliquer plus en détails ma motivation à rejoindre votre équipe en tant que tuteur / occuper le poste de tuteur.

7. Rédigez votre lettre de motivation selon le plan choisi dans l'activité **1**. Ajoutez la formule d'appel et la formule de politesse finale.

STRATÉGIES

Argumenter à l'oral

1. a. 🎧 38 Écoutez la première intervention dans un débat sur la chasse et dites comment est le locuteur.

Le locuteur est :   ☐ neutre   ☐ pro-chasse   ☐ anti-chasse.

b. Soulignez les arguments en faveur de la chasse.

1. Une communion avec la nature.
2. Une pratique qui régule la nature.
3. Un partage intergénérationnel.
4. Un héritage historique.
5. Une activité populaire et encadrée.
6. Un sport en pleine nature.

2. 🎧 39 Écoutez la deuxième prise de parole du débat.

a. La locutrice est-elle en accord ou en désaccord avec le premier locuteur ? Justifiez.

....

b. À quel argument de l'activité **1b** la locutrice répond-elle ?

....

3. Associez les réfutations suivantes aux arguments de l'activité **1b**.

a. Pas besoin de tuer pour faire de l'exercice. → ....
b. La transmission passe par d'autres moyens. → ....
c. Les capacités des chasseurs ne sont jamais vérifiées avec l'âge. → ....
d. Aujourd'hui, on peut se nourrir sans chasser. → ....
e. L'amour de notre environnement ne justifie pas les armes. → ....
f. Les problèmes de surnombre peuvent être réglés autrement. → ....

4. Classez les expressions suivantes dans les rubriques.

Il me semble que vous faites erreur. • Vous avez dit que… • Permettez-moi d'insister sur… • Je m'inscris en contre. • Je peux vous opposer l'argument selon lequel… • Vous avancez un argument selon lequel… • On a entendu que… • Je crois que vous oubliez que… • Vous y croyez sincèrement ?

1. Pour rappeler ce qui a été dit : *Vous avez dit que…*, ...
....

2. Pour exprimer son désaccord : ....
....

3. Pour introduire sa réfutation : ....
....

5. Vous prenez position contre un des arguments de l'activité **1b**.

1. Écrivez une phrase de désaccord.
....

2. Trouvez un exemple pour votre argument.
....

3. Développez votre réfutation avec des expressions de l'activité **4**. Enregistrez votre prise de parole.

STRATÉGIES

Résumer un document oral

1. 🎧 40 Écoutez et cochez la / les bonne(s) réponse(s).

  1. Il s'agit d'un discours essentiellement : ☐ argumentatif ☐ narratif ☐ informatif
    ☐ descriptif ☐ explicatif.
  2. Il traite : ☐ des difficultés de l'orthographe ☐ des réformes de l'orthographe
    ☐ des difficultés à réformer l'orthographe dans la langue française.
  3. Les quatre mots-clés du discours sont : ☐ réforme ☐ orthographe ☐ grammaire ☐ enseignement
    ☐ résistance ☐ Académie française ☐ conservatisme.
  4. Le ton de l'auteure est : ☐ neutre ☐ engagé.

2. 🎧 40 Réécoutez et indiquez l'ordre d'apparition des faits dans le discours.

  ..... a. Attachement des Français à la stabilité de l'orthographe de leur langue.
  ..... b. Entre 1901 et 1990, rejet et mépris pour toute réforme proposée.
  ..... c. Résistance aux réformes entraînant une absence de simplifications orthographiques depuis deux siècles.
  ..... d. Conservatisme expliqué par un apprentissage fastidieux.
  ..... e. En 1901, adoption d'une loi de tolérance orthographique sans grand impact.
  ..... f. La réforme de 1990 n'a été appliquée qu'en 2016.
  ..... g. Dernière réforme significative à la fin du XVIIIe siècle.
  ..... h. Malgré une opposition virulente de la part de personnalités françaises éminentes, adoption d'une réforme en 1990.
  ..... i. Opposition de professionnels de la langue et de l'Académie française à des simplifications proposées à la fin du XIXe siècle.

3. Parmi les faits de l'activité **2**, indiquez dans l'ordre d'apparition :

  1. Les trois idées principales : c, ...
  2. Les cinq idées secondaires : g, e, ...
  3. L'exemple : ....

4. Classez les idées principales et secondaires dans les parties du résumé. Respectez leur ordre d'apparition.

  1. Constat initial de la fixité du français : c
  2. Essais de réforme inefficaces : g, e, ...
  3. La réforme de 1990 : ...., ...
  4. Les raisons du conservatisme : ...., ...

5. Écrivez le résumé en 120 mots (+/− 10 %). N'oubliez pas d'utiliser des organisateurs textuels.

> **⚠ Souvenez-vous**
>
> Le résumé représente en général 25 % du texte initial.
> - **Restituez** uniquement **les idées essentielles**, éliminez les exemples.
> - **Reformulez** avec vos propres mots les idées essentielles et utilisez **les mots-clés**.
> - **Retranscrivez le ton** lorsque c'est possible.
> - Ne changez ni **l'énonciateur** ni **les temps verbaux**.

quatre-vingt-quinze 95

STRATÉGIES

Expliquer un document scientifique à un public non spécialiste

1. Vous souhaitez présenter et expliquer le dispositif suivant à un public n'ayant aucune connaissance préalable dans ce domaine.

a. Entourez le titre correspondant le mieux à votre présentation de cette innovation médicale.

1. Révolution en matière d'implants acoustiques dans l'oreille interne
2. Fonctionnement du système à électrodes cochléaires
3. Entendre à l'aide d'implants

b. Quel est le public visé par cette innovation ?

....

c. À votre avis, en quoi cette innovation diffère-t-elle des appareillages existants ?

....
....

2. Associez le texte de la légende à sa fonction.

1. Émetteur / antenne émettrice   a. Un fil qui conduit le signal sonore
2. Récepteur   b. Composant qui transfère le signal sonore au nerf
3. Voie   c. Composant qui envoie le signal sonore
4. Porte-électrodes   d. Composant qui reçoit le signal sonore

3. Soulignez les cinq parties anatomiques devant être mentionnées dans votre explication.

l'oreille • le cuir chevelu • la peau • le conduit auditif externe • la cochlée • le conduit de l'oreille interne • le nerf auditif • le cerveau

4. Indiquez à quelle fonction de la liste correspondent les extraits de la présentation.

Expliquer • Commenter un point de vue • Émettre poliment une réserve • Anticiper un malentendu • Rappeler une connaissance préalable • Faire une comparaison avec quelque chose de connu

1. Même s'il s'agit d'une procédure plutôt simple, il faut être clair : la pose de ce dispositif passe par une intervention chirurgicale et nécessite ensuite une période de rééducation avant d'obtenir tous les résultats espérés.

   → ....

2. En d'autres termes, l'implant sous la peau permet d'amener directement le signal sonore là où il faut, c'est-à-dire au nerf auditif qui le conduit à son tour au cerveau qui l'interprétera.

   → ....

3. La manière dont le son arrive finalement au cerveau pourrait être comparée à l'électricité qui arrive à la lampe.

   → ....

5. Rédigez la présentation de l'innovation médicale illustrée par le schéma.

STRATÉGIES

Production guidée : la dissertation

1. a. Complétez la reformulation du sujet avec les mots :

passé • oubli • définit • cependant • comme • conscience

.... notre .... peut être lourd à porter, l'....................
apparaît parfois comme une solution. ...., c'est la .... de ce même
passé qui nous .... en partie.

b. Choisissez la problématique.

☐ Comment concilier oubli et souvenir pour aller de l'avant ?   ☐ Pourquoi faut-il oublier le passé ?

2. Lisez les notes et complétez le plan thématique.

> 1. Le passé peut étouffer, empêcher d'avancer.
> 2. Revisiter son passé peut aider à résoudre des difficultés.
> 3. Exemple : Avec le pardon on se réconcilie et on parvient à l'apaisement.
> 4. Exemple : On apprend de ses erreurs, on fait mieux à l'avenir.
> 5. L'oubli est une illusion : la mémoire peut être incontrôlable.
> 6. Exemple : Pathologies (amnésie, Alzheimer, etc.), rêves, surgissement de souvenirs, etc.
> 7. Exemple : Chaque histoire contient de l'idéalisation et de la reconstruction.
> 8. Exemple : Regrets et remords « toxiques », nostalgie qui bloque.
> 9. L'oubli permet d'arrêter de se battre donc de survivre.
> 10. Oublier certains éléments permet de développer d'autres souvenirs.
> 11. Les souvenirs font aller de l'avant : on apprend de son passé et on se construit.
> 12. Exemple : Rendre hommage permet le deuil et favorise la socialisation.

1re partie : L'oubli nécessaire

Argument 1 : *Le passé peut étouffer, empêcher d'avancer.*

Exemple 1 : *Regrets et remords « toxiques », nostalgie qui bloque.*

Argument 2 : ....

Exemple 2 : ....

2e partie : L'oubli impossible

Argument 1 : ....

Exemple 1 : ....

Argument 2 : ....

Exemple 2 : ....

3e partie : S'emparer autrement de son passé pour se construire

Argument 1 : ....

Exemple 1 : ....

Argument 2 : ....

Exemple 2 : ....

3. Au brouillon, ajoutez des arguments et des exemples personnels dans chaque partie et rédigez l'essai argumenté à partir du plan thématique.

STRATÉGIES

Production guidée : l'article explicatif

1. Vous écrivez un article explicatif sur un centre commercial de la Côte d'Azur d'un genre inédit en France. Mettez dans l'ordre les trois parties du plan.

☐ Une démarche qui cherche à allier commerce et culture

☐ Un premier bilan prometteur

☐ Un nouveau centre commercial à l'abord unique

2. Choisissez le titre le plus accrocheur.

1. À Cagnes-sur-Mer, Polygone Riviera ouvre grand ses portes aux créateurs
2. Polygone Riviera, la dernière ruse du grand commerce sur la Côte d'Azur ?
3. Polygone Riviera : un centre commercial où l'art contemporain est roi

3. Rédigez le chapeau de l'article à l'aide des notes suivantes. Hiérarchisez les informations de la plus importante à la moins importante.

Centre Polygone Riviera implanté près de Nice. Aller faire ses courses comme on irait au musée. Collection permanente d'une dizaine d'œuvres d'art contemporain ainsi que des expositions temporaires. Que font les centres commerciaux des œuvres d'art ?

4. Lisez les informations et indiquez s'il s'agit de l'accroche ou de la chute.

1. Pour Jérôme Sans, c'est « l'avènement d'une nouvelle génération de lieux de consommation ». Remplacer les panneaux publicitaires par des peintures de Ben, ce n'est plus transformer l'œuvre en objet, c'est la rendre consommable. → ....

2. L'arrivée est inédite : un grand parc, des œuvres d'art, une atmosphère presque contemplative et… des boutiques.
→ ....

5. Lisez les informations et les citations. Classez-les dans le tableau.

1. Inspiration née des alentours niçois qui fourmillent de musées et de fondations avec des possibilités de partenariats.
2. Fontaines musicales, onze œuvres contemporaines achetées, espace de 70 000 m², parc arboré, quatre espaces distincts (dont un multiplexe de dix salles de cinéma et un casino), place faite à des créateurs moins connus.
3. Président de la société : « Espace de promenade seul ou en famille autour d'œuvres d'art, offrant bien plus qu'un lieu de shopping visité par 10 millions de personnes. » Jérôme Sans, directeur artistique : faire de Polygone Riviera « l'écho de ceux qui font la culture dans la région ».
4. Plus de 7 millions de visiteurs par an, opportunité pour des artistes comme Philippe Ramette : « ces expériences ont permis de renverser les choses, ce n'est plus le public qui vient à ma rencontre, mais l'inverse. C'est très stimulant. »
5. Concurrence du centre commercial historique à proximité : à défaut d'œuvres d'art, expansion, modernisation et nombre d'enseignes doublé sous peu.
6. Parcours pédagogique proposé pour guider les visiteurs dans la promenade artistique de ce complexe.

	Description du fait	Formulation des causes et buts recherchés	Présentation des conséquences et résultats
Informations	….., …..	….., …..	….., …..

6. Rédigez le corps de l'article selon le plan choisi et en tenant compte de l'ensemble des activités (environ 400 mots).

STRATÉGIES

Production guidée : bâtir un discours

1. 🎧 41 Écoutez l'extrait du discours d'un élu à l'occasion du lancement de l'Office français pour la biodiversité (OFB). Numérotez les parties dans l'ordre du discours.

☐ L'impact du réchauffement climatique sur le monde de la montagne
☐ La reconnaissance du travail accompli
☐ L'appel à combattre pour la survie de l'espèce humaine
☐ Les conséquences du réchauffement sur la biodiversité

2. Entourez les cinq sous-thèmes récurrents dans le discours.

La fonte des glaciers • La disparition de la biodiversité • Le travail fourni pour lancer l'OFB • Les mesures adoptées • Les prévisions du GIEC • La réalité du réchauffement climatique • L'urgence de la situation • La nécessité de combattre

3. Lisez les extraits et associez-les au procédé employé.

1. ... nous avons pu toucher du doigt, mesurer, rendre tangibles les sujets dont nous parlons
2. ... la trace en effet de ce réchauffement, de ces dérèglements et au fond, du basculement de tout un écosystème
3. ... c'est une pédagogie collective que de la montrer à nos concitoyens si d'aucuns devaient encore douter ou si certains pouvaient penser que tout cela peut attendre
4. Je parle sous le contrôle de personnes beaucoup plus expertes que moi.
5. Ce combat pour la biodiversité, c'est pour stopper [...]. Ce combat pour la biodiversité, c'est d'abord [...]. Ce combat pour la biodiversité, c'est aussi [...].

a. une gradation
b. une anaphore[1]
c. une accumulation
d. un sous-entendu
e. une recherche de connivence avec l'auditoire

[1] Répétition d'un mot ou groupe de mots en tête de phrase à des fins emphatiques.

4. a. Lisez quelques principes proposés par un leader écologiste français. Complétez le plan d'un discours inspiré de ces principes.

> 1. Le temps est venu, ensemble, de poser les premières pierres d'un nouveau monde.
> 2. Le temps est venu de transcender la peur en espoir.
> 3. Le temps est venu de prendre soin et de réparer la planète.
> 4. Le temps est venu d'entendre la jeunesse et d'apprendre des anciens.
> 5. Le temps est venu de miser sur l'entraide.
> 6. Le temps est venu de laisser de l'espace au monde sauvage.
> 7. Le temps est venu d'écouter les peuples premiers.
> 8. Le temps est venu de redonner du sens au progrès.
> 9. Le temps est venu d'une mondialisation qui partage, qui coopère et qui donne aux plus faibles.
> 10. Le temps est venu de préférer le juste échange au libre-échange.

Introduction : Pourquoi ne pouvons-nous plus attendre ?

Développement : Que pouvons-nous faire ?

1. Changer de regard sur l'avenir : principes n° ...., ..., ...
2. Rendre les collectivités humaines plus participatives : principes n° ...., ...
3. Respecter la planète et sa biodiversité : principes n° ...., ...
4. Favoriser l'économie solidaire : principes n° ...., ..., ...

Conclusion : appel à engagement.

b. Préparez votre discours en prenant soin d'inclure les effets nécessaires à l'écoute attentive, l'identification et l'adhésion de votre auditoire. Enregistrez-vous.

Haussmann, l'homme qui bâtit Paris
par Marc Fayad

Faire de la capitale une ville moderne. Telle était la mission d'Haussmann, qui, pendant près de dix-sept ans avec un soutien inconditionnel de Napoléon III, transforma Paris. Avant le vaste chantier entrepris par Haussmann, Paris n'avait pas la carrure d'une capitale, et ne reflétait pas les aspirations de pleine puissance de Napoléon III. Ville médiévale aux ruelles étroites et insalubres, parfois glauques et mal famées, Paris a littéralement été bouleversée par les plans du baron. Dans un premier temps il « nettoya » les rues, expropriant et indemnisant les habitants puis défonçant des centaines de constructions. Parmi les bâtiments et monuments démolis, on compte le marché des Innocents, la tour des Hospitaliers de Saint-Jean-de-Latran, l'hôtel Coligny ainsi que de nombreuses églises et chapelles [...]

Il façonna ensuite de grandes avenues capables d'absorber une circulation en constant accroissement – chiffres de l'évolution démographique – et dota la capitale de deux poumons en aménageant les bois de Boulogne puis de Vincennes et en construisant un chemin de fer circulaire pour faciliter les communications. Haussmann construisit sans compter. Le but de tous ces travaux était de créer des voies de communication et d'échanges, des infrastructures pour favoriser le commerce mais aussi la vie quotidienne des habitants en améliorant l'hygiène et en les tirant vers un niveau de vie plus élevé.

Son projet pour Paris intégrait également la mise en place d'un immense réseau d'égouts. Accompagné de l'ingénieur Eugène Belgrand, Haussmann développa les égouts dans des proportions invraisemblables pour l'époque : en 1878, Paris comptait près de 600 kilomètres d'égouts. On lui doit également le parc Montsouris, les Buttes-Chaumont, le visage actuel des Champs-Élysées, les Grands Boulevards, etc.

Pendant près de dix-huit ans, entre 1853 et 1870, Haussmann dirigea une équipe chargée de révolutionner le paysage urbain de la capitale. Soutenu par Napoléon III et le ministre de l'Intérieur Persigny, Haussmann s'entoura d'une équipe dévouée et efficace. [...] Le baron bénéficiera de budgets considérables et souvent dépassés pour réaliser son projet alimenté en partie parce que l'on appellera l'« Emprunt ». [...] Un montage financier qui finalement causera l'éviction d'Haussmann. Face à l'ampleur et au coût des travaux, de nombreux sceptiques ont cherché à écarter le baron, et lorsqu'on voit les chiffres, on comprend pourquoi : avant l'entreprise d'Haussmann, Paris récoltait en 1852 environ 52 millions d'impôts ; en 1869, ce sont près de 232 millions qui entrent dans les caisses. [...]

Le désaveu de Napoléon

[...] Il est donc relevé de ses fonctions par le décret impérial du 5 janvier 1870, publié dans le *Journal officiel* du 6. En effet, à la fin du Second Empire, Haussmann est l'un des hommes les plus brocardés de France. Il a bousculé trop d'habitudes et remis en question trop de situations acquises : le remodelage de la géographie parisienne et les programmes de constructions nouvelles ont, en effet, déclenché une vague de spéculations sans précédent. Le coût des travaux entrepris est énorme, à tel point que Jules Ferry en écrira le célèbre pamphlet *Comptes fantastiques d'Hausmann**. Des monuments vénérables ont été détruits trop brusquement et le personnage d'Haussmann présente un côté agaçant. Tout au long de sa carrière, il a montré une ambition forcenée, d'un opportunisme impudent.

Avec le recul du temps et en tenant compte tout de même de la disparition d'un nombre important de constructions et sites liés à l'histoire de Paris et de France, on ne peut que reconnaître la nécessité et la beauté du résultat des travaux menés par Haussmann.

lepoint.fr, 20 août 2013.

* Le titre du pamphlet fait référence à l'ouvrage *Les Contes fantastiques* écrit par Hoffmann. Jules Ferry fait un jeu de mots qui repose sur les homonymes « contes » et « comptes » et sur la similitude des noms Haussmann et Hoffmann.

1. a. Lisez l'article. Choisissez le chapeau adapté.
- ☐ 1. À la demande de Napoléon III, Haussmann entreprit un chantier d'une telle ampleur qu'il a donné à la capitale sa physionomie actuelle.
- ☐ 2. Pour sauver Paris de la misère, Napoléon III chargea Haussmann de la conduction de travaux pharaoniques qui ruinèrent la capitale.

b. Expliquez en quoi la première raison des travaux menés par Haussmann est politique.

....

....

c. Comment était Paris avant les grands travaux ?
- ☐ moyenâgeuse ☐ sordide ☐ mixte ☐ cosmopolite
- ☐ dangereuse ☐ peuplée ☐ malsaine ☐ insalubre

d. Identifiez les quatre objectifs des grands travaux présentés dans l'article.
- ☐ libérer les flux ☐ favoriser les liaisons ☐ sécuriser la ville ☐ embellir la ville
- ☐ avoir de meilleures conditions sanitaires ☐ avoriser la mixité sociale

e. Citez une réalisation pour chaque objectif sélectionné (activité **1d**).

1. .... 3. ....

2. .... 4. ....

f. Vrai ou faux ? Justifiez avec un extrait de l'article.

1. Paris a été amputée de plusieurs monuments historiques lors du chantier. ☐ Vrai ☐ Faux

   Justification : ....

2. Pour réaliser les travaux, des habitants ont été dépossédés de leurs propriétés immobilières contre un dédommagement financier. ☐ Vrai ☐ Faux

   Justification : ....

3. Le remodelage de la ville a causé une chute drastique de ses activités et de ses bénéfices. ☐ Vrai ☐ Faux

   Justification : ....

4. Haussmann sera soutenu jusqu'à la fin par l'Empereur. ☐ Vrai ☐ Faux

   Justification : ....

5. La transformation de Paris a entraîné des fluctuations importantes du marché immobilier. ☐ Vrai ☐ Faux

   Justification : ....

2. Relisez l'article.

a. Reformulez : « Il est donc relevé de ses fonctions. » Trouvez dans le texte une expression synonyme.

....

b. Trouvez une métaphore concernant une des réalisations de Haussmann. Expliquez-la.

....

c. Relevez les passages montrant que Haussmann a été un homme très critiqué par certains de ses contemporains.

....

d. Quelle est l'opinion de l'auteur de l'article sur Haussmann ?

....

TEXTES ET EXPLOITATION

J'ai goûté la pizza à 40 euros
par Ezechiel Zerah

À Paris, Bijou propose une pizza facturée 40 euros qui comprend du foie gras, de la caille et des billes de truffe. Le chef, Gennaro Nasti, n'a pas honte de ce méga tarif dans son restaurant qu'il qualifie de pizzeria gastronomique. À raison ? Verdict.

Quand j'ai appris qu'une pizzeria parisienne, aussi chic soit-elle, avait osé mettre à sa carte une pièce à 40 euros (sans feuille d'or, caviar et autres pinces à homard), je me suis jeté dans un taxi direction Montmartre, déjà prêt à en découdre avec l'agitatrice. Comprenez-moi : je viens d'une cité qui a inventé le camion pizza et où la pizze s'avale à bas prix, sobrement nappée de sauce tomate et d'anchois (ou de fromage, au choix).

12 h 48. Arrivée chez Bijou, accueilli par un visage marqué et sévère, celui de Simona. Elle rappelle les authentiques aubergistes des trattorias historiques du sud de l'Italie. Un couple discute en terrasse, un autre bavarde à l'intérieur au fond de la salle. Je demande à être installé sur l'une des tables hautes : ce sera la 17, avec vue sur la quinzaine d'ampoules XXL découlant du plafond comme dans toute ambassade bistronomique qui se respecte. Pas d'entrée, j'attaque directement avec la raison de mon passage éclair, « La Caille », 40 euros (en moyenne, on facture 24,77 euros la pizza ici). La belle a beau s'afficher avec *fior di latte*, scarole, filet de caille rôtie, quenelle de foie gras, « perlage de truffe noire » et huile d'olive extra-vierge Muraglia, 262 francs, ça fait tout de même tousser. Autant le dire : les attentes sont immenses, par le tarif mais aussi par le CV doré du chef Gennaro Nasti : formation chez les grands noms de la pizza à Naples, titre de vice-champion du monde pizzaïolo en 2012, sélection parmi les chefs du festival Taste of Paris, prix de la meilleure pizzeria du monde (hors Italie) par le Gambero Rosso (guide Michelin de la Botte). Dernièrement, l'intéressé paradait à Milan, sollicité pour régaler les invités des *Best Chefs Awards*.

« La Caille » arrive, découpée en quatre gros morceaux où se superposent les produits précédemment cités. Je prends une première bouchée. Puis une deuxième. Une troisième. Alors ? La pâte est dodue mais pas dense, humidifiée par la fleur de lait. Royale caille parfaitement rosée : on cuisine ici (au four), oui Monsieur. Et puis boom, coup de maître de la scarole qui vient apporter sa mâche soyeuse (cuisson à l'huile d'olive) et sa légère amertume. La crème au foie gras pourrait paraître gadget (on le préfère évidemment le moins transformé possible), ce n'est pas le cas. Elle lie au contraire le tout, apportant du gras bienvenu. Pour les billes de truffe noire façon caviar en revanche, on repassera... même si les (rares) amateurs argueront que la salinité facilite la balance (qui a dit qu'une touche d'agrume aurait vivifié davantage l'assiette, et plus naturellement ?). Ceux qui ne seront pas venus goûter cette « Caille » moqueront sans doute la facturation outrageuse. Il faut pourtant reconnaître que la texture est superbe, que l'équilibre est bluffant. Il y a de la volupté dans cette pizza. Gennaro Nasti, cet orfèvre (becs sucrés, ne ratez pas le baba au rhum napolitain maison. Splendide, si ce n'est la présence de fraises plus vraiment de saison)...

Dans un article du *Parisien*, l'intéressé laissait entendre qu'il verrait bien sa pizzeria gastronomique étoilée au guide Michelin. En attendant d'avoir un jour son astre au guide rouge (il le mériterait), Signore Nasti agit déjà comme certains grands généraux de la gastronomie française : introuvable devant son four au déjeuner.

atabula.com, 12 octobre 2018.

1. a. Lisez l'article. Quelle est la nature de ce texte ? Comment est le ton ?

Il s'agit ☐ d'un reportage gastronomique ☐ d'une critique gastronomique.

Le ton est ☐ enthousiaste ☐ sarcastique ☐ tragique ☐ élogieux ☐ didactique.

b. Que ressent l'auteur avant d'avoir goûté la pizza ? Justifiez.

Il est ☐ en colère ☐ scandalisé ☐ indifférent ☐ intrigué.

Justification : . . . .

c. Cochez les ingrédients de la pizza à 40 euros.

☐ des œufs de poisson ☐ une volaille ☐ un crustacé ☐ un produit laitier
☐ un sous-produit de volaille ☐ un métal précieux ☐ un champignon ☐ une variété de salade

d. Pour chaque jugement émis, indiquez de quel ingrédient on parle et notez l'expression de l'article.

Jugement émis	Ingrédient	Expression employée
réunit richement tous les ingrédients		
croquante et fondante		
le sel nécessaire à l'équilibre du plat		
généreuse et aérée		

e. Vrai ou faux ? Justifiez avec un extrait tiré de l'article.

1. La pizzeria que l'auteur teste est un lieu branché. ☐ Vrai ☐ Faux
   Justification : ....

2. L'auteur a tout apprécié dans la pizza. ☐ Vrai ☐ Faux
   Justification : ....

3. Ce restaurant ravira les adeptes de desserts. ☐ Vrai ☐ Faux
   Justification : ....

2. Relisez l'article.

a. Reformulez la fin du chapeau : « À raison ? Verdict. »

....

b. À quelle pizza l'auteur oppose-t-il la pizza à 40 euros ? Montrez comment il insiste sur son caractère populaire en relevant des mots et des expressions de l'article.

....

c. Identifiez deux personnifications pour parler de la pizza à 40 euros. Que souhaite souligner l'auteur avec ce procédé ?

....

d. Repérez les passages de l'article où l'auteur indique que :

1. le chef est prétentieux : ....

2. le chef est exceptionnel : ....

e. Dans le passage où l'auteur exprime ses impressions pendant la dégustation (lignes 24 à 34), son opinion correspond-elle à sa première impression ? Justifiez avec des éléments tirés de l'extrait.

....

TEXTES ET EXPLOITATION

TRIBUNE
45 députés s'opposent au déremboursement de l'homéopathie

Emmenés par l'élu (Libertés et Territoires) du Morbihan Paul Molac, 45 députés de divers bords signent une tribune pour demander au gouvernement de renoncer au déremboursement de l'homéopathie.

Les signataires, parmi lesquels plusieurs membres du groupe LREM, s'interrogent sur la volonté de « bannir à tout prix » cette pratique plutôt que de la rendre « complémentaire » de la médecine
5 conventionnelle : une option qui, selon eux, préserverait la liberté de soins tout en contribuant à la maîtrise des dépenses de santé.

La tribune :

« L'homéopathie répond à un réel besoin médical. Elle contribue indéniablement à diminuer la consommation médicamenteuse et ainsi à combattre l'antibiorésistance, reconnue comme
10 un problème majeur en termes de santé humaine et animale au niveau international. Elle peut répondre aux risques liés à la polymédication et se présenter comme une alternative personnalisée à certains traitements. Enfin, elle permet de répondre aux besoins de santé non couverts des populations les plus fragiles comme les enfants, les femmes enceintes, les personnes âgées ou encore en association soulager les malades du cancer. Pour toutes ces raisons, l'homéopathie ne
15 doit pas être déremboursée au 1er janvier 2021.

Il est difficile d'accepter l'idée selon laquelle cette pratique, qui a longtemps été reconnue par les autorités et la communauté médicale, exercée pendant plus de 200 ans par des médecins formés, et inscrite à la pharmacopée française en 1965 (recueil officiel national des médicaments), puisse soudainement être reléguée au rang de "fake médecine". Pour preuve, chaque jour encore, un
20 médecin généraliste sur trois prescrit des médicaments homéopathiques, et 74 % des utilisateurs les jugent efficaces. La pratique trouve également sa place à l'hôpital, dans les services de gynécologie et d'oncologie où elle est utilisée en complément des chimiothérapies et des radiothérapies. En effet, on estime actuellement qu'entre 30 % et 50 % des malades atteints d'un cancer l'utilisent en soins de support pour réduire les effets secondaires des traitements dits traditionnels.
25 Face aux prises de positions virulentes qui ont émergé ces dernières semaines dans le débat public, alors que des millions de Français affirment constater des bienfaits, il est intéressant de se demander pourquoi l'homéopathie dérange. Pourquoi chercher coûte que coûte à opposer la médecine conventionnelle à la médecine douce ? Pourquoi ne pas les rendre complémentaires ? Plutôt que de vouloir bannir à tout prix l'homéopathie, ne serait-il pas préférable d'accompagner
30 son développement afin que les Français, au nom de la liberté de choix, puissent se voir offrir une large palette de soins et solutions thérapeutiques sécurisés et contrôlés ?

On le sait, le déremboursement total de l'homéopathie entraînera inévitablement un fort pourcentage de report vers la médecine traditionnelle, plus coûteuse et présentant également davantage de risques d'effets indésirables et secondaires. On comprend donc d'emblée que
35 l'argument revendiqué, supprimer le remboursement partiel de l'homéopathie pour soulager le déficit de la Sécurité sociale, est un leurre. C'est pourquoi, afin de maintenir l'homéopathie comme option dans le parcours de soins des patients mais aussi dans l'optique de contribuer à la maîtrise des dépenses publiques de santé, nous demandons au gouvernement de maintenir le niveau de remboursement à 30 % de cette méthode thérapeutique. »

Le Journal du dimanche, 20 juillet 2019.

---

1. a. Lisez l'article. Entourez les réponses correctes dans le résumé de l'article.

Il s'agit d'un **billet d'humeur / article d'opinion / article d'information** rédigé par des **journalistes de la rédaction / élus / médecins** qui **partagent les mêmes idées politiques / ont des convictions politiques différentes** pour **dénoncer les dépenses inutiles générées par la médecine conventionnelle / demander le maintien du remboursement de l'homéopathie / convaincre des bienfaits de l'homéopathie**.

b. Numérotez dans l'ordre les idées de l'article.

Requête des signataires de la tribune → n° ....

Questionnement autour des raisons d'une telle controverse → n° ....

Répercussions de la mesure envisagée par le gouvernement → n° ....

Défense de l'homéopathie → n° ....

c. Cochez les arguments avancés par les auteurs pour défendre leur position.

☐ 1. L'homéopathie peut se substituer au protocole de soin de maladies graves.
☐ 2. L'utilisation de l'homéopathie est répandue dans la médecine générale et spécialisée.
☐ 3. Une grande majorité des patients est satisfaite.
☐ 4. L'homéopathie est une solution aux dangers de l'automédication et de la surconsommation médicamenteuse.
☐ 5. C'est une méthode thérapeutique ancienne et établie.
☐ 6. L'homéopathie renforce la résistance aux antibiotiques.
☐ 7. Dans certains cas, l'homéopathie comble des besoins non remplis par la médecine traditionnelle.

2. a. Relisez l'article. Expliquez l'argument invoqué par les pouvoirs publics pour justifier le déremboursement de l'homéopathie.

....

b. Comment les auteurs de la tribune jugent-ils cet argument ?

....

c. Comment les auteurs réfutent-ils cet argument ?

....
....

d. En quoi leur réfutation est-elle habile ?

....
....

e. Relevez l'anglicisme utilisé pour dénoncer l'homéopathie et présentez la défense que les signataires opposent à cette accusation.

....
....

f. À quoi servent les questions du troisième paragraphe de la tribune (l. 25 à 31) ?

....

g. Relevez les procédés utilisés par les auteurs pour affirmer leur position, faire adhérer les lecteurs à leur cause et faire pression sur le gouvernement.

Expression(s) de la certitude : ....

Expression(s) du sentiment : ....

Injonction(s) : ....

h. Quel droit fondamental les signataires réclament-ils en matière de soins ? Que pensent-ils, à votre avis, de l'attitude du gouvernement ?

....

TEXTES ET EXPLOITATION

Je ne souhaite à personne de cohabiter, dès l'enfance, avec la beauté. Entrevue rarement, la beauté illumine le monde. Côtoyée au quotidien, elle blesse, brûle et crée des plaies qui ne cicatrisent jamais.

Mes frères étaient beaux d'une beauté évidente, d'une beauté qui ne requiert aucune explication. L'éclat de leur peau avait quelque chose d'irréel : ils semblaient produire eux-mêmes la lumière. Leurs
5   yeux avaient l'air d'avoir inventé la couleur, toutes les nuances de bleu s'y retrouvaient, du bleu azur au bleu marine, en passant par le bleu pervenche, le bleu ardoise, le cobalt, l'indigo et l'outremer. Leurs lèvres vermeilles, ciselées, offraient une rondeur pulpeuse qui appelait constamment à espérer un baiser. Leur nez avait des proportions parfaites que les narines palpitantes rendaient sensuelles. Grands, bien proportionnés, assez musclés pour qu'on devine leurs formes, pas trop pour rester
10   élégants, ils n'avaient qu'à surgir pour capter les regards. Leur perfection était rehaussée par le fait qu'ils étaient deux. Deux absolument identiques.

Des jumeaux laids font rire. Des jumeaux beaux émerveillent. Cette gémellité donnait quelque chose de miraculeux à leur splendeur.

La force de la beauté, c'est de faire croire à ceux qui la côtoient qu'ils sont eux-mêmes devenus
15   beaux. Mes frères gagnaient des millions en vendant cette illusion. On se les arrachait pour des soirées, des inaugurations, des émissions de télévision, des couvertures de magazines. Je ne pouvais blâmer les gens de tomber dans le piège de ce mirage, j'en avais été moi-même la première victime. Enfant, j'étais persuadé d'être aussi magnifique qu'eux.

Au moment où ils devinrent célèbres en exploitant commercialement leur physique, j'entrai au
20   collège. Lorsque le premier professeur qui fit l'appel prononça mon nom, Firelli, les visages des élèves se tournèrent vers celui qui avait crié : « Présent. » La stupeur marqua les faces. Le professeur lui-même se posait la question. Je l'encourageai d'un sourire à débusquer* la vérité.

– Êtes-vous... êtes-vous... parent avec les frères Firelli ? demanda-t-il.
25   – Oui, je suis leur frère, annonçai-je avec fierté.

Un éclat de rire énorme secoua la classe. Même le professeur ricana quelques secondes avant de rappeler à la discipline et de réclamer le silence.

J'étais abasourdi. Quelque chose venait de se produire – et n'allait cesser de se reproduire – que
30   je ne comprenais pas. Ne discernant plus du cours qu'un ronronnement dans une langue étrangère, j'attendis la récréation avec violence.

Je bondis aux toilettes et m'étudiai dans la glace. J'y aperçus un étranger. Un inconnu complet. Jusqu'alors, j'y avais vu mes frères, car je n'avais pas douté une seconde, à les contempler constamment et en double, que je leur ressemblais. Ce jour-là, dans le miroir piqué au-dessus des
35   lavabos moisis, je découvrais un visage fade sur un corps fade, un physique si dépourvu d'intérêt, de traits saillants ou de caractère que j'en éprouvai moi-même, sur-le-champ, de l'ennui. Le sentiment de ma médiocrité m'envahit comme une révélation. Je ne l'avais pas encore éprouvé ; depuis, il ne m'a pas quitté.

Lorsque j'étais une œuvre d'art, Éric-Emmanuel Schmitt, Éditions Albin Michel, 2002.

* débusquer : faire sortir.

1. a. Lisez l'extrait littéraire et indiquez quels sont les personnages et le thème du roman.

Les personnages principaux : ....

Le thème : ....

b. Associez un titre à chaque partie.

	La beauté : merveille et imposture
Partie 1 (l. 1 à 18)	Une fratrie extraordinaire
Partie 2 (l. 19 à la fin)	Le choc de la désillusion
	La laideur et le harcèlement scolaire.

c. Cochez les adjectifs correspondants aux personnages.

Le narrateur : ☐ rêveur ☐ idolâtré ☐ offensé ☐ miraculé ☐ fortuné
☐ sublime ☐ insignifiant ☐ meurtri ☐ irréel

Les jumeaux : ☐ rêveurs ☐ idolâtrés ☐ offensés ☐ miraculés ☐ fortunés
☐ sublimes ☐ insignifiants ☐ meurtris ☐ irréels

d. Pour chaque caractéristique (l. 3 à 11), indiquez la partie du corps correspondante et l'expression employée.

Caractéristiques	Parties du corps	Expressions employées
1. rouge foncé		
2. camaïeu de bleus		
3. rayonnant(e)(s)		
4. finement découpé(e)(s)		
5. charnu(e)(s)		
6. frémissant(e)		
7. charnel(le)(s)		

e. Cochez Vrai ou Faux et justifiez avec un extrait.

1. Selon le narrateur, vivre avec la beauté crée des traumatismes irréparables. ☐ Vrai ☐ Faux

   Justification : ....

2. Le narrateur a toujours su qu'il était différent de ses frères. ☐ Vrai ☐ Faux

   Justification : ....

3. Les jumeaux vivent de leur physique. ☐ Vrai ☐ Faux

   Justification : ....

4. La moquerie vient autant du professeur que des élèves. ☐ Vrai ☐ Faux

   Justification : ....

5. Le narrateur pense qu'il a un physique singulier. ☐ Vrai ☐ Faux

   Justification : ....

2. a. Relisez l'extrait littéraire (l. 19 à 31). Soulignez deux expressions qui marquent l'étonnement des élèves et du narrateur le jour de la rentrée. Expliquez ce qui a entraîné ces deux réactions.

Les élèves : ....

Le narrateur : ....

b. Reformulez les extraits et répondez aux questions.

1. *On se les arrachait pour des soirées, des inaugurations, des émissions de télévision, des couvertures de magazines.*

À votre avis, quel est leur métier ?

Reformulation : ....

Réponse : ....

2. *Je l'encourageai d'un sourire à débusquer la vérité.*

Que sous-entend cette phrase par rapport à ce que pense le narrateur ?

Reformulation : ....

Réponse : ....

c. En quoi les dernières phrases de l'extrait (l. 36 à 38) font-elles écho aux premières phrases (l. 1 et 2) ?

....

TEXTES ET EXPLOITATION

Économie au féminin.
« Une femme sur un chantier, ça étonne encore »
par Karine Cougoulat

À 28 ans, Charlotte Laurier travaille dans un milieu encore très masculin : les travaux publics. Chef d'équipe depuis un an, elle participe au chantier dans le centre-ville d'Ancenis, en Loire-Atlantique.

« Forcément un homme »

Plus jeune, Charlotte Laurier visait la garde républicaine. À 28 ans, elle occupe un poste de chef d'équipe dans les travaux publics. Actuellement sur le chantier dans le cœur de ville d'Ancenis (Loire-Atlantique), son chignon ou sa queue-de-cheval débordant du casque attire l'attention des passants. « Une femme sur un chantier, ça étonne encore beaucoup. » Et pour cause, elles ne sont pas légion dans ce secteur d'activité majoritairement masculin.

« Dans le bâtiment, ça n'étonne plus, poursuit la chef d'équipe. Mais dans les TP, dès que quelqu'un débarque avec un gilet orange et un casque, c'est forcément un homme. »

Déjà huit ans sur les chantiers

Ce milieu, elle le connaît bien. Huit ans déjà que la jeune femme originaire d'Oudon œuvre sur les chantiers. Pourtant, rien ne la prédestinait à embrasser une carrière dans les travaux publics. « À 18 ans, je me suis cassé le genou. La blessure a compromis mon avenir dans le milieu équestre », confie-t-elle. Bac pro équestre en poche, elle poursuit un temps dans cette voie mais les contraintes, la blessure ont raison de sa passion.

Elle quitte le monde des chevaux à 20 ans pour un univers totalement différent : les TP. Sans regret. Ces années « m'ont forgée. Je voulais un métier en extérieur et physique, mais je ne voulais pas travailler dans le milieu agricole. J'ai parcouru la liste des métiers et me suis arrêtée à conducteur d'engins. » Elle s'inscrit au lycée Narcé, à Brain-sur-l'Authion (Maine-et-Loire). Les filles se comptent sur les doigts de la main. Les formulaires d'inscription ne disposent encore que de la mention « fils de... »

Difficile de trouver un apprentissage

À l'heure de trouver un employeur, elle se heurte aux préjugés : « Je me souviens avoir reçu un courrier d'une entreprise qui indiquait ne pas rechercher d'apprenti. Une semaine plus tard, elle lançait une campagne de pub pour en recruter. D'autres encore demandaient si j'effectuais les recherches pour mon fils, raconte Charlotte Laurier. J'ai envoyé des demandes d'apprentissage à toutes les entreprises... Eurovia a été la seule à me prendre. Elle m'a suivie jusqu'à mon BTS (décroché il y a un an). Il y a plusieurs femmes dans l'entreprise, mais je suis la seule chef d'équipe. »

Sur le terrain, elle a su s'imposer. Épaulée par son mètre quatre-vingts, une bonne répartie et un caractère bien trempé. « Je suis même parfois un peu trop directive, concède la chef d'équipe. On me dit de parler plus gentiment. Je fais le job comme les autres, physiquement, j'y arrive. La seule différence, c'est que je dispose de toilettes et d'un vestiaire séparés. C'est la législation. Les ouvriers sont plutôt fiers d'avoir une chef d'équipe. Et puis, ils sont habitués à me voir », insiste Charlotte. Concédant toutefois avoir le sentiment « de devoir faire ses preuves en permanence ».

Si les femmes sont encore peu sur les chantiers, elle voit un changement s'opérer dans le milieu. Charlotte, « pas féministe » mais féminine, se réjouit d'ailleurs de trouver dans son prochain paquetage, une tenue coupe femme. « C'est une vraie évolution. »

Ouest-France, 2 novembre 2016.

1. a. Lisez l'article. En quoi consiste le métier de Charlotte ?
....

b. Quelle est la particularité de ce domaine professionnel ?
....

c. Quels domaines intéressaient Charlotte auparavant ?
☐ L'élevage d'animaux.   ☐ Le bâtiment.   ☐ Le domaine militaire.
☐ La publicité.   ☐ L'agriculture.   ☐ Le monde du cheval.

d. Quelle était sa première ambition ?
....

e. Pourquoi ne l'a-t-elle pas poursuivie ?
....

f. Vrai ou faux ? Justifiez avec un extrait tiré de l'article.
1. Charlotte a choisi ce métier par militantisme. ☐ Vrai   ☐ Faux
   Justification : ....
2. Son physique et sa personnalité l'ont aidée à se faire sa place. ☐ Vrai   ☐ Faux
   Justification : ....
3. On lui reproche d'être trop autoritaire. ☐ Vrai   ☐ Faux
   Justification : ....
4. Elle ne bénéficie d'aucun traitement de faveur dû à son genre dans la réalisation de son travail. ☐ Vrai   ☐ Faux
   Justification : ....

2. a. Relisez l'article. Relevez les deux expressions qui expriment la rareté, l'exception.
1. ....
2. ....

b. Relevez un exemple de stéréotype vécu par Charlotte au cours de démarches administratives. Que traduit-il ?
....
....

c. Expliquez la discrimination dont elle a été victime.
....
....
....

d. Charlotte pense-t-elle que la féminité doive s'effacer dans son travail ? Justifiez.
....
....

e. Que reflète le témoignage de Charlotte de la place des femmes dans son domaine professionnel ?
....
....
....
....

cent neuf 109

TEXTES ET EXPLOITATION

Réussir, disent-ils

« J'ai du succès dans mes affaires / J'ai du succès dans mes amours / Je change souvent de secrétaire / J'ai mon bureau en haut d'une tour / D'où je vois la ville à l'envers / D'où je contrôle mon univers », geint l'homme d'affaires dans le célèbre tube, « Le Blues du businessman ». Mais pourquoi est-il malheureux, ce pauvre diable plein aux as qui ne regrette qu'une chose, ne pas être
5   un artiste ? Peut-être parce qu'il se bat pour un bout de gras dérisoire, et d'autant plus insignifiant qu'il est convoité. Le moteur de la réussite, et donc du combat contre les autres, Sigmund Freud le disait déjà, n'est rien d'autre que la quête narcissique d'une petite différence, par essence minusculissime.

Aussi, dans l'univers de l'entreprise, les signes de statut sont-ils très importants. D'où l'importance
10 accordée aux bureaux, qui sont attribués en fonction de l'échelon[1]. Par exemple à l'échelon vous écopez d'un bureau cloisonné de 5,9 m² que vous partagez avec un stagiaire ou un collègue, tandis qu'à l'échelon + 1, vous avez droit à un vrai bureau de 6,3 m², avec, attention, une petite table ronde qui sert pour les réunions. À + 2, on vous offre un joli mobilier en bois, preuve absolue, irréfutable, que votre entreprise vous aime davantage que certains de vos collègues moins favorisés. Et ça,
15 c'est tellement important – l'amour, toujours...

Mais vous aurez beau franchir les échelons et moissonner de plus en plus de gadgets et de signes tangibles de réussite, le cadre moyen est voué à rester cadre moyen. Quand on est « bureautier », pour reprendre le néologisme porté à la célébrité par le film *Le Père Noël est une ordure*, on l'est à vie. Les postes « à haute responsabilité » (secrétaires généraux, directeurs, chefs de service, sous-
20 directeurs) se trouvent accaparés par des énarques[2] et, au sommet, les directions sont monopolisées par les grands corps (Mines[3], inspection des Finances). Ces gens sont des technocrates comme vous, mais plus haut de gamme car ils jouissent de l'incontournable « réseau », qui se tisse par exemple dans « les instances décisionnelles de la vie politique » (c'est-à-dire les cabinets ministériels, les états-majors des partis). Si le cadre moyen est un pur produit des classes moyennes, le cadre
25 supérieur est issu d'un sérail[4] plus chic. Car il existe autant de distance entre le cadre sup' et le cadre moyen qu'entre ce dernier et les intermittents, les précaires, qui ont bien peu de droits et sont autant de chômeurs potentiels.

Vous qui n'avez pas de piston[5] et personne pour allumer la fusée qui sommeille entre vos fesses, il ne vous reste plus qu'à jouer un rôle, qu'à faire semblant. D'où l'importance de l'habillement
30 dans les entreprises. Il sert à afficher ce qu'on attend d'un cadre – qui, cela va de soi, est sain, sportif, communicant, entreprenant, ambitieux, optimiste : une aura de décontraction et de professionnalisme, de masculinité (ou de féminité) émancipée et de conservatisme louis-philippard[6]. Le « dress code » ne plaisante pas : le tailleur pour les femmes et le costume pour les hommes sont de mise dans de nombreux secteurs économiques. Sauf le vendredi, où sévit le « friday look »,
35 ou tenue vestimentaire du vendredi ; car ce jour-là, on a le « droit » de porter des vêtements autres que les vêtements conformes des quatre premiers jours de la semaine. Ces fripes ne sont adaptées que pour ce jour-là et, comble du comble, elles ne sont pas (ce serait trop simple) des vêtements que vous-mêmes choisiriez pour être à l'aise ! La seule liberté qui vous reste est celle de la cravate et des chaussettes, et encore.
40 À quand le *monday look*, le *thursday look*, pour compliquer encore les choses ? À quand la cour de Louis XIV, où une horde papillonnante de nobles désœuvrés se devait d'être là, dans les jupes du Roi-Soleil, non pas pour accomplir une tâche, mais simplement pour paraître ?

Bonjour paresse, Corinne Maier, éditions Michalon, 2004.

1. échelon : niveau auquel appartient un fonctionnaire.
2. énarques : personnes diplômées de l'ENA (École nationale d'administration).
3. Mines : l'École des mines (grande école prestigieuse).
4. sérail : ici, milieu restreint.
5. piston (sens figuré) : appui accordé à une personne par une autre, en vue de lui faire obtenir un avantage.
6. louis-philippard (adjectif péjoratif) : qui concerne le règne de Louis-Philippe ; qui appartient à son époque (début du XIXe siècle).

1. a. Lisez l'extrait. Identifiez sa nature et son thème.

C'est : ☐ un roman historique   ☐ un roman autobiographique   ☐ un essai   ☐ un témoignage.

L'auteure remet en question la notion de :   ☐ réussite   ☐ argent   ☐ perspective d'évolution professionnelle.

b. À qui l'auteure s'adresse-t-elle ?

....

c. Indiquez de qui il s'agit.

	Cadre moyen	Cadre supérieur
1. Il est diplômé d'une grande école.	☐	☐
2. Il a des relations qui lui permettent d'avancer.	☐	☐
3. Il est issu de la classe moyenne.	☐	☐
4. Il appartient à l'élite.	☐	☐
5. Il dirige.	☐	☐
6. Il s'occupe de tâches administratives.	☐	☐
7. Il pratique « l'entre-soi ».	☐	☐

d. Dans l'extrait, quelles sont les deux signes extérieurs qui montrent le statut en entreprise ?

1. ....
2. ....

e. Vrai ou Faux ? Cochez et justifiez avec un extrait du texte.

1. D'après l'auteure, un cadre moyen accède logiquement au statut de cadre supérieur en gravissant les échelons.   ☐ Vrai   ☐ Faux
   Justification : ....
2. Il existe un grand fossé entre un cadre moyen et un cadre supérieur.   ☐ Vrai   ☐ Faux
   Justification : ....
3. L'auteure conseille aux cadres moyens de donner l'illusion d'appartenir à la classe supérieure.   ☐ Vrai   ☐ Faux
   Justification : ....
4. L'auteure apprécie le « friday look » pour le confort que cette tenue apporte aux salariés.   ☐ Vrai   ☐ Faux
   Justification : ....

2. a. Relisez l'extrait. Reformulez le propos de la chanson qui introduit le texte. Pourquoi l'auteure y fait-elle référence ?

....
....

b. Reformulez l'opinion de l'auteure concernant la réussite. Que sous-entend le titre du texte ?

....
....

c. Quel est le ton utilisé pour parler de l'exemple du bureau (l. 9 à 15) ? Pourquoi ?

....

d. Relevez la métaphore qui signifie que certaines relations font progresser rapidement dans la vie professionnelle. Quel est le ton utilisé ?

....

e. Que sous-entend la dernière question que pose l'auteure concernant l'attitude et le travail des cadres ?

....

En prison, des chiens pour soulager les peines

Depuis trois ans, Aurélie Vinceneux, psychopraticienne, et ses deux bêtes, Gandhi et Lutine, rendent visite à des détenues de la maison d'arrêt de Nantes pour des ateliers de « médiation animale ». Une façon d'apaiser et d'adoucir la vie derrière les barreaux.

Lové sur une couverture verte déposée sur une table au centre de la pièce, Gandhi est au cœur de toutes les attentions. En baskets noires et jean troué assorti, Kelly, rousse au carré bouclé de 24 ans, tente d'apprendre au petit berger shetland à donner la patte et à rouler sur lui-même. « Moi, j'ai toujours joué avec mes chiens. J'ai jamais eu de problème », se félicite Priscilla, 37 ans. « C'est pour ça que tu es en prison ! » plaisante Kelly. Depuis trois ans, la maison d'arrêt des femmes de Nantes organise chaque jeudi après-midi un atelier de médiation animale. Sur la base du volontariat, les participantes peuvent passer une heure trente avec Aurélie Vinceneux, psychopraticienne, et ses deux chiens, Gandhi, 8 ans, et Lutine, 18 mois. « On essaie d'accompagner ces femmes vers un mieux-être, malgré le contexte », explique la trentenaire. « Beaucoup d'entre elles sont propriétaires de chiens à l'extérieur. L'animal nous permet d'entrer en relation, de nous rejoindre en tant qu'humains autour d'une passion commune », poursuit Aurélie Vinceneux.

Après des études de psychologie, la jeune femme s'est formée à la criminologie et à la victimologie avant de passer un diplôme universitaire de relation d'aide par la médiation animale. Il y a dix ans, elle a créé son association, « Cœur d'artichien », avec laquelle elle intervient en milieu carcéral, mais aussi auprès d'enfants hospitalisés. Quant à ses chiens, ils sont formés pendant environ un an et leur aptitude à jouer les médiateurs est évaluée par un éducateur canin avant leurs débuts.

[…] Ce jeudi de novembre, c'est un petit groupe de trois détenues qui a rendez-vous dans une salle aux murs ornés de cadres fleuris et de photos, pour une séance collective. […]

Outre des gamelles, jouets et autres harnais pour Gandhi et Lutine, Aurélie Vinceneux apporte aussi des jeux destinés aux participantes. Ce jour-là, à travers un jeu de cartes québécois, elles sont invitées à réaliser un totem des personnes en présence. Dans sa pioche, chacune choisit des qualités qui lui semblent correspondre à la personne désignée : érudit, vif, ingénieux, cultivé... En commençant par les chiens, pour se mettre en confiance, et délier les langues. Par ricochet, la « curiosité » du petit berger shetland conduit Priscilla, 37 ans, à évoquer ses souvenirs d'école : « Je n'aimais pas trop apprendre. Ma fille, c'est pareil », dit-elle. Progressivement, la conversation dévie sur les personnalités de chacune, et les amène à travailler sur l'estime de soi : Priscilla voit sa « persévérance » et sa « franchise » mises en avant, tandis que Kelly « défend ses idées avec vigueur ». « Je suis aussi un peu maniaque : y a qu'à voir ma cellule, c'est carré », complète Kelly. Aurélie Vinceneux, l'intervenante, se prête elle aussi au jeu. « Quand j'étais ado, j'étais un bulldozer, toujours prête à foncer », lâche-t-elle tout sourire.

Jusque-là en retrait, plus occupée à jouer avec la jeune chienne qu'aux cartes, Harley, 27 ans, sort de sa réserve. Incarcérée depuis trois ans, la jeune femme, cheveux peroxydés et piercings, est la plus ancienne participante à ces ateliers. « Tu as toujours été présente, toutes les fois où je n'étais pas bien », dit-elle à l'intervenante. Harley dit « adorer les animaux depuis toute petite ». À l'en croire, rats, serpent, perruche, ou encore caméléon lui ont par le passé servi de compagnon. Et d'analyser : « En fait, j'aime les voir vivre. Le simple fait de caresser un animal, ça enlève la tristesse. » « On constate un apaisement phénoménal », appuie Christelle Dubergey, surveillante au sein de l'établissement, qui dit volontiers être « gaga des animaux ». « En vingt-quatre ans de pénitentiaire, je n'avais jamais vu ça. Même pour nous, les personnels, faire entrer des animaux apporte de la joie », constate-t-elle. « Je me souviens d'une dame en très grande détresse. J'étais assez impuissante. Gandhi a sauté sur son ventre et a léché ses larmes », raconte Aurélie Vinceneux.

Virginie Ballet, liberation.fr, 24 décembre 2019.

1. a. Lisez l'article. Qui sont Aurélie Vinceneux, Kelly, Priscilla et Harley ?

....

b. Que propose Aurélie Vinceneux ? Dans quel but ?

....

c. Quelles sont les missions qu'Aurélie Vinceneux remplit au sein de l'établissement ?
- ☐ 1. Évaluer l'aptitude des chiens à la médiation
- ☐ 2. Apporter du soutien psychologique
- ☐ 3. Mettre en place des activités ludiques
- ☐ 4. Établir le profil d'un criminel ou d'une victime pour aider la police
- ☐ 5. Surveiller des détenues
- ☐ 6. Animer des ateliers avec des chiens médiateurs

d. Vrai ou faux ? Justifiez avec un extrait de l'article.

1. Aurélie n'intervient qu'en prison. ☐ Vrai ☐ Faux
   Justification : ....
2. Les chiens ont une prédisposition naturelle à la médiation. ☐ Vrai ☐ Faux
   Justification : ....
3. Aurélie a juste un rôle d'observatrice dans les interventions qu'elle propose. ☐ Vrai ☐ Faux
   Justification : ....
4. Les bienfaits de ses interventions se ressentent aussi sur les salariés de l'établissement. ☐ Vrai ☐ Faux
   Justification : ....

e. Pour chaque caractéristique, indiquez de qui on parle (Aurélie Vinceneux, Kelly, Priscilla, Harley, Christelle Dubergey) et notez la ou les expression(s) de l'article.

	Personne(s)	Expression(s)
Fan des animaux		
Battante		
Obstinée		
Adepte du rangement		
Sincère		
Timide		
Sûre de ses opinions, sachant argumenter		

2. a. Relisez l'article. Relevez le vocabulaire lié :

1. à la prison : ....
2. au bien-être : ....

b. Que signifie l'expression « délier les langues » (l. 52) ? ....

c. Expliquez le jeu que met en place Aurélie Vincenieux, l'intérêt de la médiation animale et l'effet obtenu.

....

....

d. Présentez les bienfaits des chiens médiateurs en prison.

....

....

cent treize 113

TEXTES ET EXPLOITATION

Jean-Pierre Goudaillier : « Le dominé crée un langage qui n'est pas compris par ses dominants »

par Emmanuèle Peyret

[...] Ah, l'argot, cette fascinante langue verte de la rue ou plutôt des rues, protéiforme, vernaculaire, tentaculaire, se moquant de la langue standard, la déformant, la refusant, un langage se renouvelant sans cesse, créé par un groupe, une communauté, un gang, une profession pour se démarquer du groupe dominant... et paradoxalement adopté petit à petit dans toutes les couches de la société, ces mots passant dans le registre familier. Toute société a ses tabous, interdits, religieux, politiques, sexuels, etc. Une des fonctions de l'argot est de les contourner. On crypte la conversation, on la code pour que les autres ne la comprennent pas. Jean-Pierre Goudaillier, spécialiste de la question et professeur de linguistique à l'université Paris-Descartes, tient à mettre plus particulièrement en avant la fonction identitaire : on marque par le langage l'appartenance à un groupe et comme tous les argots, le refus de la société telle qu'elle se présente de manière formelle.

Alors, c'est quoi l'argot ?

Un jargon de métier est bien souvent à la base d'un argot, dont la fonction traditionnelle est à la fois cryptique et ludique. Cryptique parce que sa fonction essentielle est d'exclure l'autre, c'est-à-dire qu'il faut être au moins trois pour qu'une situation argotogène ait lieu : deux qui cryptent, et utilisent entre eux la fonction « conniventielle », identitaire, et un troisième qui ne comprend pas.

Ludique aussi, parce qu'on contourne l'interdit par des gestuelles langagières, et autres, telles que, par exemple, la casquette à l'envers et le bas du survêt[1] relevé. C'est un refus de la langue standard, un registre de l'interstice dans lequel le dominé se glisse pour créer un langage qui ne soit pas compris par ses dominants. Il y a l'exemple d'une langue secrète dans le sud du Maroc, où les femmes ont inventé des formes linguistiques que les hommes ne comprennent pas, et, plus près, la langue des cités, qui revendique une identité culturelle que peut refuser la communauté linguistique française.

Comment un argot, puisqu'il y en a plusieurs, se forme-t-il ?

C'est le peuple, la rue, qui fait en grande partie la langue. Pour le sociologue Christian Bachmann, la langue est un grand lieu de démocratie, tout va du bas vers le haut. Effectivement, les mots ou les expressions partent du bas de l'échelle, montent progressivement, deviennent familiers, passent dans la langue standard, qui va les adopter, puis le dictionnaire les entérine et ils font partie de la langue française.

Exemple parmi d'autres, celui de « cambriole », en argot des malfrats[2] de la fin du XIXe siècle, départ de la série *cambriolage*, *cambrioler*, *cambrioleur*, désormais admise par l'Académie française. La stigmatisation peuple/pas peuple n'a pas tellement lieu d'être puisque les bourgeois attrapent des mots, dans les bordels entre autres, et s'encanaillent à tous les siècles. Comme aujourd'hui les jeunes bourgeois parlent « le wesh[3] » et utilisent des mots traditionnellement employés dans les banlieues.

Il y a donc plusieurs argots ?

Chaque époque a son type d'argot. [...] Lors de la Grande Guerre, le recrutement est national, tous les patois, les dialectes et les langues régionales se mélangent. On a du parisien, du régional, des professions différentes, ouvriers, paysans, médecins, que sais-je, chacun avec son parler spécifique qui va donner un langage propre aux tranchées.

Quid de la langue des cités ?

C'est un registre de la langue dont on dit qu'il est interstitiel, du français où se glissent des mots étrangers de diverses sources, maghrébines, africaines ou encore tziganes. [...]

On déstructure la langue standard en injectant des composants identitaires et en créant des marqueurs locaux. Les cités marseillaises empruntent par exemple beaucoup au parler des gitans présents dans le Sud. Le verlan, procédé linguistique qui consiste à inverser les syllabes, apparu dans les années 80 et qui met l'interlocuteur littéralement cul par-dessus tête, a été véhiculé par le rap, et c'est aussi un unificateur. Aujourd'hui, l'argot français contemporain et la langue populaire s'alimentent beaucoup de ce français contemporain des cités.

liberation.fr, 12 juin 2018.

---

1. Survêtement. – 2. Malfaiteur. – 3. Façon de se dire bonjour entre amis. Vient de l'expression *wesh rak* (« comment vas-tu ? ») en dialecte algérien, marocain et tunisien).

1. a. Lisez le texte. Identifiez sa nature, son auteur et son sujet. Plusieurs réponses sont possibles.

1. Il s'agit d' ☐ un essai   ☐ une tribune   ☐ un entretien.
2. Jean-Pierre Goudaillier est :   ☐ linguiste   ☐ universitaire   ☐ sociologue.
3. Il évoque :   ☐ la multiplicité des argots.
   ☐ la discrimination linguistique.
   ☐ la perte d'identité culturelle avec l'apparition des argots.
   ☐ la façon dont les argots apparaissent dans les marges.
   ☐ l'appauvrissement de la langue.
   ☐ le processus d'intégration des argots dans la langue officielle.

b. Qui crée l'argot ? ....

c. Que fait l'argot de la langue standard ? Que traduit ce phénomène ? Quelle est sa fonction ?

....

....

d. Remplacez les mots et les expressions par des adjectifs du texte.

L'argot est une langue *protéiforme* (Ex. : en mouvement), ... (1. propre à une communauté réduite) et .... (2. qui se développe dans toutes les directions). Il a différentes fonctions : .... (3. communiquer secrètement), ... (4. de manière amusante), ... (5. complice) et .... (6. s'identifier à un groupe)

e. Numérotez dans l'ordre les différentes étapes de l'évolution de l'argot selon Christian Bachmann.

...... a. Le mot est admis officiellement dans la langue française avec son entrée dans le dictionnaire.
...... b. La classe moyenne utilise le mot argot dans le langage familier.
...... c. Le mot argot passe dans la langue courante.
...... d. Une communauté de la classe populaire fait naître et utilise un mot argot.

f. Vrai ou faux ? Justifiez avec un extrait du texte.

1. Les jeunes des beaux quartiers ne parlent pas la langue des cités.   ☐ Vrai   ☐ Faux
   Justification : ....
2. Les soldats de la Première Guerre mondiale ont créé un nouveau langage grâce aux diverses langues qu'ils entendaient autour d'eux.   ☐ Vrai   ☐ Faux
   Justification : ....
3. La langue des cités est poreuse.   ☐ Vrai   ☐ Faux
   Justification : ....

2. a. Relevez six mots liés à la langue.

....

b. En quoi l'argot apparaît-il comme une arme des dominés ?

....

....

c. Relisez le texte. Selon vous, l'avis de Jean-Pierre Goudailler sur l'argot est-il positif ou négatif ? Pourquoi ?

....

....

TEXTES ET EXPLOITATION

Demain sera vertigineux

Les idéologues transhumanistes de la Silicon Valley ont convaincu l'opinion que la mort n'est plus inévitable, mais les progrès biotechnologiques restent lents. En 2013, Google a créé Calico, qui vise à retarder puis à « tuer » la mort ; ses premiers résultats ne sont pas attendus avant 2030. L'immortalité biologique est encore une perspective incertaine et lointaine. C'est pourquoi les milliardaires geeks s'intéressent aussi à l'immortalité numérique, qui est à l'immortalité biologique ce que les œufs de maquereau sont au caviar.

Première étape : faire son testament vidéo pour ses descendants en résumant sa vie, ses valeurs et sa vision de la vie. C'est accessible dès aujourd'hui mais cela reste très rudimentaire. Deuxième étape : transférer sa mémoire numérique et ses traces électroniques à sa famille avec l'héritage. Cela permet aux héritiers de cerner la psychologie de l'ancêtre mort et d'en garder le portrait. Troisième étape : ajouter une intelligence artificielle (IA) capable d'imaginer l'évolution du défunt dans le monde futur. Fermer le compte Facebook d'un mort revient à empêcher son immortalité numérique en bloquant la création du double numérique du défunt : c'est une euthanasie numérique. Quatrième étape : y ajouter un hologramme. [...] Une IA est capable de reproduire l'image 3D de n'importe quel individu vivant ou non en quelques minutes. [...] Cinquième étape : un chatbot-hologramme intelligent, nourri des traces numériques du disparu, entretient une conversation en 3D avec les vivants. Cela pourrait être étendu à des individus étrangers à la famille. En classe, les enfants pourraient discuter avec le chatbot-hologramme d'Einstein, de Louis XIV, de De Gaulle ou de César. Sixième étape : utiliser les implants intracérébraux d'Elon Musk. En mars 2014, Ray Kurzweil, directeur chez Google, a déclaré qu'en 2035 nous utiliserons des nanorobots intracérébraux branchés sur nos neurones. Elon Musk est en train de réaliser cette prophétie et promet les premiers prototypes Neuralink avant 2025. Les implants intracérébraux d'Elon Musk – destinés à augmenter nos capacités intellectuelles – pourront aussi servir à extraire des souvenirs de notre cerveau de notre vivant pour enrichir nos doubles numériques, qui nous ressembleront de plus en plus. Septième étape : l'abandon total de notre corps physique.

Nous accepterions de devenir des intelligences dématérialisées en fusionnant avec des IA. L'avantage d'avoir une intelligence non biologique est énorme : les intelligences numériques sont ubiquitaires, immortelles, circulent à la vitesse de la lumière, peuvent se dupliquer, fusionner... Ce serait la mort de l'humanité telle qu'on l'entend, avec les passions, les valeurs, les névroses, les délires, les pulsions qui nous fondent. C'est la fin du corps et la cyborgisation de l'homme que souhaitent les post-humanistes comme Ray Kurzweil, qui est persuadé que l'on pourra transférer intégralement notre mémoire et notre conscience dans des microprocesseurs dès 2045, ce qui permettrait à notre esprit de survivre à notre mort biologique.

Je suis totalement opposé à la fusion de la machine et de l'homme, qui signerait la mort du corps humain et de l'intelligence biologique : nous devons garder nos pulsions, nos hormones et le Guide Michelin (les microprocesseurs ne vont pas au restaurant). La quête de l'immortalité numérique – beaucoup plus accessible que l'immortalité biologique – ne doit pas conduire à la mort de notre humanité biologique.

Chirurgien, énarque, entrepreneur, Laurent Alexandre est aujourd'hui business angel.

© Laurent Alexandre / *L'Express* / 08.08.2018.

1. a. Lisez l'article. Que présente-t-il ? Cochez la bonne réponse.

☐ 1. Le mode d'emploi pour accéder à l'immortalité numérique.

☐ 2. La méthode pour en finir avec la mort du corps.

☐ 3. Le guide pour le développement de l'intelligence artificielle.

b. Numéroter dans l'ordre les étapes de l'article.

.... Adopter un programme informatique capable de simuler la vie de la personne décédée dans le monde d'après.

.... Intégrer un robot conversationnel en trois dimensions à l'image de la personne décédée.

.... Se filmer pour transmettre sa mémoire à ses héritiers.
.... Fusionner avec la machine.
.... Attribuer son patrimoine numérique à ses descendants.
.... Se faire implanter des puces électroniques dans le cerveau afin de stocker des informations de son vivant et d'alimenter sa vie numérique.
.... Réaliser une image en trois dimensions de la personne décédée.

c. Vrai ou faux ? Cochez la bonne réponse et justifiez avec un extrait de l'article.

1. L'immortalité biologique n'est pas envisagée. ☐ Vrai ☐ Faux
  Justification : ....

2. Clôturer le profil d'un défunt sur un réseau social correspond à une mort numérique assistée. ☐ Vrai ☐ Faux
  Justification : ....

3. L'immortalité numérique permettra d'atteindre l'immortalité biologique. ☐ Vrai ☐ Faux
  Justification : ....

d. Citez deux atouts concernant :

1. la réalisation d'images en trois dimensions de personnes disparues agrémentées de robots conversationnels
  ....
  ....

2. le renoncement à notre intelligence biologique
  ....
  ....

2. a. Relisez l'article. Trouvez le mot qui correspond à la définition.

Mot issu du vocabulaire de la science-fiction signifiant le fait de devenir un homme avec des membres ou des organes robotisés : ....

b. Selon l'auteur, que signifierait l'accessibilité à l'immortalité numérique ?
....
....

c. D'après l'article, quelle est la différence entre les transhumanistes (l. 1) et les post-humanistes (l. 31) ?
....

d. Expliquez la comparaison :
« C'est pourquoi les milliardaires geeks s'intéressent aussi à l'immortalité numérique, qui est à l'immortalité biologique ce que les œufs de maquereau sont au caviar. » (l. 4 - 6)
....
....

e. D'après vous, quel est le sentiment de l'auteur ?
....

f. En quoi les différentes étapes proposées par l'auteur alimentent-elles l'opinion qu'il exprime à la fin ?
....
....

g. Relevez le trait d'humour dans l'expression du point de vue de l'auteur.
....

« Soldats inconnus » est un jeu vidéo sur la Grande Guerre, mais ce n'est pas un jeu de guerre

Interview. Paul Tumelaire, directeur artistique, Yoan Fanise, directeur de contenu et Guillaume Cerda, producteur associé chez Ubisoft ont voulu sortir de la logique manichéenne des jeux vidéo de guerre classique.

Les jeux vidéo de guerre se divisent traditionnellement en deux catégories : les jeux de tir et les jeux de stratégie. Vous avez choisi une autre voie...

Soldats inconnus est un jeu sur la Première Guerre mondiale, mais ce n'est pas un jeu de guerre. Parmi les cinq personnages que le joueur peut choisir, aucun n'a la possibilité d'utiliser une arme ni de tuer. Nous ne voulions pas faire un jeu de tuerie. Si la plupart des personnages sont des soldats, ils n'ont pas pour autant l'esprit belliqueux. Ce sont des gens ordinaires qu'on a sortis de chez eux pour aller faire la guerre et qui ont connu l'horreur. Nous avons voulu raconter comment la guerre a affecté leur vie. D'où le côté émotionnel du jeu. Certes, il y a des morts dans le jeu, mais c'est la guerre qui tue, pas les personnages. Ceux-ci doivent éviter les balles et les obus. [...]

Quelles sont les missions des personnages ?

Le point de départ de ce jeu vidéo sur la première guerre mondiale est étonnant : il s'agit d'une histoire d'amour brisée entre Marie, une jeune Française, et Karl, un jeune Allemand mobilisé. Émile, le père de Marie, va également partir au front. Sa mission sera de ramener Karl à sa fille. Anna, l'infirmière belge, doit retrouver son père, qui a été fait prisonnier. Elle doit soigner aussi bien les soldats français, britanniques qu'allemands. [...]

N'avez-vous pas l'impression d'idéaliser la guerre ?

Justement, nous traitons d'un sujet très sérieux qui est la Grande Guerre avec une direction artistique qui se rapproche de la bande dessinée, mais qui malgré tout montre les atrocités de la guerre. C'est ce qui est très étonnant dans le jeu. Les premières scènes sont très colorées, l'ambiance est tragicomique. Une des scènes se déroule dans une gare. On y voit des Français avec du vin, du camembert et une baguette. Mais plus le soldat va progresser dans le jeu, plus il va être confronté aux horreurs de la guerre, plus les choses vont devenir sombres sur le plan émotionnel. C'est un peu à l'image de la guerre. Quand le soldat est parti au front, il pensait que la guerre serait courte. Il était quasiment heureux. Au final le conflit a été beaucoup plus long et s'est enlisé dans les tranchées. [...]

Votre jeu sort à l'occasion du centenaire. En quoi le devoir de mémoire est important pour vous ? Quelle place occupe la dimension pédagogique dans votre jeu ?

Lorsque Paul Tumelaire a démarré le projet en 2010, Yoan nous a apporté un tas de lettres et de documents historiques qu'il avait hérités de sa grand-mère. On s'en est servi comme source d'inspiration. La lecture des lettres de son arrière-grand-père au front nous a communiqué une émotion assez folle. En fait, il y avait un vrai contraste entre les documents militaires qui étaient très factuels, très froids. Dès le départ nous voulions rendre hommage à ces personnes qui avaient connu l'horreur de la guerre. Ce n'est qu'en 2013 que nous avons réalisé que le centenaire arrivait et qu'il serait opportun de sortir le jeu en 2014. Il s'agissait pour nous de dépasser le jeu vidéo traditionnel. Comment rendre intéressant un jeu vidéo sur la Grande Guerre ? En introduisant des faits historiques. Alexandre Lafon nous a conseillé d'accompagner les faits historiques de grands visuels. C'est ce que nous avons fait. Il y a 55 faits historiques. Une photo accompagne chacun d'entre eux. Tout à coup, le joueur aperçoit un soldat indien. La première réaction de ceux qui ont testé le jeu fut de s'interroger sur la présence d'un Sikh. En appuyant sur le bouton, on apprend que les soldats indiens s'étaient battus aux côtés des troupes de l'empire britannique. Nous voulons que le joueur puisse apprendre des choses.

Dans le jeu vidéo de guerre classique, on élimine un ennemi qui est le mal et on se bat pour une cause qui est en général la démocratie. Qu'en est-il de Soldats inconnus *?*

Nous avons voulu casser les codes traditionnels. On s'est dit que les Allemands comme les autres avaient été jetés là-dedans. Il n'y a pas de gentil, pas de méchant. Là, on focalise sur les personnages. On propose de suivre leur histoire. Le but c'est qu'ils survivent à cette guerre. Plutôt que la démocratie, nous avons voulu insister sur la fraternité et l'entraide.

Antoine Flandrin, lemonde.fr, 19 mai 2014.

1. a. Lisez l'interview. Indiquez quelle période de l'histoire retrace le jeu *Soldats Inconnus*.

....

b. Dites à quelle occasion sort le jeu.

....

c. Sélectionnez les thèmes abordés dans l'interview.
☐ Un genre alternatif dans l'univers des jeux vidéo de guerre
☐ Un scénario centré autour des affrontements entre camps adverses
☐ La légèreté du traitement artistique tiré de l'univers de la BD
☐ La commémoration et la transmission

d. Cochez les caractéristiques du jeu.
☐ Jeu humaniste   ☐ Jeu violent   ☐ Jeu à contenu historique
☐ Jeu didactique   ☐ Jeu d'armes   ☐ Jeu avec une charge affective

e. Indiquez la principale source d'inspiration.
☐ Des documents officiels de l'armée   ☐ Une correspondance personnelle

f. Formulez la raison de ce choix.

....

g. Montrez comment le jeu reflète l'évolution de cette période de l'histoire.

....
....

h. Expliquez comment les développeurs du jeu font en sorte que le joueur apprenne quelque chose ? Citez un exemple.

....
....
....

2. a. Relisez l'interview. Relevez le champ lexical de la guerre.

La guerre : ....
La Première Guerre mondiale : ....
L'esprit de guerre : ....
Les armes : ...., ...
Les lieux de combats : ...., ...
Les terribles conséquences de la guerre : ...., ...

b. Relevez dans la réponse à la dernière question deux extraits qui font écho à la formulation tirée du chapeau : « [...] *sortir de la logique manichéenne des jeux vidéo de guerre classique.* » (l.4-5).
1. ....
2. ....

c. Expliquez en quoi le jeu vidéo *Soldats Inconnus* se distingue des jeux de guerre classiques.

....

d. Selon vous, quelle motivation sous-tend la question du journaliste concernant l'idéalisation de la guerre ?

....
....

cent dix-neuf 119

TEXTES ET EXPLOITATION

Hall d'entrée du musée Modigliani

Une mère de famille se présente à la caisse d'un musée.
LA MÈRE. Trois billets, s'il vous plaît...
LA CAISSIÈRE. Exposition permanente ou temporaire ?
5   LA MÈRE. Modigliani[1].
LA CAISSIÈRE. Exposition temporaire. Un adulte et deux enfants ?
LA MÈRE. Vous ne l'avez pas tout le temps ?
LA CAISSIÈRE. Pardon ?
LA MÈRE. Modigliani, vous ne l'avez pas tout le temps ?
10 LA CAISSIÈRE. Non, l'exposition se termine le 4 novembre.
LA MÈRE. C'est pas risqué pour des enfants ?
LA CAISSIÈRE. Modigliani ?
LA MÈRE. Oui, un peintre temporaire.
LA CAISSIÈRE. C'est un très grand artiste.
15 LA MÈRE. Peut-être, mais c'est la première fois qu'ils vont au musée, j'aimerais autant leur montrer quelqu'un de stable.
LA CAISSIÈRE. Modigliani est un peintre très important, madame.
LA MÈRE. Oui, mais vous ne le gardez pas et ce n'est pas un très bon exemple pour des enfants un artiste qui est renvoyé du musée dans une semaine, reconnaissez...
20 LA CAISSIÈRE. L'exposition est magnifique.
LA MÈRE. Je n'en doute pas, mais je préfère qu'ils commencent sur une base solide, un peintre qui reste au musée toute l'année, un emploi fixe qui les tranquillise, vous savez, à cinq et sept ans, on comprend tout.
LA CAISSIÈRE. Dans ce cas, visitez l'exposition permanente.
25 LA MÈRE. Vous avez qui en permanent ?
LA CAISSIÈRE. Oh, beaucoup de monde, Poussin, Watteau, David, Delacroix, Renoir...
LA MÈRE. C'est peut-être plus sûr, non ?
LA CAISSIÈRE. Comme vous voudrez. Ça fera quinze euros.
LA MÈRE. Je peux vous demander pourquoi vous virez Modigliani ? C'est une question de place ?
30 LA CAISSIÈRE. Madame, je vais vous demander...
LA MÈRE. Vous ne pensez pas que vous auriez pu dégraisser chez les vieux ! Watteau[2], franchement, il a fait son temps, Watteau ! Franchement !
LA CAISSIÈRE. Madame...
LA MÈRE. Et Renoir, il n'y en a pas un peu marre de Renoir !? Les musées, les boîtes de chocolat,
35 les calendriers, ça suffit pas ? Et quand c'est pas lui, c'est Monet ! Il n'y a pas qu'eux sur terre ! Ça continue derrière, faudrait qu'ils se le mettent dans le crâne, ça pousse derrière et ça sert à rien de faire bouchon aux jeunes !
LA CAISSIÈRE. Je peux vous demander de payer madame, beaucoup de gens attendent.
LA MÈRE. Qu'est-ce que vous voulez me dire exactement ? Que je suis temporaire à la caisse et que,
40 vous, vous êtes permanente, c'est ça ?
LA CAISSIÈRE. Quinze euros, madame.
LA MÈRE. Ce n'est pas en traitant les visiteurs comme vous traitez Modigliani que vous donnerez à la jeunesse le goût de la peinture ! Venez, mes chéris, on s'en va !
Elle sort.

Musée haut, musée bas, Jean-Michel Ribes, Actes Sud, 2004.

1. Modigliani : peintre et sculpteur italien (1884-1920). 2. Watteau : peintre français (1684-1721).

1. a. Lisez la scène. Soulignez les réponses correctes dans la présentation de la pièce de théâtre.

Musée haut, musée bas est composé d'une succession de **blagues / sketchs** laissant poindre **une analyse historique de l'art / un regard philosophique sur l'art, sa réalité, son utilité, etc.**

La thématique de la pièce utilise un levier comique avec un humour **de situation / noir**, des dialogues et réponses **du tac au tac / élaborés**, mêlant **l'humour potache / le burlesque** à des situations quotidiennes aux limites du comique de **l'absurde / la comédie de boulevard**.

Cette comédie **loufoque / acerbe** et son lot de personnages un peu **fous / vulgaires** raviront les amoureux du genre !

b. Associez chaque émotion à un personnage et expliquez-en la cause.

1. La détermination : ☐ la mère ☐ la caissière.
   Cause : ....
2. L'inquiétude : ☐ la mère ☐ la caissière.
   Cause : ....
   ....
3. La révolte : ☐ la mère ☐ la caissière.
   Cause : ....
   ....
4. L'agacement : ☐ la mère ☐ la caissière.
   Cause : ....
5. La colère : ☐ la mère ☐ la caissière.
   Cause : ....
   ....

c. À quelle réalité de certaines œuvres d'art la mère fait-elle référence lorsqu'elle cite Renoir et Monet (l. 34-37) ?
....

2. a. Relisez la scène. Expliquez en quoi les sujets suivants provoquent le rire.

1. Le malentendu sur « temporaire » : ....
   ....
2. L'attitude de la mère : ....
   ....
3. La manière de parler des peintres et leur considération : ....
   ....
   ....

b. Reformulez les passages suivants.

1. *Vous ne pensez pas que vous auriez pu dégraisser chez les vieux ! Watteau, franchement, il a fait son temps, Watteau ! Franchement !* (l. 31-32)
   ....

2. *Et Renoir, il n'y en a pas un peu marre de Renoir !? [...] Et quand c'est pas lui, c'est Monet ! Il n'y a pas qu'eux sur terre ! Ça continue derrière, faudrait qu'ils se le mettent dans le crâne, ça pousse derrière et ça sert à rien de faire bouchon aux jeunes !* (l. 34-37)
   ....
   ....

TEXTES ET EXPLOITATION

Je sais d'où c'est parti, de pas grand-chose en plus. Il y a dix ans, j'avais rédigé un court texte sur l'écologie. Voilà tout, pas de quoi fouetter un bœuf. [...] Et puis on me prévint qu'il serait lu par Charlotte Gainsbourg à l'inauguration de la COP24 en décembre 2018. Un texte vieux de dix ans ! Remarquez, au train où vont les COP, sans apporter un seul progrès, mes petites lignes restaient encore d'actualité. [...] Il date donc du 7 novembre 2008 :

Nous y voilà, nous y sommes.
Depuis cinquante ans que cette tourmente menace dans les hauts-fourneaux l'incurie de l'humanité, nous y sommes. Dans le mur, au bord du gouffre, comme seul l'homme sait le faire avec brio, qui ne perçoit la réalité que lorsqu'elle fait mal.
Telle notre bonne vieille cigale[1] à qui nous prêtons nos qualités d'insouciance. Nous avons chanté, dansé. Quand je dis « nous », entendons un quart de l'humanité tandis que le reste était à la peine.
Nous avons construit la vie meilleure, nous avons jeté nos pesticides à l'eau, nos fumées dans l'air, nous avons conduit trois voitures, nous avons vidé les mines, nous avons mangé des fraises du bout du monde, nous avons voyagé en tous sens, nous avons éclairé les nuits, nous avons chaussé des tennis qui clignotent quand on marche, nous avons grossi, nous avons mouillé le désert, acidifié la pluie, créé des clones, franchement, on peut dire qu'on s'est bien amusés.
On a réussi des trucs carrément épatants, très difficiles, comme faire fondre la banquise, glisser des bestioles génétiquement modifiées sous la terre, déplacer le Gulf Stream, détruire un tiers des espèces vivantes, faire péter l'atome, enfoncer des déchets radioactifs dans le sol, ni vu ni connu. Franchement on s'est marrés.
Franchement on a bien profité. Et on aimerait bien continuer, tant il va de soi qu'il est plus rigolo de sauter dans un avion avec des tennis lumineuses que de biner[2] des pommes de terre. Certes.
Mais nous y sommes.
À la Troisième Révolution. Qui a ceci de très différent des deux premières (la Révolution néolithique et la Révolution industrielle, pour mémoire) qu'on ne l'a pas choisie.
« On est obligés de la faire, la Troisième Révolution ? » demanderont quelques esprits réticents et chagrins. Oui. On n'a pas le choix, elle a déjà commencé, elle ne nous a pas demandé notre avis. C'est la mère Nature qui l'a décidé, après nous avoir aimablement laissés jouer avec elle depuis des décennies. La mère Nature, épuisée, souillée, exsangue, nous ferme les robinets. De pétrole, de gaz, d'uranium, d'air, d'eau.
Son ultimatum est clair et sans pitié : Sauvez-moi, ou crevez avec moi (à l'exception des fourmis et des araignées qui nous survivront, car très résistantes, et d'ailleurs peu portées sur la danse).
Sauvez-moi, ou crevez avec moi. Évidemment, dit comme ça, on comprend qu'on n'a pas le choix, on s'exécute illico et, même, si on a le temps, on s'excuse, affolés et honteux. D'aucuns, un brin rêveurs, tentent d'obtenir un délai, de s'amuser encore avec la croissance.
Peine perdue. Il y a du boulot, plus que l'humanité n'en eut jamais. Nettoyer le ciel, laver l'eau, décrasser la terre, abandonner sa voiture, figer le nucléaire, ramasser les ours blancs, éteindre en partant, veiller à la paix, contenir l'avidité, trouver des fraises à côté de chez soi, ne pas sortir la nuit pour les cueillir toutes, en laisser au voisin, relancer la marine à voile, laisser le charbon là où il est – attention, ne nous laissons pas tenter, laissons ce charbon tranquille -, récupérer le crottin, pisser dans les champs (pour le phosphore, on n'en a plus, on a tout pris dans les mines, on s'est quand même bien marrés).
S'efforcer. Réfléchir, même. Et, sans vouloir offenser avec un terme tombé en désuétude, être solidaire. Avec le voisin, avec l'Europe, avec le monde.
Colossal programme que celui de la Troisième Révolution. Pas d'échappatoire, allons-y. Encore qu'il faut noter que récupérer du crottin, et tous ceux qui l'ont fait le savent, est une activité foncièrement satisfaisante. Qui n'empêche rien de danser le soir venu, ce n'est pas incompatible. À condition que la paix soit là, à condition que nous contenions le retour de la barbarie, une autre des grandes spécialités de l'homme, sa plus aboutie peut-être.
À ce prix, nous réussirons la Troisième Révolution. À ce prix, nous danserons, autrement, sans doute, mais nous danserons encore.

Vous voyez, il n'y avait pas de quoi casser des briques. Et c'est ainsi, au cœur d'une profonde nuit, que l'idée d'un petit livret du même tonneau me parut tout à fait abordable, et même réjouissante, voire exaltante, si elle pouvait être de quelque modeste utilité.

L'humanité en péril, Fred Vargas, Flammarion, 2019.

1. Allusion à la fable de Jean de la Fontaine « La Cigale et la Fourmi ». 2. retourner la terre pour l'ameublir.

1. a. Lisez l'extrait de l'essai. Qu'est-ce qui justifie la présence du texte de 2008 dans l'ouvrage de 2019 ?
....

b. Quel est le ton du texte de 2008 ? ....

c. L'auteure est-elle vraiment surprise que son texte ait été lu dix ans plus tard à l'inauguration de la COP 24 ? Pourquoi ?
....

d. Relevez des exemples dans le texte correspondant aux problèmes évoqués.

1. La surexploitation des ressources naturelles : ....
2. La pollution de l'air, de l'eau et des sols : ....
3. L'émission de CO_2 due à la recherche de confort et de plaisir : ....
4. La disparition de la biodiversité : ....
5. La création de besoins inutiles : ....

e. Vrai ou faux ? Cochez et justifiez avec des extraits du texte.

1. Fred Vargas reproche aux hommes leur manque d'anticipation. ☐ Vrai ☐ Faux
   Justification : ....
2. Elle pense que chacun est conscient du changement nécessaire. ☐ Vrai ☐ Faux
   Justification 1 : ....
   Justification 2 : ....
3. La nature ne laisse pas d'autre choix à l'Homme que de venir à son secours. ☐ Vrai ☐ Faux
   Justification : ....
4. L'humanité est arrivée à un point de non retour. ☐ Vrai ☐ Faux
   Justification : ....

2. a. Relisez l'extrait de l'essai. Qui précisément Fred Vargas accuse-t-elle dans ce texte : « Quand je dis "nous", entendons un quart de l'humanité tandis que le reste était à la peine. » (l. 11) ? Qui sont les autres à votre avis ?
....

b. À quel insecte Fred Vargas compare-t-elle ceux qu'elle accuse ? Pourquoi ?
....

c. En quoi consiste la Troisième Révolution dont parle l'auteure ? Quelles sont les conditions humaines et politiques pour la réussir ?
....

d. Pour souligner l'ineptie des comportements humains, Fred Vargas utilise l'ironie et le paradoxe. Relevez des exemples.

L'ironie (*2 exemples*)
1. ....
2. ....

Le paradoxe (*3 exemples*)
1. .... 2. .... 3. ....

f. Fred Vargas est-elle pessimiste ou optimiste ?
....

ÉPREUVE D'ENTRAÎNEMENT DALF C1

🎧 Compréhension de l'oral — 25 points

Première partie 🎧 N42 — 18 points

Vous allez entendre deux fois un enregistrement sonore de 6 minutes environ :
– vous aurez tout d'abord 3 minutes pour lire les questions ;
– puis vous écouterez une première fois l'enregistrement ;
– vous aurez ensuite 3 minutes pour répondre aux questions ;
– vous écouterez une seconde fois l'enregistrement ;
– vous aurez encore 5 minutes pour compléter vos réponses.

Pour répondre aux questions, il faudra cocher (x) la bonne réponse ou écrire l'information demandée.

🎧 N42 **Lisez les questions, écoutez le document puis répondez.**

1. Quel est le sujet principal de cette émission sur les villes ? *1 point*
   ☐ a. Leur dimension.
   ☐ b. Leur préservation.
   ☐ c. Leur administration.

2. Qu'a fait Thierry Pacot au cours de ses recherches sur les villes ? *1 point*
   ☐ a. Il a cartographié des territoires sur plusieurs années.
   ☐ b. Il a parcouru la littérature de tout temps sur le sujet.
   ☐ c. Il s'est informé auprès d'architectes du monde entier.

3. Avec quelle position des Nations unies Thierry Pacot est-il en désaccord ? *2 points*
   ....
   ....

4. Que dénonçait Thierry Pacot dans son ouvrage *Désastres urbains* (2 réponses attendues) ? *2 points*
   ....

5. Selon Thierry Pacot, quelles sont les caractéristiques fondatrices d'une ville (2 réponses attendues) ? *2 points*
   ....

6. Que reproche Thierry Pacot à l'enclave résidentielle sécurisée ? *2 points*
   ....

7. Qu'explique Thierry Pacot sur la décroissance et les mégalopoles ? *1 point*
   ....
   ....

8. À quel phénomène sur les villes s'intéresse-t-on à partir des années 90 ? *2 points*
   ☐ a. La relation entre leur richesse et leur taille.
   ☐ b. Leur autonomie alimentaire et énergétique.
   ☐ c. L'origine de l'exode urbaine de leurs habitants.

9. Pour Thierry Pacot, l'inquiétude écologique implique de… *1 point*
   ☐ a. repenser le rapport urbain-rural.
   ☐ b. reconsidérer ses relations à l'autre.
   ☐ c. réinventer la mobilité dans les villes.

10. Quelle réorganisation propose Thierry Pacot ? *2 points*
    ....

11. Pour Thierry Pacot, qu'apporte le concept de bio-régionalisme ? 2 points
....

Deuxième partie 🎧 43 et 44 **7 points**

> Vous allez entendre une seule fois deux courts extraits radiophoniques.
>
> Pour chacun des extraits :
> – vous aurez 50 secondes pour lire les questions ;
> – puis vous écouterez l'enregistrement ;
> – vous aurez ensuite 50 secondes pour répondre aux questions.

DOCUMENT 1

🎧 43 Lisez les questions, écoutez le document puis répondez.

1. Quel est le but des sites mentionnés dans l'émission ? 1 point
☐ a. Faciliter l'échange d'objets.
☐ b. Réparer des objets abîmés.
☐ c. Proposer des objets gratuits.

2. Selon Valère Corréard, qu'est-ce qui permet l'expansion de ce type de sites ? 1 point
....

3. Qu'explique Sophie Nass à propos des utilisateurs de ces sites ? 1 point
☐ a. Ils interviennent auprès des plus démunis.
☐ b. L'environnement est secondaire pour eux.
☐ c. Leur profil s'est transformé au fil du temps.

4. Quelle opinion exprime Sophie Nass au sujet de donnons.org ? 1 point
☐ a. Il est primordial de proposer des objets de qualité.
☐ b. Il convient de se montrer tolérants avec les revendeurs.
☐ c. Il faut encourager les programmes d'emploi de réinsertion.

DOCUMENT 2

🎧 44 Lisez les questions, écoutez le document puis répondez.

1. Quel sujet traite cette émission ? 1 point
☐ a. La transparence du journalisme.
☐ b. L'omniprésence de l'information.
☐ c. La raison d'être de certains médias.

2. Selon Lise Verbeke, que souhaite le journal *Le Monde* ? 1 point
☐ a. Conquérir un nouveau type de public.
☐ b. Promouvoir les abonnements en ligne.
☐ c. Proposer des formations aux étudiants.

3. Que recommande Sébastien Rochat aux élèves ? 1 point
☐ a. De signaler les contenus choquants sur Internet.
☐ b. D'apprendre à varier leur source d'informations.
☐ c. De s'intéresser à la gestion des revenus d'un média.

ÉPREUVE D'ENTRAÎNEMENT DALF C1

Compréhension des écrits — 25 points

Lisez le texte puis répondez aux questions.

Avons-nous trop d'attentes vis-à-vis de notre travail ?

Les jeunes actifs entretiennent un rapport ambigu à la question du travail. D'un côté celui-ci cristallise beaucoup d'attentes et d'investissement. D'un autre côté, les jeunes paraissent de moins en moins enclins à accepter n'importe quel emploi, encore moins à lui consacrer toute leur énergie.

Le travail est aujourd'hui porteur de nombreuses questions et de souffrances. Le stress au travail est devenu une véritable préoccupation pour les salariés, les entreprises, et même l'État, puisqu'il coûterait chaque année environ 3 % du PIB français. Au désormais bien connu burn-out (épuisement professionnel), on peut ajouter le bore-out (épuisement par l'ennui) ou encore le brown-out (perte de sens). Enfin, le tableau ne serait pas complet sans les troubles dont témoignent de nombreux chômeurs et retraités : même l'absence de travail est une source de souffrance.

Pourtant, dans la société actuelle, le travail est ce qui nous définit, à nos propres yeux et à ceux des autres. Il nous procure la capacité d'avoir ce qu'il faut pour vivre et exister socialement. Il nous donne une raison d'être. C'est ce qu'illustre un sondage Deloitte-Viadéo datant de 2017 : le sens du travail est une préoccupation pour 87 % des salariés interrogés, d'autant qu'ils sont 56 % à affirmer qu'il se dégrade.

Selon les classes sociales, les niveaux de rémunération, les types d'emplois, etc., on ne met pas nécessairement la même idée derrière le terme de « sens ». Mais ce qui est clair, c'est que c'est par le travail qu'on attend d'être reconnu par les autres, de se rendre utile à la collectivité et de se sentir valorisé. Autrement dit, le « faire » (ce en quoi consiste notre travail), l'« être » (comment il nous définit) et l'« avoir » (les biens et les droits auxquels il nous permet de prétendre) se confondent. Et cela ne va pas sans poser de problèmes. La crainte de perdre en « être » et en « avoir » peut empêcher de quitter un emploi aliénant ou absurde. De nombreux travailleurs consacrent ainsi toute leur énergie dans des tâches qu'ils détestent et qui les font souffrir. [...] Ce phénomène touche de nombreux jeunes actifs, réduits à enchaîner les stages sans intérêt ou à accepter un emploi pour lequel ils sont surqualifiés. Ce n'est pas seulement la peur du chômage qui les anime, mais un sincère désir de bien faire et d'être ainsi reconnu par la société, leurs collègues et leurs supérieurs.

À l'inverse, on assiste à un retour en force des métiers de l'artisanat, notamment auprès de jeunes cadres, c'est-à-dire à une revalorisation du faire. Contre la taylorisation des tâches, à l'usine comme au bureau, ils désirent se livrer au quotidien à des gestes qui ont un sens pour eux. On retrouve un désir similaire dans les activités de « semi-loisir » que sont le jardinage, le tricot, le bricolage, ou encore dans la bonne santé du bénévolat en France. Au-delà de la rémunération, tout se passe comme si on ne pouvait se « sentir être » autrement qu'en faisant quelque chose : ne rien faire, c'est n'être rien.

Le travail comme seul horizon

Que le « faire », l'« être » et l'« avoir » s'entremêlent dans le travail nous paraît évident. Or ce n'est pas le cas, ne serait-ce que parce qu'il n'en a pas toujours été ainsi. On peut même y voir une des causes des « nouvelles » maladies professionnelles : le travail, aujourd'hui, est surinvesti par rapport aux autres aspects de la vie. Peut-être attendons-nous trop de choses de notre travail. Par exemple qu'il nous « réalise », qu'il nous « émancipe ».

Avant le XIXe siècle, on ne considérait le travail que comme l'une des possibilités de « civiliser » la nature : c'était aussi le rôle de « l'art, la religion, la morale, les institutions, la politique, le raisonnement, le savoir », c'est-à-dire de la culture dans toute sa diversité. Depuis deux siècles seulement, cette diversité s'est réduite. L'art et la politique se sont professionnalisés ; pour avoir de la valeur, le savoir doit être utile ; la religion et la morale sont considérées en Occident comme des « vieilleries » ; les institutions ont perdu de leur prestige...

En considérant que tout est travail, et que le travail est la source de notre salut, on a abouti à priver l'être humain de tout autre lieu de réalisation. Les étudiants désirent savoir à quoi vont leur servir les matières qui n'ont pas d'utilité technique immédiate (la philosophie, la littérature, les mathématiques théoriques, etc.). Le temps est divisé entre la production et le divertissement, sans laisser aucune place à l'intériorité, à l'intimité, d'un côté ; à la politique, à la culture dans sa dimension collective, de l'autre.

Vers la fin du travail ?

D'où une question d'une brûlante actualité : si nous sommes à l'aube d'une nouvelle ère où nous n'aurons plus besoin de travailler parce que les machines s'en chargeront à notre place, ainsi que nous le promettent les « évangélistes » de la Silicon Valley, devons-nous l'appeler de nos vœux, ou plutôt la craindre ? L'idée d'un revenu universel, portée par les libertariens américains et popularisée par Benoît Hamon lors de sa campagne pour les élections présidentielles, ou bien celle d'un salaire à la qualification plutôt qu'à l'emploi (théorisée par Bernard Frio) semblent avoir un certain écho auprès des jeunes. Ces propositions vont dans le sens d'une déconnexion entre le faire, l'être et l'avoir. L'individu ne serait plus contraint de louer sa force de travail, mais serait libre de faire ce qu'il aime, de trouver son propre lieu de réalisation sans être culpabilisé (au contraire des chômeurs ou des retraités d'aujourd'hui).

Une autre possibilité serait la réduction drastique de la durée hebdomadaire du travail, ou encore l'augmentation du nombre de jours de congés. Chacun ferait une partie du travail collectif et bénéficierait de plus de temps pour se livrer à ses activités préférées. Le travail pourrait ainsi rester une activité ayant du sens, mais ne serait plus la seule.

Toutefois, notre société est si profondément structurée par le travail qu'il n'est pas impossible que nous en libérer nous plongerait dans l'apathie, et nous livrerait pieds et poings liés au consumérisme effréné. Il me paraît néanmoins que l'oisiveté, comme toutes choses, peut s'apprendre.

Thomas Schauder, lemonde.fr, 16 octobre 2019.

1. Dans cet article, l'auteur... 2 points
   ☐ a. défend les valeurs liées au travail.
   ☐ b. interroge notre rapport au travail.
   ☐ c. dénonce les inégalités au travail.

2. Vrai ou faux ? Choisissez la bonne réponse et recopiez la phrase ou une partie du texte qui justifie votre réponse. 6 points
   (3 points si le choix V / F et la justification sont corrects, sinon aucun point ne sera attribué.)
   a. Les jeunes travailleurs ont de moins en moins d'ambition professionnelle. ☐ Vrai ☐ Faux
   Justification : ....
   b. Le mal-être généré par le travail épargne les personnes non actives. ☐ Vrai ☐ Faux
   Justification : ....

3. Qu'explique l'auteur au sujet du « sens » du travail ? 2 points
   ☐ a. Il évolue au gré du temps.
   ☐ b. Il varie d'un groupe à l'autre.
   ☐ c. Il est incompris par les jeunes.

4. Que dit l'auteur à propos des jeunes travailleurs ? 2 points
   ☐ a. Ils sont fréquemment au chômage.
   ☐ b. Ils sont en quête de reconnaissance.
   ☐ c. Ils craignent les postes à responsabilités.

5. Quel phénomène observe-t-on chez certains jeunes cadres ? 2 points
   ☐ a. Ils se reconvertissent vers des professions manuelles.
   ☐ b. Ils ont l'ambition d'évoluer au sein de leur entreprise.
   ☐ c. Ils se plaignent du manque de reconnaissance salariale.

6. Comment l'auteur explique-t-il l'apparition des nouvelles maladies professionnelles ? Reformulez avec vos propres mots. 3 points
   ....
   ....
   ....

7. Qu'est-ce que l'évolution de la relation au travail a modifié pour les étudiants ? 2 points
   ☐ a. Leur ordre des priorités.
   ☐ b. Leur regard sur la société.
   ☐ c. Leur détermination à réussir.

8. Pour l'auteur, quelles initiatives permettraient un plus grand épanouissement de l'individu au travail ? Citez-en deux. 3 points
   ....

9. Vrai ou faux ? Choisissez la bonne réponse et recopiez la phrase ou une partie du texte qui justifie votre réponse. 3 points
   (3 points si le choix V / F et la justification sont corrects, sinon aucun point ne sera attribué.)
   Selon l'auteur, la transformation de notre rapport au travail nous permettra de devenir des consommateurs responsables. ☐ Vrai ☐ Faux
   Justification : ....

ÉPREUVE D'ENTRAÎNEMENT DALF C1

Production écrite — 25 points

Durée : 2 h 30

Épreuve n° 1 : synthèse de documents — 13 points

Vous ferez une synthèse des documents proposés, en 220 mots environ. Pour cela, vous dégagerez les idées et les informations essentielles qu'ils contiennent, vous les regrouperez et les classerez en fonction du thème commun à tous ces documents, et vous les présenterez avec vos propres mots, sous forme d'un nouveau texte suivi et cohérent.

Attention :
- vous devez rédiger un texte unique en suivant un ordre qui vous est propre, et non mettre deux résumés bout à bout ;
- vous ne devez pas introduire d'autres idées ou informations que celles qui se trouvent dans les documents, ni faire de commentaires personnels ;
- vous pouvez bien entendu réutiliser les mots-clefs des documents, mais non des phrases ou des passages entiers.

200 à 240 mots

Règle de décompte des mots : est considéré comme mot tout ensemble de signes placés entre deux espaces (« c'est-à-dire » = 1 mot ; « un bon sujet » = 3 mots ; « je ne l'ai pas vu depuis avant-hier » = 7 mots).

Attention : le respect de la consigne de longueur fait partie intégrante de l'exercice (fourchette acceptable donnée par la consigne). Dans le cas où la fourchette ne serait pas respectée, on appliquera une correction négative : 1 point de moins par tranche de 20 mots en plus ou en moins.

DOCUMENT 1

Non, il ne faut pas combattre la « fracture numérique »

[...] Bien que contestée par la plupart des chercheurs, la notion de « fracture numérique » revient fréquemment dans le débat public. L'emploi abusif de cette expression est loin d'être sans conséquence. C'est ce que nous démontrons à l'issue de l'exploration Capital numérique, une étude qui s'est intéressée aux pratiques numériques d'habitants de quartiers prioritaires.

Parler de fracture numérique, c'est adopter une vision simpliste, binaire et donc tronquée de la réalité. Il y aurait d'un côté des inclus et de l'autre des exclus. Pourtant, le manque de sensibilisation aux enjeux de la société numérique est généralisé. Comprendre pourquoi il faut maîtriser ses traces sur Internet, son identité numérique, protéger sa confidentialité, et être ensuite capable de le faire. Ce sont autant d'actions qui dépassent tous les Français, alors même que leurs pratiques numériques ne cessent de se diversifier, y compris dans les classes populaires.

Les habitants des quartiers « Politique de la ville » que nous avons rencontrés au cours de l'étude Capital numérique ne sont pas en reste. Facebook, Snapchat ou WhatsApp sont utilisés tant pour communiquer, s'informer que pour apprendre au quotidien, même par des personnes ne sachant ni lire ni écrire. Certains habitants rencontrés se rendent sur YouTube pour apprendre le français. Est-ce à dire que ces habitants ne rencontrent pas de difficultés quand ils ont recours à certains services numériques ? Non, évidemment. Mais leurs difficultés ne sont pas celles que l'on croit. Rémi, 24 ans, né en France, ne parvient pas à retrouver ses mots de passe ni à accéder à ses nombreuses boîtes mails sur son smartphone. Pourtant, il utilise tout aussi bien sa PlayStation 4 pour jouer que pour accéder à des services en ligne comme Netflix. Ce qui est le plus bloquant pour lui, c'est d'être isolé. Il ne travaille pas et a peu d'amis : il a un usage très occasionnel des mails et des messageries instantanées. Pour Makatouch, travailleur migrant de 37 ans, ce n'est pas son réseau de sociabilités qui pose problème. Il cumule deux activités professionnelles et vient de lancer une chaîne YouTube proposant une actualité différente sur son pays d'origine. Pourtant, il a besoin d'aide pour demander le renouvellement de son titre de séjour en ligne. Sa principale difficulté, c'est de lire et écrire en français.

Parler de fracture numérique, c'est pointer du doigt un mal que seules des solutions numériques seraient à même de soigner. Mais ce n'est pas le numérique qui renforcera la confiance de Rémi et Makatouch en eux-mêmes, et encore moins à l'égard des institutions. Même constat avec des collégiens et collégiennes de 9 à 14 ans. Pour eux qui maîtrisent Wikipédia mais ne voient son utilité que dans un cadre scolaire (comme le dictionnaire), les difficultés ne sont pas d'ordre numérique. Elles tiennent d'abord au rapport à l'école et à l'information. [...] Pour espérer y répondre, on ne peut pas se contenter de distribuer des tablettes dans les collèges. On ne peut pas agir en surface.

Parler de fracture numérique, c'est donc essentialiser les difficultés et supposées lacunes des personnes sans interroger les mécanismes de leur (re)production. On place les dysfonctionnements du côté des utilisateurs, pour lesquels on déploie des programmes d'« inclusion » et de « pédagogie », sans s'intéresser à la façon dont les services, interfaces et dispositifs d'accompagnement numérique sont conçus. Prennent-ils en compte les situations des personnes ? Répondent-ils à leurs besoins ?

Prenons l'exemple de la dématérialisation. Loin de simplifier les démarches administratives, elle numérise leur complexité. L'écrit est toujours prépondérant, le langage administratif, complexe, et les interfaces peu ergonomiques. Cette numérisation-là, doublée d'une fermeture progressive des guichets d'accueil physiques, génère de la solitude et de l'anxiété pour des millions de citoyens qui ont besoin d'être rassurés. Avec pour conséquence le non-recours à leurs droits. [...]

Taoufik Vallipuram, liberation.fr, 29 décembre 2019.

DOCUMENT 2

L'accès aux technologies et leur maîtrise, premier facteur d'exclusion

Aujourd'hui, ne pas savoir se servir d'un ordinateur pour chercher un emploi ou même remplir un formulaire pour accéder aux aides sociales est une véritable barrière.

Si le numérique peut aider à accéder à l'emploi, ne pas en maîtriser les bases peut aussi être lourdement pénalisant dans le monde du travail. En la matière, la première des inégalités créée par l'ordinateur, le smartphone et Internet est celle qui sépare les « initiés » des autres.

Aujourd'hui, ne pas savoir se servir d'un ordinateur pour chercher un emploi ou même remplir un formulaire pour accéder aux aides sociales est une véritable barrière. Or, on estime qu'en France 12 % de la population ne se connecte jamais à Internet. Selon l'Organisation de coopération et de développement économiques (OCDE), parmi la population adulte des pays membres, une personne sur deux est incapable de mener à bien une tâche aussi simple que de surfer sur le Web (« Policy Brief on the Future of Work. Skills for a Digital World », 2016).

« Peur de casser l'ordinateur »

Jen Schradie, chercheuse à l'Institut d'études avancées (IEA) de Toulouse, travaille depuis une dizaine d'années sur le sujet. « Utiliser les technologies numériques apparaît compliqué parce qu'il y a sans cesse de nouvelles applications, de nouveaux appareils, de nouveaux logiciels, et que c'est intimidant pour beaucoup de personnes, souligne-t-elle. Beaucoup de gens issus de milieux populaires, au cours de mes enquêtes, disent que le digital, ce n'est pas eux. Une personne m'a dit un jour qu'elle n'osait pas utiliser son ordinateur de peur de le casser. »

Ce à quoi il faut ajouter un aspect financier, rappelle la chercheuse : « Certains ont un ordinateur pour toute la famille, et ils ne peuvent avoir accès à Internet que rarement. S'il faut se serrer la ceinture financièrement, on peut aussi renoncer à payer un accès à Internet. Et si l'ordinateur tombe en panne, il ne sera pas réparé. »

Enfin, le facteur temps pèse dans la balance. Difficile de pianoter sur son smartphone lorsque l'on est ouvrier, cuisinier ou posté derrière une caisse toute la journée. « Tout cela rend l'accès au digital bien plus difficile, assure Jen Schradie. Et puis, dans le contexte actuel, particulièrement aux États-Unis, la crainte de poster des propos qui seront mal perçus, ou qui peuvent mener à la perte d'emploi, est forte également. »

Béatrice Madeline, lemonde.fr, 1er juillet 2018.

Épreuve n° 2 : essai argumenté — 12 points

Suite à l'annonce du programme de réduction de la fracture numérique par le gouvernement, vous proposez votre contribution sous forme d'une lettre ouverte au ministre de l'Éducation et de la Recherche. En tant que membre d'une association, vous présentez votre point de vue sur cette question. Conscient des effets positifs de ce programme, vous en présentez également les limites. Vous insistez sur les problèmes de fond que ce programme soulève et vous proposez des solutions pour réduire efficacement cette fracture.

250 mots minimum

ÉPREUVE D'ENTRAÎNEMENT DALF C1

Production orale — 25 points

Cette épreuve se déroulera en deux temps.

Préparation : 60 minutes
Passation : 30 minutes environ

1. Exposé avec préparation — 8 à 10 minutes

À partir des documents proposés, vous préparerez un exposé sur le thème indiqué, et vous le présenterez au jury. Votre exposé présentera une réflexion ordonnée sur ce sujet. Il comportera une introduction et une conclusion et mettra en évidence quelques points importants (3 ou 4 maximum).

Attention : les documents sont une source documentaire pour votre exposé. Vous devez pouvoir en exploiter le contenu en y puisant des pistes de réflexion, des informations et des exemples, mais vous devez également introduire des commentaires, des idées et des exemples qui vous sont propres afin de construire une véritable réflexion personnelle. En aucun cas, vous ne devez vous limiter à un simple compte rendu des documents.

L'usage de dictionnaires monolingues français / français est autorisé.

2. Entretien sans préparation — 15 à 20 minutes

Le jury vous posera ensuite quelques questions et s'entretiendra avec vous à propos du contenu de votre exposé.

SUJET

THÈME DE L'EXPOSÉ :
Doit-on arrêter de consommer ?

DOCUMENT 1

« Black Friday » ou la honte du shopping

Face à la grand-messe consumériste du « Vendredi noir », des initiatives, tel le « Vendredi équitable », poussent les adeptes du bon plan à acheter « responsable ». Une bonne conscience pour pas cher ?*

[…] Majoritairement d'origine nord-américaine, de nouvelles mythologies commerciales d'importation se sont développées en France ces dernières années. Apparu en 2013 chez nous, le Black Friday (parfois dénommé « Vendredi noir » ou « XXL »), journée de promotions monstres qui aura lieu vendredi 29 novembre, en est le principal emblème. Savamment mise en scène, cette grand-messe consumériste, qui devrait générer cette année 5,9 milliards d'euros de dépenses (étude RetailMeNot), contribue à entretenir ce que le sociologue Razmig Keucheyan nomme « les besoins artificiels ».

Si elle s'accompagne pour certains de l'angoisse de « rater le bon plan » (oui, ce magnifique extracteur de jus à – 75 %), elle génère aussi un écœurement croissant, comme si elle était le signe ultime que notre civilisation marche sur la tête. En effet, pourquoi investir dans un énième pantalon quand, d'après une étude de l'Agence européenne de l'environnement, près d'un tiers de la garde-robe des Européens n'a pas été sorti du placard depuis au moins un an ? « J'ai de plus en plus de mal à aller faire du shopping alors que les trottoirs sont remplis de SDF qui n'ont même pas le strict nécessaire pour vivre », confie Damien, un communicant de 35 ans, qui, cette année, boycottera le Black Friday.

[...] Forgerons linguistiques, les Suédois ont fabriqué un mot pour qualifier cet état d'âme émergent : le « *köpskam* ». Soit la honte (*skam*) de faire des achats (*köp*). Construit sur le même mode que « *flygskam* » (la honte de prendre l'avion), ce néologisme s'applique en premier lieu à l'industrie de la mode, montrée du doigt pour ses impacts environnementaux et sociaux négatifs. D'après une étude des Nations unies, la confection d'un simple jean nécessiterait 7 500 litres d'eau, soit ce que boit en moyenne un humain durant sept ans.

Le *köpskam* a-t-il d'ores et déjà des effets en France ? S'il est difficile d'établir un lien précis entre un sentiment diffus et des comportements de consommation aux motivations multifactorielles, on peut néanmoins noter que le marché de l'habillement a connu en 2018 un recul de 2,9 % de ses ventes, selon l'Institut français de la mode, baisse qui se confirmait au premier semestre 2019. Autre indice : le boom du marché de la seconde main. Si la honte ne constitue pas toujours un levier durable pour réorienter les conduites et peut parfois générer des comportements de dissimulation un brin puérils (selon l'IFOP, 22 % des Français se cachent pour manger de la « mal bouffe »*), elle est aujourd'hui prise très au sérieux dans les stratégies marketing.

Dénonçant « une journée infernale de surconsommation imposée par le marché », 80 marques se sont associées cette année [...] pour encourager les consommateurs à faire le tri dans leurs affaires, réparer, donner, recycler. « Nous avons l'intime conviction que consommer, c'est voter », argumente le collectif, se rangeant sous l'étendard de l'achat vertueux et raisonné [...].

Nicolas Santolaria, lemonde.fr, 26 novembre 2019.

*en anglais dans le texte.

DOCUMENT 2

Black Friday : savoir dire non

Alain Souchon a déjà tout dit dans sa magnifique chanson ; « Foule sentimentale » : « On nous fait croire / Que le bonheur c'est d'avoir / De l'avoir plein nos armoires / Dérision de nous, dérisoire ». Et quoi de plus dérisoire en effet que cette débauche de publicités, promesses de rabais monstres, qui ont annoncé hier ce « black Friday », marketing-roi pour vendre n'importe quoi à un maximum de gens, hors de toute nécessité, puisque tout est fait pour nous créer des besoins artificiels. Cette folie consumériste, qui voit des foules se ruer sur n'importe quoi et parfois en venir aux mains, devrait générer cette année 5,9 milliards d'euros de dépenses. Comme si cette mode, venue des États-Unis, visait à contrecarrer les critiques contre une société de consommation qui cherche à vous pressuriser un peu plus par des super soldes. Mais il y a aussi les questions climatiques qui se posent désormais, d'où le « greenwashing », cette façon de repeindre en vert la consommation.

Hier, en bloquant les accès d'un centre logistique d'Amazon, une cinquantaine de militants d'Action non violente-COP21 et des Amis de la Terre ont donné le coup d'envoi des mobilisations contre la surconsommation du Black Friday. Car la pieuvre Amazon, pour un chiffre d'affaires équivalent à Fnac-Darty, paie moitié moins d'impôts en France. Et pour chaque emploi créé chez Amazon, 2,2 emplois sont détruits dans le commerce traditionnel.

Vous connaissez l'obsolescence programmée, cette stratégie industrielle visant à produire des objets ayant une durée de vie limitée, si possible dès la fin de la garantie, dans le but de nous pousser à racheter ? Mais savez-vous que la garantie légale de conformité permet à tout consommateur d'obtenir pendant deux ans, la réparation ou le remplacement de son bien en cas de défaut ? Un amendement permettant d'allonger de 6 mois la garantie pour les consommateurs qui optent pour la réparation. Car nous marchons sur la tête. Au moment où la crise écologique devrait nous conduire à envisager une limitation de nos ressources, cette grande messe de la consommation pousse au « toujours plus », alors qu'au contraire, il faudrait un plan de décélération de la consommation pour lutter contre le gaspillage des ressources : pourquoi investir dans un énième pantalon quand, d'après une étude de l'Agence européenne de l'environnement, près d'un tiers de la garde-robe des Européens n'a pas été sorti du placard depuis au moins un an ? Le moyen le plus efficace et le plus responsable de gagner en pouvoir d'achat ne serait-il pas de consommer moins... mais mieux ? Vous renouvelez votre garde-robe ? Misez sur des vêtements de qualité, en matières écologiques et solides, que vous aimerez plus longtemps.

Jean-Marcel Bouguereau, marianne.net, 3 décembre 2019.

ÉPREUVE D'ENTRAÎNEMENT DALF C2

 Compréhension et production orales — 50 points

Préparation : 1 heure après les deux écoutes – Passation : 30 minutes

- Vous allez entendre deux fois un enregistrement de 15 minutes environ.
- Vous écouterez une première fois l'enregistrement. Concentrez-vous sur le document. Vous êtes invité(e) à prendre des notes.
- Vous aurez ensuite 3 minutes de pause.
- Vous écouterez une seconde fois l'enregistrement.
- Vous aurez alors une heure pour préparer votre intervention.
- Cette intervention se fera en trois parties :
  - présentation du contenu du document sonore ;
  - développement personnel à partir de la problématique proposée dans la consigne ;
  - débat avec le jury.

L'usage de dictionnaires monolingues français / français est autorisé.

1. Monologue suivi : présentation du document — 5 à 10 minutes

Vous devez présenter, en 5 à 10 minutes, le contenu du document. Vous aurez soin de reprendre l'ensemble des informations et points de vue exprimés dans un ordre et selon une structure logique et efficace qui faciliteront l'écoute pour le destinataire.

2. Monologue suivi : point de vue argumenté — 10 minutes environ

SUJETS AU CHOIX

Le jury tient le rôle de modérateur du débat.

SUJET 1

En tant que représentant d'une association de parents d'élèves en France, vous participez à un débat sur le rôle de la nature dans le développement cognitif de l'enfant. Vous expliquez les bénéfices que peuvent apporter les activités à l'air libre pour l'enfant, tant dans le cadre privé que scolaire. Vous insistez notamment sur les limites des établissements trop fermées et des pédagogies traditionnelles. Vous proposez des pistes pour introduire des projets impliquant les différents acteurs de la communauté éducative.

SUJET 2

En tant que professeur dans un établissement francophone, vous participez à une conférence sur l'enfant et la nature. Même si vous êtes conscient des bienfaits de la nature sur les élèves, vous présentez les priorités qui sont les vôtres en tant qu'enseignant. Vous expliquez vos réticences face aux sorties scolaires en extérieur, tant en termes de responsabilités que d'organisation. Vous soulignez les adaptations et les moyens à mettre en œuvre pour permettre à l'institution scolaire et à ses enseignants de faire évoluer leurs pratiques dans ce domaine.

Quel que soit le sujet choisi, vous aurez soin de présenter, en une dizaine de minutes, idées et exemples pour étayer vos propos, et d'organiser votre discours de manière élaborée et fluide, avec une structure logique et efficace qui aidera le destinataire à remarquer les points importants.

3. Exercice en interaction : débat — 10 minutes environ

Dans cette partie, vous débattrez avec le jury. Vous serez amené(e) à défendre, nuancer, préciser votre point de vue et à réagir aux propos de votre interlocuteur / interlocutrice.
Vous ne disposez pas de temps de préparation pour cet exercice.

Compréhension et production écrites — 50 points

DOSSIER
Comment repenser la mobilité ?

Lisez les documents suivants.

DOCUMENT 1

« Le maître mot, c'est anticiper » : comment des citadins ont appris à se passer de leur véhicule

Comme Caroline ou Hervé, ils sont nombreux à vouloir changer de comportement en matière de mobilité, pour des raisons écologiques ou économiques.

Elle en parle comme d'un sevrage, une dépendance dont il est difficile de se défaire. La voiture, Caroline Babilotte en a longtemps été accro. « Je l'utilisais pour tout, je ne faisais plus rien à pied », raconte cette Lilloise de 47 ans [...]. Puis l'idée a commencé à lui trotter dans la tête qu'il était temps de changer ses habitudes, tant il lui paraissait de plus en plus « ridicule » de prendre la voiture pour des trajets courts – surtout quand on dispose d'au moins quatre lignes de bus en bas de chez soi. Elle a donc laissé sa voiture au garage. Histoire de tester.

Caroline Babilotte fait partie des quarante participants du défi « un mois sans ma voiture », organisé dans la Métropole européenne de Lille, du 14 octobre au 12 novembre, par Ilévia, le réseau de transports en commun. Une opération déjà lancée à Bordeaux, Dijon et Aix-Marseille, visant à « impulser un changement progressif des comportements en matière de mobilité » et « réduire ainsi l'usage de la voiture individuelle ».

Alors que l'automobile occupe toujours une place centrale dans le quotidien des Français – 70 % l'utilisent pour aller travailler, selon l'Insee, quand seulement 16 % empruntent les transports collectifs, 7 % marchent et 4 % se déplacent en deux-roues –, ces participants partagent la certitude que le tout-voiture, du moins en ville, appartient à une époque révolue.

Trois quarts d'heure dans les bouchons le matin

Renoncer à sa voiture pour les déplacements du quotidien relève souvent, d'abord, d'un calcul : qu'ai-je à gagner ou à perdre en utilisant les différents moyens de transport à ma disposition ? D'un côté, les embouteillages, les ennuis de stationnement, le budget voiture – 223 euros par mois en moyenne, selon un sondage Ipsos paru en octobre ; de l'autre, les transports collectifs, souvent décrits comme sous-dimensionnés, avec leurs contraintes horaires et leur lot d'aléas (pannes, incidents, grèves, etc.). [...]

Pour cette chef de projet en formation, la motivation est aussi écologique, alors que Lille est régulièrement présentée comme l'une des villes les plus polluées de France, en raison de sa position de carrefour autoroutier européen. [...]

Passer aux véhicules électriques

Se défaire de la voiture fait partie d'un « cheminement, un changement de vie en douceur », confie, pour sa part, Hervé Bounoua, 48 ans, médecin à Lille [...] : « Cela va avec notre façon de consommer. En famille, on essaie de plus en plus de manger bio et local, de donner une deuxième vie aux objets, de voyager en train pendant les vacances. Aujourd'hui, on envisage de ne garder qu'une voiture, qui sera électrique. Demain, on arrivera peut-être à s'en passer complètement. »

Depuis le « mois sans ma voiture », Hervé Bounoua s'est converti au vélo électrique. Il évoque cette satisfaction nouvelle d'appartenir à une « communauté de cyclistes, soucieux de l'environnement et du bien-être ». [...]

Espace urbain et changement climatique

À Metz, Élisabeth Parizel, 60 ans, ne va pas jusqu'à faire sa lessive elle-même. Si elle s'est portée volontaire pour participer au « mois sans ma voiture » organisé par Metz métropole, du 13 septembre au 11 octobre, c'est surtout pour aller dans le sens de l'histoire. Habitant dans l'hypercentre, cette médecin hospitalière assiste depuis plusieurs années au boom des vélos et des stations de voitures en autopartage, à la transformation de l'espace urbain, autrefois pensé pour la voiture, faisant aujourd'hui la part belle aux piétons et aux deux-roues. [...]

Pendant un mois, il a fallu rompre avec des habitudes bien ancrées. « Le maître mot, c'est anticiper : où je vais, comment, combien de temps ça va me prendre ? », explique Élisabeth Parizel, qui travaille dans deux hôpitaux, à Metz et Thionville. « Quand il fait beau, c'est le vélo. Quand il pleut, c'est le tramway. Après des réunions tardives, il m'arrive d'utiliser des voitures en autopartage. Avec cette opération, j'ai pu expérimenter toutes les alternatives. » Bientôt, elle et son mari se sépareront d'une voiture, estimant « presque indécent » de posséder deux voitures dans leur situation : « On ne peut plus se comporter ainsi dans notre société ! »

Des disparités d'usage selon le territoire

Si ces citadins sont convaincus qu'on peut se passer de sa voiture personnelle au centre d'une agglomération, ils ont conscience que cette possibilité se réduit au fur et à mesure qu'on s'en éloigne. À Metz toujours, Karine Léveillé, conseillère mobilité pour l'association Wimoov, a testé le « mois sans ma voiture » alors qu'elle se déplace régulièrement aux quatre coins de la Moselle. Résultat : certains lieux, les plus ruraux, sont impossibles d'accès. « Si je ne trouvais pas de covoiturage pour m'y rendre, je me résolvais au télétravail et aux rendez-vous téléphoniques. »

Une expérience qui témoigne de cette « fracture territoriale marquée » qu'évoque le sociologue Hervé Marchal, spécialiste des mobilités urbaines : « D'un côté, la voiture est en recul dans le centre des métropoles. De l'autre, elle est le seul moyen de transport possible pour les habitants de la France périurbaine et rurale. » La proportion de personnes utilisant la voiture pour aller travailler passe ainsi de 10 % à Paris à 85 % dans les départements les plus reculés, selon l'Insee.

Même là où les alternatives existent, la voiture garde tout son attrait pour beaucoup. « Cocon », « sas de décompression », « temps à soi », « solution de facilité », « zone de confort »... les participants aux défis du « mois sans ma voiture » racontent aussi la difficulté à se déshabituer de ce moyen de déplacement pas comme les autres. « La voiture est une extension de son habitat, un endroit où on aime se retrouver, un temps tout à fait apprécié dès lors que les conditions sont favorables », observe Hervé Marchal. Elle est aussi le symbole par excellence de « l'indépendance et de la liberté », comme le souligne Karine Léveillé qui, à l'avenir, compte en limiter son usage. Finalement, les citadins prêts à s'en passer, bien qu'encore minoritaires, sont 32 % à vouloir franchir le pas, selon un sondage IFOP publié en avril.

Aurélie Collas, lemonde.fr, 26 novembre 2019.

ÉPREUVE D'ENTRAÎNEMENT DALF C2

DOCUMENT 2

Mobilités : la voiture s'accroche à sa place

Le Mondial de l'auto reste très attractif, même si la toute puissance de l'automobile a dû reculer dans les centres-villes. Il est vrai que le désir de mobilité individuelle résiste fortement.

Le Mondial de l'auto, qui ouvre ce jeudi ses portes au grand public à la porte de Versailles, à Paris, est une grande fête populaire et paradoxale : chassée des hypercentres saturés de trafic et d'échappements nocifs, la voiture reste reine des trajectoires en tout autre point du territoire. […]

Car sur ce sujet sensible, passionnel et finalement très personnel, chaque individu a un rapport intime à la mobilité. Selon la situation géographique, sociale ou culturelle dans laquelle il se trouve, l'approche de ce temps quotidien consacré au déplacement, de ces « voyages » choisis ou non, s'avère radicalement différente. Si le sujet est sensible, c'est qu'il touche notre sphère intime et l'une de nos libertés fondamentales, celle de circuler librement et individuellement. C'est en grande partie pour cette raison que les décisions politiques sur ces sujets s'avèrent toujours délicates. La privatisation des autoroutes en son temps, l'écotaxe poids lourds ou plus récemment la limitation de vitesse à 80 km/h ont fortement heurté la sensibilité des Français les plus concernés. Des Trente Glorieuses aux années 90, les politiques de transport que l'on ne nommait pas encore mobilité, se résumaient dans les faits à favoriser le « tout voiture ».

Apothéose

Cette politique était complétée par l'exploitation d'un solide réseau ferré hérité de la fin du XIXe siècle. Celui-ci irriguait au sens propre du terme l'ensemble du territoire, le TGV représentant tout à la fois l'apothéose de cet ancien monde des transports et l'élément nouveau qui allait devenir l'un des premiers acteurs structurants des déplacements multimodaux. Ce relatif équilibre s'est vu déstabilisé par plusieurs facteurs : l'apparition d'une économie davantage mondialisée qui a eu pour effet d'accentuer l'attractivité, la part de l'activité économique ainsi que la croissance des grandes agglomérations françaises, une ouverture de l'aérien et du rail à la concurrence entraînant l'apparition des low-cost et, évidemment, l'arrivée des services liés au développement des applications et services numériques maintenant bien connus comme Vélib ou Blablacar. Il faut enfin prendre en compte un paramètre que l'on oublie trop souvent : entre 1987 et 2017, la population française a progressé de plus de 10 millions d'habitants, une croissance qui a surtout profité aux villes.

Faits têtus

Tous ces éléments ont largement contribué à la création d'une forme plus marquée de segmentation des différents espaces du territoire national. En devenant plus spécifiques, le cœur des grandes agglomérations, les espaces périurbains et les espaces ruraux se sont peu à peu différenciés pour ce qui est de la mobilité, rendant de moins en moins compatible le voyage classique « point à point » avec le seul mode de transport individuel qui le permettait jusque-là, l'automobile.

Cette disparité entre territoires pourrait rapidement devenir un nouveau facteur d'inégalité, ou du moins de différences marquées dans les pratiques de mobilité, que l'on soit citoyen des grands centres-villes, habitants des banlieues au sens large du terme ou d'un monde rural de plus en plus délaissé par le train et les transports publics en général. Malgré la forte pression des villes et de l'État qui vise à faire baisser l'utilisation globale des véhicules particuliers au profit de transports collectifs ou collaboratifs, les faits sont têtus. Si les types de mobilités se déclinent maintenant plus aisément en fonction de leur environnement, le désir d'autonomie reste entier. Pendant que les grandes agglomérations bannissent peu à peu l'automobile et peut-être bientôt les deux-roues à moteur, de nouvelles formes de déplacement apparaissent, transformant radicalement l'approche du trajet interurbain. L'apparition des moyens unipersonnels de mobilité ou micromobilités (trottinette électrique, vélo et autres monoroues) prouve que les besoins de transports ne peuvent être résolus exclusivement de manière collective.

En dehors de Paris, où ces problématiques ne sont pas non plus homogènes, l'étalement urbain, la multiplication des zones pavillonnaires et l'obligation d'aller chercher du travail parfois à plusieurs dizaines de kilomètres du domicile, obligent nombre de familles à posséder plusieurs automobiles. Si les discours convenus sur l'intermodalité sont séduisants, le souhait de chacun reste avant tout de maîtriser son temps de trajet et de pouvoir compter sur la disponibilité de son moyen de transport. En cela, dans une société où l'adaptation et le changement des lieux de travail ou d'habitation deviennent la règle, mieux accompagner le développement de nouvelles capacités de mobilités individuelles propres et rapides ne semblerait pas illogique.

Olivier Archambeau, liberation.fr, 3 octobre 2018.

DOCUMENT 3

Après le Ticket Restaurant,
le « ticket mobilité » est annoncé pour 2020

Les contours de ce dispositif destiné à inciter les salariés à utiliser des transports peu polluants pour se rendre au travail se précisent avec le vote de la loi d'orientation des mobilités.

Après l'examen du projet de loi d'orientation des mobilités (LOM) par le Sénat et des discussions intensives sur les bancs de l'Assemblée nationale, les députés ont finalement voté le texte, le 18 juin en première lecture. La mise en place d'un forfait mobilité, visant à encourager les salariés à utiliser des transports peu polluants pour leurs trajets domicile-travail, figure parmi les mesures les plus discutées.

Le défi est ardu : 7 salariés sur 10 utilisent la voiture pour se rendre au travail indique l'Insee. Une indemnisation kilométrique vélo (IKV) avait déjà été mise en place par le précédent gouvernement en 2016, mais sans trouver son public : seuls 144 employeurs sur un total de 146 000 entreprises (hors microentreprises) ont déclaré auprès de l'Observatoire de l'indemnité kilométrique vélo la verser à leurs salariés. La ministre des Transports, Élisabeth Borne, a promis que ce nouveau forfait mobilité serait plus simple à mettre en œuvre et plus étendu. Il sera mis en place dès le 1er janvier 2020.

L'employeur pourra prendre en charge tout ou partie des frais engagés par ses salariés se rendant au travail avec leur vélo ou en covoiturage, que ce soit en tant que conducteur ou passager. L'autopartage et la location de véhicules en libre-service seront ajoutés par décret, a promis la ministre des Transports. Reste à savoir si les trottinettes seront dans le lot.

lemonde.fr, 27 juin 2019.

DOCUMENT 4

ÉPREUVE D'ENTRAÎNEMENT DALF C2

DOCUMENT 5

DOCUMENT 6

DOCUMENT 7

ÉPREUVE D'ENTRAÎNEMENT DALF C2

Épreuve écrite

SUJETS AU CHOIX

Traitez un seul des deux sujets.

SUJET 1

En tant que membre d'une association sur les transports et l'environnement, vous écrivez une contribution pour un journal local. Vous êtes convaincu de l'urgence d'apprendre à se déplacer autrement. Vous en expliquez les bénéfices pour la population et vous faites appel à la responsabilité individuelle de chacun. Néanmoins, vous admettez que ces changements de comportement doivent être accompagnés de mesures gouvernementales fortes.

À l'aide du dossier joint et d'apports personnels, vous rédigez un texte structuré dans lequel vous prenez clairement position sur la question et proposez des solutions concrètes. Vous adoptez un style approprié et convaincant.

700 mots minimum

SUJET 2

Vous êtes représentant du personnel dans une entreprise française, vous pensez que les mesures prises par les entreprises pour inciter les employés à se déplacer autrement ne sont pas suffisantes. Vous rédigez un article pour le journal des entreprises dans lequel vous défendez la mise en œuvre de solutions favorables au développement d'une mobilité durable pour les travailleurs. Vous insistez également sur la nécessité d'agir à l'échelle nationale pour obtenir des résultats probants.

À l'aide du dossier joint et d'apports personnels, vous rédigez un texte structuré dans lequel vous prenez clairement position sur la question et proposez des solutions concrètes. Vous adoptez un style approprié et convaincant.

700 mots minimum

L'usage de dictionnaires monolingues français / français est autorisé.

INDEX GRAMMATICAL

Les chiffres renvoient aux numéros de dossier.

Accord du participe passé, 1
Adjectifs
  Place et accord (adjectifs composés, adjectifs simples, noms utilisés comme adjectifs), 5
  Indéfinis (*tel, quelconque*, etc.), 7
  Tout, 12
Adverbes
  Quelque, 7
  Tout, 8, 12
But, 9
  Noms (*une visée, une finalité*, etc.), 9
  Verbes (*chercher à, ambitionner de*, etc.), 9
  Conjonctions (*afin que, de peur que*, etc.), 9
  Prépositions (*en vue de, de manière à*, etc.), 9
Cause
  Noms (*un prétexte, un motif*, etc.), 3
  Verbes (*être dû / due à, découler de*, etc.), 3
  Connecteurs logiques (*sous prétexte de, étant donné (que)*, etc.), 3
  Compléments circonstanciels, 5
  Participe présent, 8
  Dans des subordonnées au subjonctif, 11
Cohérence dans le discours
  Au passé, 1
  Au futur, 12
Comparaison, 5
  Outils grammaticaux (*meilleur(e), moindre, pire*, etc.), 5
  Outils lexicaux (*analogue à, même que*, etc.), 5
  Compléments circonstanciels, 5
Compléments circonstanciels
  Accompagnement, 5
  But, 5
  Cause, 5
  Comparaison, 5
  Concession, 5
  Condition, 5
  Conséquence, 5
  Lieu, 5
  Manière, 5
  Moyen, 5
  Temps, 5
  Prépositions introduisant les compléments circonstanciels, 6
Concession (*avoir beau, quitte à*, etc.), 6
Concordance des temps, 9
Condition, 8
  Gérondif, 8
Conditionnel
  Présent, 1, 6, 12
  Passé, 1, 6, 12
  Futur simple ou antérieur dans un récit au passé, 1, 12
  Valeurs du conditionnel (atténuation, conseil, fait imaginaire, information non confirmée, probabilité, regret, reproche, souhait), 6
Conjonctions
  De coordination, 7
  De subordination
    cause, 3
    concession, 6
    conséquence, 3
    opposition, 6
    restriction, 6
    temps, 11
    but, 12
Conséquence
  Noms (*un impact, un prolongement*, etc.), 3
  Verbes (*susciter, déclencher*, etc.), 3
  Connecteurs logiques (*si bien que, d'où*, etc.), 3, 9
  Compléments circonstanciels, 5

Discours
  Changer de point de vue (discours direct, discours indirect, discours indirect libre), 6
  Discours rapporté au passé, 9
  Verbes introducteurs, 6, 9
  Progression, 10
Emphase, 1, 2, 3
Expression du temps
  Marqueurs temporels (*au moment où, après que*, etc.), 1
  Dans le discours rapporté au passé (*en ce moment, la veille*, etc.), 9
  Pour exprimer l'antériorité (*jusqu'au moment où, en attendant que*, etc.), 11
  Pour exprimer la simultanéité (*à mesure que, aussi longtemps que*, etc.), 11
  Pour exprimer la postériorité (*à peine... que, aussitôt que*, etc.), 11
Figures de style
  Périphrase, 4
  Antiphrase, euphémisme, hyperbole, oxymore, 7
  Calembours, 11
Futur antérieur, 12
Futur proche, 12
Futur simple, 12
Gérondif, 8
  Valeurs (condition, manière, opposition, simultanéité), 8
Hypothèse avec *si*, 8
Imparfait, 1
Mise en relief (*c'est / ce sont... qui / que*, etc.), 2, 3
Modalisation, 3
Ne explétif, 9, 11
Négation, 12
  Combinaisons (*ne... plus jamais, ne... plus ni... ni*, etc.), 12
  Omissions (registres soutenu et familier), 12
Nominalisation, 8, 10
Opposition
  Noms (*une contradiction, un désaccord*, etc.), 6
  Verbes (*s'opposer, diverger*, etc.), 6
  Connecteurs logiques (*alors que, sans que*, etc.), 4, 6
  Gérondif, 8
Organisation du discours
  Connecteurs, 3, 5, 6, 9
  Paragraphes (*notamment, en fait*, etc.), 4
Participe présent, 8
  Valeurs (cause, simultanéité), 8
Passé antérieur, 1
Passé composé, 1
Passé simple, 1
Passif, 10
  Faire + infinitif, 10
  Formes impersonnelles (*il est toléré que, on interdit que*, etc.), 10
  Formes pronominales (*se faire* + infinitif, *s'entendre / se voir* + infinitif, etc.), 10
  Verbes pronominaux de sens passif (*se fermer, se lire*, etc.), 10
  Prépositions *par* ou *de*, 10
Phrases
  Types (déclarative, injonctive, interrogative), 1
  Formes (impersonnelle, personnelle, active, passive, affirmative, emphatique, négative), 1
  Phrases complexes
    principale / subordonnée, juxtaposition, coordination, 7
    subordonnées, 4
    pour condenser des idées, 8

Plus-que-parfait, 1
Point de vue
  Changer de point de vue, 6
  Exprimer son point de vue, 3
Ponctuation, 11
Prépositions
  De devant un nom, 2
  Pour introduire des compléments circonstanciels (*au regard de, parmi*, etc.), 6
  Pour exprimer la cause et la conséquence, 3
  Pour exprimer le but, 9
  Par ou *de* dans la forme passive, 10
Pronoms compléments
  Pronoms et doubles pronoms à l'impératif, 2
  Pronoms COD, 3
  Pronoms COI, 3
  Pronoms compléments de lieu, 3
Pronoms indéfinis (*nul, n'importe lequel*, etc.), 7
  De sens négatif (*aucun, nulle part*, etc.), 12
  Tout, 12
Pronoms relatifs simples et composés, 4
Propos, 10
Registres de langue, 5
  Familier, 5
  Populaire, 5
  Soutenu, 5
  Standard, 5
  Vulgaire, 5
Reprise et substitution, 2, 4
  Synonymes, 2, 4
  Termes génériques, 2, 4
  Termes spécifiques, 2, 4
  Pronoms, 2, 4
Restriction (*si ce n'est que, à moins que*, etc.), 6
Subjonctif
  Après des conjonctions exprimant
    la concession, la restriction ou l'opposition, 6
    le but, 9
    le temps, 11
    la cause, 12
  Expression de sentiments, jugements, 4
  Expression de la volonté dans ses nuances (conseil / proposition, intention / but, nécessité / obligation, permission / obligation, souhait / volonté), 7
  Dans les structures avec *si*, 8
  Dans les complétives en début de phrase, 11
  Employé seul, 11
  Dans des relatives, 4, 11
Subordonnées
  Conjonctives, 3, 4, 6, 11, 12
  Interrogatives indirectes, 4
  Relatives, 4, 11
Substitution, 2, 4 (voir *Reprise*)
Temps du futur, 12
  Présent, 12
  Futur proche, 12
  Futur simple, 12
  Futur antérieur, 12
Temps du passé, 1
  Imparfait, 1
  Passé composé, 1
  Plus-que-parfait, 1
  Passé simple, 1
  Passé antérieur, 1
  Conditionnel présent, 1
  Conditionnel passé, 1
Thème, 10
Tout : adjectif, pronom, adverbe, 12
Verbes introducteurs de parole (*affirmer, prétexter*, etc.), 6, 9

INDEX THÉMATIQUE

Les chiffres renvoient aux numéros de dossier.
fam. : mot ou expression du registre familier

L'AGROALIMENTAIRE
Produire 2
la production
un(e) producteur(trice)
élever
un(e) éleveur(euse)
l'élevage
la culture
cultiver
un(e) cultivateur(trice)
un(e) paysan(ne)
une ferme
une exploitation
un(e) exploitant(e)
un terroir
une surface cultivée
une récolte
un rendement
un standard européen
un quota laitier

Commercialiser 2
la grande distribution
un(e) gérant(e)
mettre en rayon
un supermarché paysan
un maraîcher
(s')approvisionner
un approvisionnement
écouler un stock
être en rupture de stock
fixer le prix de vente
imposer ses prix
une offre
un slogan
un logo
une marque
un label
une mention
une appellation (AOP, AOC, IGP)
un excédent commercial

L'ALIMENTATION
Manger 2
se délecter
se nourrir
s'alimenter
ingérer
s'empiffrer
picorer
dévorer
se goinfrer (fam.)
grignoter
manger sur le pouce
avaler
engloutir
se faire péter le bide (fam.)
festoyer
se régaler
se sustenter
bouffer (fam.)
satisfaire son estomac
la satiété

Les goûts et les saveurs 2
acide, l'acidité
aigre-doux(ce), l'aigre-doux
amer(ère), l'amertume
fade, la fadeur
piquant(e), le piquant
salé(e), le salé
sucrée(e), le sucré

La composition 2
les vitamines
les sels minéraux
les fibres
les produits chimiques
un conservateur
un additif
calculer le nutri-score

L'alimentation saine 2
manger local, authentique, bio
la qualité nutritionnelle

La malbouffe 2
gras(se)
à forte teneur en sucre / sel
très calorique
pauvre nutritionnellement
contenant peu de minéraux /
vitamines / fibres végétales
un repas excessif
un trouble alimentaire

La nourriture de réconfort 2
les sucreries
les friandises
un fruit confit
une pâte de fruits
un bonbon acidulé
une praline
calmer / compenser une émotion
la culpabilité

L'ART
La mise en scène du corps 4
la silhouette
le contour
le contraste
les courbes
les proportions
la carnation
la chair
un dessin
une toile
une sculpture
une installation
une performance
une scénographie
une composition statique
une allégorie
une personnification
le premier plan
l'arrière-plan
représenter
symboliser
évoquer
incarner
susciter l'admiration

La marchandisation de l'art 11
la commercialisation
la consommation culturelle
la médiatisation des expositions
une logique de rentabilité
une pratique racoleuse
le marché artistique
les produits dérivés

LE CINÉMA
Commenter et décrire un film 7
porter un livre / une pièce à l'écran
être fidèle à un texte
donner accès à une intériorité
un film choral
un dispositif cinématographique
un dialogue fleuve
un type de plan
un gros plan
un travelling
un mouvement de caméra
filmer en champ / contre-champ

Le succès 11
se distinguer au box-office
engranger des millions d'entrées
figurer en bonne place
un succès sans précédent
être en tête du marché français
être consacré(e) par la critique
régner sur les écrans

COMMUNIQUER
La communication non verbale 4
parler avec les mains
serrer la main
une poignée de main
croiser les bras
hausser / froncer les sourcils
sourciller
cligner des yeux
regarder quelqu'un droit dans les yeux
affronter le regard
se caresser le menton

La communication orale et l'éloquence 8
vaincre sa timidité
prendre la parole en public
une joute verbale
un orateur(trice)
un auditoire
ménager un silence
hausser le ton
accélérer / ralentir le débit
avoir de la répartie
varier le ton
un ton lent / rapide / fort / doux / drôle / grave
passer par tous les registres
un slogan
une formule choc
un trait d'humour

Argumenter, contre-argumenter, débattre 12
étayer son argumentation
affaiblir une opinion
forger son opinion
avancer un fait
maîtriser une question
se prononcer sur un sujet
prêter le flanc à la critique
remettre en cause une réalité
proférer des inepties
une attaque *ad hominem*
un raisonnement fallacieux

LE CORPS
La représentation du corps et l'image de soi 4
un idéal / un canon de beauté
un corps idéal
la perfection
un complexe
être complexé(e)
disgracieux(euse)
malhabile
atypique
se sentir bien / mal dans son corps / dans sa peau
s'accepter bien / mal
s'assumer / s'accepter tel qu'on est
briser un modèle
casser les codes
redéfinir les standards de beauté
sortir / dévier de la norme

La validité et le handicap 4
une personne valide
une personne handicapée / en situation de handicap
une personne à mobilité réduite
malentendant(e)
non-voyant(e)
sourd(e)
aveugle
une déficience visuelle
être atteint(e) de surdité
un handicap moteur
une incapacité
une limitation
paraplégique
tétraplégique
paralysé(e)
un handicap irréversible
un traumatisme crânien
l'inclusion
une société inclusive
la danse inclusive
l'exclusion
un tabou
être disqualifié(e)
un comportement irrespectueux
une pratique discriminatoire
un fauteuil roulant

Les expressions idiomatiques 4
s'en mordre les doigts
se mettre le doigt dans l'œil
se tourner les pouces
travailler main dans la main
avoir un poil dans la main
jouer des coudes
faire les yeux doux à quelqu'un
une mauvaise langue
être une grande gueule
avoir la tête sur les épaules
avoir le cœur sur la main
avoir un grand cœur
avoir un talon d'Achille
prendre ses jambes à son cou

L'ÉCOLOGIE
La dégradation de la planète 12
la surpêche
la souffrance animale
la raréfaction / l'épuisement des ressources
la pollution
l'émission de gaz à effet de serre
le dérèglement climatique

140 cent quarante

une canicule, une sécheresse
la fonte de la banquise
l'acidification des sols / des eaux

La lutte contre le réchauffement climatique 12
un scénario pessimiste
la coopération internationale
le développement durable
la neutralité carbone
la décarbonisation
compenser le carbone
un acte écoresponsable
diversifier les sources d'énergie
végétaliser les villes
un comportement écoresponsable
être impacté(e) / affecté(e) par
dévoiler un rapport
élaborer un modèle climatique
rehausser ses ambitions
conduire des recherches
des preuves convergentes
rechercher un consensus scientifique

Le climatoscepticisme 12
un(e) climatosceptique
l'obscurantisme
recourir à une méthode
mettre en doute l'existence de quelque chose
attaquer une personne / une institution
contester des raisonnements / données scientifiques
nier le changement climatique
un discours négationniste
une théorie réchauffiste
une méconnaissance du sujet
un choix de données orienté

L'écologie politique 12
une mesure coercitive
une mesure incitative
l'extension massive du domaine des interdits
la décroissance
se reconvertir dans le vert

LES ÉMOTIONS ET LES SENTIMENTS

Le bonheur 7
ressentir de la joie de vivre
être épanoui(e)
éprouver du bien-être
être libéré(e) des pensées négatives

Les humeurs noires 7
un vague à l'âme
une perte de repères
un désenchantement
une lassitude
la morosité
être à vif
être chamboulé(e)
être bouleversé(e)
avoir les nerfs à fleur de peau / en pelote
faire une / être en dépression
avoir le cafard
être morose

L'empathie 7
la compassion
l'altruisme
la connivence
émouvoir quelqu'un
toucher une corde sensible
réconforter quelqu'un
remonter le moral
se livrer
faire une confidence à quelqu'un
réconforter quelqu'un
endiguer un mal / une maladie
remonter le moral

L'indifférence 7
le flegme
le détachement
prendre quelque chose à la légère

Le développement personnel 7
la psychologie positive
se libérer des pensées négatives
maximiser son potentiel
atteindre le bonheur
l'industrialisation du bonheur
la marchandisation des émotions

L'ENGAGEMENT

S'engager 5
un(e) militant(e)
un(e) activiste
un(e) rebelle
se rebeller
militer pour une cause
défendre une cause
s'engager
être engagé(e) dans la lutte contre / pour
manifester
se mobiliser
s'opposer
entraîner une prise de conscience
faire entendre sa voix
lutter contre des inégalités
dénoncer
revendiquer
transgresser
boycotter
faire pression sur
faire bouger les lignes
faire la grève de la faim
promouvoir l'égalité
diffuser un tract
protéger les droits humains
divulguer un scandale
occuper un lieu
signifier l'urgence de quelque chose
une pétition
une lettre de solidarité
une œuvre culturelle engagée
une confrontation médiatisée

Les inégalités 5
l'exclusion
la répression
l'oppression
la discrimination
la stigmatisation
une inégalité de traitement
le jeunisme
la xénophobie
l'inégalité homme-femme
le sexisme
la misogynie
le plafond de verre
le féminisme
l'équité
la parité
la discrimination positive

LES ENQUÊTES ET LES SONDAGES

Présenter une étude et ses résultats 2, 3
publier / réaliser une étude sur
analyser
mettre en lumière
mettre en évidence
souligner
ne pas manquer de préciser
dévoiler
révéler
se stabiliser
varier de… à…
augmenter
observer une hausse de… %
deux fois plus
être multiplié(e) par deux
diviser par deux
être en forte progression
diminuer
baisser
enregistrer une baisse de… %
être en chute libre
être influencé(e) par différents facteurs
conduire / mener une enquête scientifique
contribuer à la recherche médicale
un groupe de volontaires
les personnes interrogées
les sondés

Réagir à une étude et ses résultats 3
déclarer
citer
estimer
penser
conclure
accepter
adopter
refuser
se prononcer en faveur de quelque chose
se montrer réticent
craindre
se méfier

LES GÉNÉRATIONS

Les âges de la vie 5
un(e) trentenaire
un(e) quadra(génaire)
un(e) quinqua(génaire)
un(e) sexagénaire
une personne âgée
un(e) senior
un(e) baby-boomer(euse)
la génération X / Y / Z
un(e) millénial(e)
la socio-démographie
le jeunisme
un conflit intergénérationnel
le management intergénérationnel
bien / mal vivre son âge
assumer son âge

L'HISTOIRE

La guerre 10
lancer les hostilités
un soldat
un bataillon
un(e) combattant(e)
une victime
un(e) blessé(e)
lancer une offensive
une guerre de tranchée
un obus
une bombe
combattre
aller au front
un cessez-le-feu
un armistice

La mémoire et la transmission de l'histoire 10
le patriotisme
le nationalisme
une commémoration
commémorer
se souvenir d'un événement
se rappeler / se remémorer un événement
la réconciliation
une vengeance
une revanche
une persécution raciale
la pensée historienne
la collecte de données
se prononcer sur
la formulation d'une hypothèse
formuler / émettre une hypothèse
une source d'information
confronter différentes interprétations de l'histoire
déconstruire des connaissances antérieures
une cause sociale / politique / économique
adhérer à un récit
avoir un biais envers
développer son sens critique
éveiller l'esprit critique
avoir du recul par rapport au récit d'un événement

L'HUMOUR

L'humour et la liberté d'expression 11
une comédie populaire / de boulevard
un film comique
un humour fédérateur / potache
le burlesque
le quiproquo
le vaudeville
le comique hexagonal
mettre quelqu'un en joie
avoir le sens de la répartie
faire de la provocation
la jovialité
la vulgarité
le mauvais goût
le rire sacrilège
désacraliser
fustiger
la subversion
la diffamation
hurler au scandale

L'INTERCULTUREL

La culture et ses composants 11
la culture artistique / partagée / universelle
un centre culturel et d'animation
le secteur associatif
la puissance publique
un équipement culturel public
un acteur culturel
une composante culturelle
un enrichissement culturel
une représentation culturelle

L'accès à la culture et l'interculturel 11
être imprégné(e) par
se glisser / s'immerger dans une culture
se mettre en connivence avec
s'arracher à sa territorialité
la démocratisation des savoirs
un clivage
l'égalité des chances
une discrimination liée à la culture
se sentir illégitime
l'autocensure
la culture dominante
l'appropriation culturelle
le communautarisme
un malentendu interculturel
un choc culturel

LA JUSTICE

Les procès et le jugement 10
un procès
une cour d'assises
une plaidoirie
un réquisitoire
une partie civile
la défense
le procureur général
un crime contre l'humanité / de guerre / de droit commun
être condamné(e) à
la réclusion criminelle pour
être complice de
un jury populaire / de magistrats professionnels
un(e) juré(e)
un témoin
l'auteur(e) des faits
rendre un verdict
une (demande d') extradition
peser sur les débats
suivre une audience

LES LANGUES

Les langues et la francophonie 8
enrichir / défendre / perpétuer une langue
un anglicisme, un emprunt
disposer / se servir d'une langue
une langue nationale / régionale
un patois
la colonisation
la décolonisation
la coopération culturelle / technique
une transmission
une reconquête des valeurs

le vocabulaire
la syntaxe
un lexique
un registre
la prononciation
le débit
un accent
un rythme
une rime
la prolixité
une figure de style
une métaphore
une allitération
une anaphore
une interjection
une question oratoire
une tournure
un atour
le rayonnement
l'impérialisme linguistique
redonner ses lettres de noblesse à
pérenniser la grandeur de

L'expression littéraire 8
une autobiographie
scruter dans sa mémoire
travailler sur sa mémoire
retracer une histoire / la mémoire de quelqu'un / quelque chose

LA LIBERTÉ

Les entraves 7
une contrainte
la servitude
être sous le joug de
assujettir

Le cadre 7
une loi
une règle
une obligation

Les actions du citoyen 7
le libre / franc arbitre
la frugalité, frugal(e)
la résilience, résilient(e)
convoiter
nuire à quelqu'un
s'affranchir de
repousser
enfreindre
transgresser
une vertu
un vice

LE NUMÉRIQUE

La communication et l'expression sur Internet 4, 9
un réseau social
un(e) utilisateur (trice)
un moteur de recherche
une plateforme
poster une photo / un cliché
un message privé
un tweet, un retweet
un partage
un commentaire
un *teasing*
un fil d'actualité
un compte d'auteur(e)
un lectorat
un(e) abonné(e)
un *follower*
suivre quelqu'un / une marque

un *community manager*
naviguer
taguer
liker
retoucher / photoshopper une photo

La sécurité sur Internet 9
gérer son profil numérique/son image sur le net/ses données personnelles
une identité numérique
un pseudonyme
l'anonymat
une (double) authentification
la collecte de données
la surveillance collective
un historique personnel de navigation
l'utilisation des données personnelles
la reconnaissance faciale
le profilage
le traçage
la publicité ciblée
une activité malveillante
une escroquerie
détourner une photo
une usurpation d'identité
le chantage
le cyberharcèlement
la diffamation
la cybercriminalité
un(e) cyber criminel(le)

La désinformation 9
une *fake news*
une infox
une information fallacieuse
un angle éditorial orienté
un amalgame
un non-dit
un mensonge par omission
le filtrage
le *fact-checking*
mettre en question la véracité d'une information
démêler le vrai du faux
évaluer les contenus sur Internet
évaluer la fiabilité d'une source

LA RELATION HOMME – NATURE

La médiation animale 7
la zoothérapie
un chien pédagogique
l'anthropomorphisme
un registre émotionnel
la sensibilité animale
un trait d'union entre les humains
susciter un sentiment / une émotion
favoriser l'inclusion scolaire
libérer la parole
apaiser les souffrances
atténuer les souffrances
réduire le trop-plein sensoriel

LA SANTÉ

Le personnel soignant 3
le corps médical
un(e) professionnel(le) de santé
un(e) soignant(e)
un(e) infirmier (ère)
un médecin
un toubib (fam.)

une blouse blanche
un médecin du travail
un médecin de campagne
un(e) généraliste
un(e) urgentiste
un(e) interne
un(e) spécialiste
un(e) cardiologue
un(e) pneumologue
un(e) gynécologue
un(e) pédiatre
un(e) homéopathe
un(e) ostéopathe
un(e) psychiatre
un(e) psychologue
un(e) psychothérapeute
un(e) musicothérapeute
un(e) hypnothérapeute
un diagnostic
établir un protocole de soin
examiner
un examen
ausculter
une auscultation
guérir
la guérison
traiter
le traitement
une prescription
soigner
le soin
un désert médical

La maladie 3
un rhume
un coup de froid
une crève (fam.)
une affection
une pathologie
un trouble
un(e) psychopathe
une maladie grave / chronique
une tumeur bénigne / maligne

Les techniques de soin 3
la radiologie
la chirurgie
une anesthésie
le don
donner son sang / ses organes
greffer
une greffe
transplanter
une transplantation
un prélèvement
un donneur (euse)
un receveur (euse)
transfuser
une transfusion (sanguine)
la procréation médicalement assistée (PMA)
la chimiothérapie
la radiothérapie
un médicament
un médoc (fam.)
un comprimé
un antibiotique
un vaccin
une huile essentielle
une granule
la médecine à distance
l'e-médecine
l'automatisation
la robotisation

un robot chirurgien
une impression 3D
un organe artificiel
les données numériques de santé
la médecine naturelle ≠ conventionnelle
les médecines alternatives
l'homéopathie
l'ostéopathie
l'acupuncture
la naturopathie
le magnétisme
l'hypnothérapie
la méditation
une *fake* médecine

La recherche médicale 3
tester
un résultat
une découverte
une avancée
un(e) chercheur (euse)
un effet secondaire
un laboratoire
une expérience

LE TRANSHUMANISME 9
l'intelligence artificielle
l'immortalité
le rajeunissement
l'accroissement de l'intelligence
la modification de l'état psychologique
l'abolition de la souffrance
s'affranchir des limites biologiques naturelles
la finitude humaine
le téléchargement de l'esprit
un lien neuronal
un neurone numérique
une puce
un implant, implanter

LE TRAVAIL
L'entreprise 6
une multinationale
une PME (petite ou moyenne entreprise)
une start-up
une microentreprise
une usine

L'organisation du travail 6
gérer, diriger une entreprise
élaborer
veiller à
avoir la charge de
assurer
œuvrer à
mener un projet
chapeauter
être responsable de
diriger
établir les stratégies
démarcher un client
occuper un poste / une fonction
travailler à la chaîne
la hiérarchie verticale / horizontale
le management collaboratif / participatif
managérial
un modèle de gestion
le télétravail
le présentéisme

la réunionite
faire une heure supplémentaire

Le droit du travail 6
un acquis social
poser une journée de RTT (réduction du temps de travail)
la retraite
un congé payé
un syndicat
un repos
l'assurance chômage

Les postes de travail 6
un(e) PDG
un(e) président(e) directeur (trice) général(e)
un(e) patron(ne)
un(e) chef(fe) d'entreprise
un(e) directeur(trice)
un(e) entrepreneur(euse)
un(e) cadre supérieur(e)
un(e) manager
une DRH
un(e) directeur(trice) des ressources humaines
un(e) stratège des médias sociaux
un(e) chef(fe) de produit
un(e) graphiste
un(e) responsable informatique
un(e) responsable des relations publiques
un(e) chef(fe) de projet
la hiérarchie subalterne
un(e) employé(e)
un(e) salarié(e)
un(e) technicien(ne)
la main-d'œuvre
un(e) ouvrier (ère) qualifié(e)
un(e) délégué(e) syndical(e)
un(e) représentant(e) du personnel

La recherche d'emploi 6
un(e) candidat(e)
un(e) recruteur (euse)
un poste à pourvoir
une candidature
candidater
une lettre de motivation
un entretien d'embauche
une expérience professionnelle
une affinité managériale
une période d'essai
postuler à un emploi
envoyer une candidature spontanée
embaucher
débaucher
recruter
le plein-emploi

Les problèmes sociaux 6
la fermeture d'une usine
la délocalisation
la grève
le mouvement social
la crise de l'emploi
le chômage
faire bloc face à
se rassembler
endiguer un mouvement
s'affronter
entamer des négociations

L'UNION ÉCONOMIQUE ET POLITIQUE
L'union de plusieurs pays 10
la construction européenne
le panafricanisme
l'Unité africaine
les pères fondateurs
un pays membre
un rapprochement
une unification
un élargissement
le confédéralisme
le fédéralisme
le fonctionnalisme
la coopération
l'intégration politique
un marché commun
la libre circulation
supranational(e)
intergouvernemental(e)
le séparatisme
l'euroscepticisme
la politique de la chaise vide
une zone de libre-échange
réduire les droits de douane
une entrave administrative
des taxes douanières
être en proie à (un problème)
être en butte à (une difficulté)
ratifier un accord

LA VILLE
La ville et ses habitants 1
une cité
une commune
une agglomération métropolitain(e)
une métropole
une mégalopole
une ville tentaculaire
cosmopolite
un arrondissement
une ville verticale
une ville souterraine
citadin(e)
rural(e)
un(e) citadin(e)
un(e) banlieusard(e)
un quartier périphérique
un immeuble
un bâtiment
une tour
un gratte-ciel
une infrastructure
un stade
une médiathèque
une mixité sociale
une gentrification
un quartier populaire, dense, peuplé
une densité
une concentration
un engorgement
un embouteillage
une expansion
s'étendre
le gigantisme
s'agglutiner
s'entasser
un(e) urbaniste
l'urbanisation
urbain(e)

le civisme
la police

L'écologie urbaine 1
un espace vert
un toit / une terrasse végétalisé(e)
un espace cultivable
un immeuble autosuffisant en énergie
la récupération des eaux de pluie
un matériau durable

Le logement 1
un(e) propriétaire
un(e) copropriétaire
un(e) locataire
un(e) occupant(e)
un(e) résident(e)
emménager
aménager
un bidonville
un taudis
un bâtiment désaffecté
un quartier sale, insalubre
une villa
un habitat citoyen, autogéré, participatif
une coopérative d'habitation
une collectivité d'habitants
un logement évolutif
un espace partagé
mutualiser les espaces
un loyer abordable, modéré, exorbitant

Les transports 1
la mobilité
la multimodalité
un mode de déplacement
un réseau de transports en commun
un tramway
un métro
un VTC, une voiture avec chauffeur
une voiture personnelle / en libre-service
un véhicule particulier
une voiture hybride
une trottinette
l'autopartage
le covoiturage
un usager
un(e) abonné(e)
desservi(e)
se déplacer
un déplacement
zigzaguer
stationner
le stationnement

Achevé d'imprimer en janvier 2023 sur les presses de Macrolibros - Espagne
Dépôt légal : juillet 2020 - Édition n° 03
27/6979/9

Cosmopolite 5 — Cahier d'activités
Corrigés et transcriptions

DOSSIER 1
Désir de ville(s)

Nous enrichissons notre vocabulaire p. 4

1. 1. résidents – propriétaires – locataires 2. citadins – rurale 3. agglomérations 4. mégalopoles 5. métropoles 6. banlieusards

2. a. 1. location – 2. influence – 3. emménagé – 4. l'habitat – 5. le matériel
b. *Exemple de production :*
La **localisation** de mon **habitation** est idéale puisque l'appartement se situe à quelques pas du Vieux-Port et d'un quartier aujourd'hui très apprécié pour ses petits commerces, ses restaurants typiques et ses bars branchés. L'**affluence** n'est heureusement pas trop importante, sauf aux heures de pointe évidemment. Les constructions sont variées par leurs couleurs mais de manière générale, le **matériau** prédominant est la pierre, souvent peinte. Je vais bientôt **aménager** ma terrasse afin de profiter davantage de la vue sur le port.

3. a. 1. une cité – 2. une villa – 3. métropolitain – 4. un(e) urbaniste – 5. un(e) villageois(e) – 6. l'urbanisation – 7. cosmopolite – 8. citadin
b. et c. **urbs** : la ville – un(e) urbaniste, l'urbanisation, *l'urbanité, l'urbanisme*
civis : le citoyen – une cité, citadin, *la citadinité, la citoyenneté, civique, la civilisation*
villa : la résidence – une villa, un(e) villageois(e), *un village*
polis : la cité – métropolitain, cosmopolite, *politique, policé, la politesse, poli, une mégalopole, une nécropole*

4. 1. berceau – 2. façonnée – 3. mobilité innovante – 4. véhicules particuliers – 5. réseaux – 6. banlieue – 7. desservis – 8. automobiles – 9. infrastructures – 10. transports en commun – 11. zigzaguent – 12. concentration – 13. hybrides – 14. se déplacent

5. *Exemple de production :*
Caractéristiques principales
La mairie de Talence lance un projet d'habitat participatif et coopératif. Il s'agit d'une construction durable conçue pour une collectivité d'habitants garantissant la mixité sociale et la diversité générationnelle. Elle contient un ensemble d'espaces privatifs et d'espaces partagés dont les limites et les règles seront définies par les occupants eux-mêmes.
Principaux atouts
Plus d'économies : Grâce à la mutualisation de certains espaces, les futurs locataires et propriétaires pourront accéder à des logements nettement moins chers que ce qui est actuellement disponible sur le marché immobilier. De plus, les dépenses en énergie et en eau seront moindres du fait des caractéristiques écologiques du bâtiment (matériaux durables comme le bois, toit végétalisé, panneaux solaires, etc.) et des dispositifs de récupération des eaux de pluie (notamment pour les espaces verts).
Plus d'espace : Les espaces partagés en intérieur comme en extérieur représentent autant d'espaces en plus accessibles à chacun : espaces verts, salle de jeux, chambre d'amis, potager, buanderie, etc. Cette mutualisation sera définie par les résidents eux-mêmes.

Nous perfectionnons notre grammaire p. 7

7. a. 1. Chaque fois, le COD est placé avant placé le verbe. *qu'* représente *l'association* et est COD du verbe *avait rejointe* ; *qu'* représente *des formations « vie collaborative »* et est COD du verbe *avait vécues* ; *l'* représente *Petra* et est COD du verbe *a remarquée* – 2. Les verbes *ont suivi* et *avait parlé* n'ont pas de COD placé avant le verbe. – 3. *La femme de sa vie* est le COD du verbe infinitif *rencontrer* et non pas du verbe *n'avait jamais imaginé* – 4. *Il* est le sujet de *aura fallu*, il ne représente rien ni personne car *falloir* est un verbe impersonnel. – 5. Le pronom complément invariable *en*. – 6. Le groupe *les deux mois d'attente* est un complément de temps ; il n'est pas le COD du verbe *avait vécu*.
b. 1. Ils sont tous pronominaux. – 2. *s'est inscrite* : elle s'est inscrite elle-même, *s'* est le COD. – 3. *Hans et Petra se sont connus* : ils se sont connus l'un, l'autre. *ils ne se sont pas parlé* : ils ne se sont pas parlé l'un à l'autre (il n'y a pas de COD car on dit *parler à quelqu'un*) ; *les échanges de regard se sont succédé* : ils se sont succédé l'un à l'autre (il n'y a pas de COD car on dit *succéder à quelque chose ou à quelqu'un*). – 4. Non, la porte ne s'est pas ouverte par elle-même, elle a été ouverte par quelque chose ou quelqu'un. – 5. *Se souvenir* et *s'efforcer*. – 6. *Elle est allée*, cette forme n'a aucune relation de sens avec le verbe *rendre*.

8. 1. *organisée* : accord avec le COD avant le verbe *qu'* qui représente *la chasse au trésor* ; *aidés* et *attendus* : accord avec le COD avant le verbe *s'* car *s'aider* et *s'attendre* (ici) sont des verbes pronominaux réciproques ; *attribuée* : accord avec le sujet *la deuxième place* car le verbe a une forme passive ; *félicités* : accord avec le sujet *ils* car *se féliciter* est un verbe occasionnellement pronominal. – 2. *parlé* : pas d'accord car le verbe réciproque *se parler* n'a pas de COD ; *créée* : accord avec le sujet *l'unanimité* car *se créer* est un verbe pronominal de sens passif ; *fait* : pas d'accord car le COD est après le verbe réfléchi *se faire*. – 3. *fallu* : pas d'accord avec le COD avant le verbe car *falloir* est un verbe impersonnel ; *donné* : pas d'accord car le COD est après le verbe réciproque *se donner*, *s'* est le COI ; *penchés* : accord avec le COD avant le verbe *se* car *se pencher* est un verbe réfléchi. – 4. *ressemblé* : pas d'accord car le verbe réciproque *se ressembler* n'a pas de COD ; *vues* : accord avec le sujet *des modifications* car *se voir* est un verbe pronominal de sens passif ; *aperçues* : accord avec le sujet *les autorités* car *s'apercevoir* est ici un verbe occasionnellement pronominal. – 5. *eu* : pas d'accord avec le COD avant car *y avoir* est un verbe impersonnel ; *voulu* : pas d'accord car le COD *créer* est placé après le verbe ; *eue* : accord avec le COD avant le verbe *qu'* qui représente *l'intuition*. – 6. *dit* : pas d'accord car le verbe pronominal réciproque *se dire* n'a pas de COD ici ; *emparés* : accord avec le sujet *les pouvoirs publics* car *s'emparer* est un verbe essentiellement pronominal ; *procuré* : pas d'accord car le COD est après le verbe réfléchi *se procurer, se* est le COI.

9. 🎧 2 **Ex.** : Avant les travaux, il n'y avait absolument aucune vue sur la vieille ville.
1. N'est-il pas prévu d'enterrer les plantations posées le long de la voie cyclable ?
2. Et voici à présent le dernier tronçon de tramway que la ville ait inauguré, à essayer de toute urgence !

Corrigés et transcriptions

3. Le jour de l'inauguration, c'est vraiment l'arrivée au port à la nuit tombée, avec toutes les illuminations de Noël, qui a conquis les habitants.
4. L'opposition voudrait savoir de combien l'équipe à la tête de la mairie a finalement dépassé le budget initialement prévu.
5. Pourquoi n'essaierions-nous pas de nous mettre au vélo en cette période de grève des transports en commun ?

a. Déclarative : 3 – Injonctive : 2 – Interrogative : 1, 4, 5
b. 1. Négative, passive, impersonnelle – **2.** Active, personnelle, exclamative, emphatique – **3.** Active, personnelle, emphatique – **4.** Affirmative, active, personnelle – **5.** Négative, active, personnelle

10. 1. N'avait-on pas prévu un développement plus important ? **2.** C'est à l'unité ou par dix que les tickets sont vendus par la régie de transports en commun. **3.** La municipalité a organisé une enquête de satisfaction. **4.** Facilitez le passage des fauteuils roulants en n'attachant pas votre vélo ici !

11. 1. devint – **2.** eurent – **3.** m'a donné – **4.** me levai – **5.** avaient échappé – **6.** a toujours été

12. 1. Quand ; à peine – **2.** Tous les jours à midi ; quand – **3.** Après qu' ; longtemps ; puis – **4.** Au moment où ; déjà ; ensuite

13. *Exemple de production :*
Lorsqu'elle eut achevé son inscription sur le site de covoiturage, elle chercha quelqu'un qui allait à Bordeaux le week-end suivant.

Nous améliorons notre style   p. 10

14. a. 1. passé antérieur – **2.** plus-que-parfait – **3.** passé simple – **4.** passé composé – **5.** passé simple – **6.** passé composé – **7.** passé composé – **8.** imparfait – **9.** passé simple – **10.** plus-que-parfait – **11.** imparfait – **12.** conditionnel passé – **13.** conditionnel présent – **14.** imparfait – **15.** plus-que-parfait
b. Passé simple : Fait passé et achevé dans la narration – Passé composé : Fait passé et achevé dans le témoignage du personnage ou fait passé du témoignage dont le résultat présent est important – Plus-que-parfait : Fait principal accompli avant un autre fait principal dans la narration – Imparfait : Description du passé achevé ou de la situation contemporaine à la narration – Conditionnel présent : Fait à venir dans la narration – Conditionnel passé : Fait à venir avant un autre fait futur

15. 1. eut statué – **2.** détruisirent – **3.** souhaitait – **4.** avaient disparu – **5.** dépassa – **6.** ne débuta – **7.** serait – **8.** avait enfin réalisé – **9.** égalait – **10.** l'a compris – **11.** n'a pas toujours existé

16. *Exemple de production :*
La technopole de Sophia Antipolis **naquit / est née** dans les années 1970 suite à l'idée qui **avait été formulée** par un sénateur français en 1960. Personne ne **croyait** alors en son objectif : cette ville du sud-est de la France **serait** la « Cité internationale de la sagesse, des sciences et des techniques », et elle **aurait embauché** 20 000 chercheurs avant 1980 ! Après que plusieurs grandes entreprises françaises y **eurent bâti** des locaux au début des années 1970 et que l'université **eut manifesté** le projet de développer des cursus adaptés à cette *Silicon Valley* française, la technopole put atteindre ses objectifs. Elle **est aujourd'hui devenue** la première technopole européenne.

DOSSIER 2
Alimentation, « Un plaisir à ras de terre » ?

Nous enrichissons notre vocabulaire   p. 11

1. a. 1. se nourrir – s'alimenter – se sustenter **2.** picorer – grignoter **3.** manger sur le pouce – engloutir **4.** s'empiffrer – dévorer – se goinfrer – se faire péter le bide – festoyer **5.** se délecter – se régaler **6.** ingérer – avaler
b. Registre familier : s'empiffrer, se goinfrer, se faire péter le bide
Registre courant : se nourrir, s'alimenter, ingérer, picorer, dévorer, manger sur le pouce, grignoter, avaler, engloutir, se régaler
Registre soutenu : se délecter, festoyer, se sustenter

2. *Exemple de production :*
1. Lors du repas annuel chez l'ambassadeur, nous nous sommes délectés d'une pintade farcie au foie gras. **2.** Victime d'une intoxication alimentaire, elle n'a rien pu avaler pendant trois jours. **3.** Pour avoir une alimentation équilibrée, évitez de grignoter entre les repas. **4.** Après son jeûne de quatre jours, il avait une faim de loup : il a englouti un kilo de pâtes en dix minutes.

3. a. 1. le sucré **2.** le salé **3.** l'acidité **4.** l'amertume **5.** l'aigre-doux **6.** le piquant
b. 1. Saveur : le sucré – Adjectif : sucré(e) – Aliments, plats ou boissons : d, i
2. Saveur : le salé – Adjectif : salé(e) – Aliments, plats ou boissons : b, j, k
3. Saveur : l'acidité – Adjectif : acide – Aliments, plats ou boissons : f, h, i
4. Saveur : l'amertume – Adjectif : amer(ère) – Aliments, plats ou boissons : e, g, n
5. Saveur : l'aigre-doux – Adjectif : aigre-doux(ce) – Aliments, plats ou boissons : l
6. Saveur : le piquant – Adjectif : piquant(e) – Aliments, plats ou boissons : a, c, m

4. *Exemple de production :*
La nourriture chinoise compte cinq saveurs essentielles (le sucré, l'aigre, le salé, l'amertume et le piquant) qu'il faut équilibrer selon les principes de la médecine chinoise traditionnelle. Les saveurs varient selon la région où l'on se trouve. Par exemple, la cuisine du Sichuan doit sa réputation à ses saveurs piquantes. Quand on trempe les lèvres dans le plat de bœuf bouilli à l'eau, la première sensation est une chaleur ardente due aux piments et au poivre du Sichuan. La cuisine de Hong Kong se caractérise par son mélange de sucré-salé. Une des spécialités, le porc Hong Shao, associe le salé de la viande et le caramel des petits légumes qui l'accompagnent. Tandis que la cuisine du nord du pays est exclusivement salée et que celle des minorités du Sud révèle principalement un goût aigre.

5. 1. production – **2.** surface cultivée – **3.** hectares – **4.** hausse – **5.** agroalimentaires – **6.** excédent commercial – **7.** récoltes – **8.** rendement – **9.** collecte – **10.** exploitants – **11.** baisse – **12.** exploitations – **13.** compensés – **14.** revenus moyens

6. *Exemple de production :*
1. Les faits marquants : L'enquête réalisée par l'Agence bio en juin 2019 révèle que la consommation de produits bio représente 9,7 milliards d'euros. Elle met en outre en lumière que 69 % des produits bio consommés proviennent de France et que dans certaines catégories (lait, produits laitiers, œufs, viandes, vins et alcools), ce taux s'approche de 100 %. L'étude analyse également ce que le bio représente concernant les surfaces de production de certains produits (légumes secs, fruits, plantes à parfum, aromatiques et médicinales et vignes). Elle souligne enfin que la France arrive à la deuxième place sur le marché du bio dans l'Union européenne.
2. Les variations observées : Selon l'étude, le nombre d'exploitations engagées en bio enregistre une hausse de 13 % entre 2017 et 2019. On voit que le nombre d'emplois directs est en hausse de 14 %. De plus, on constate que le nombre d'hectares cultivés a augmenté de 17 % depuis 2017. Enfin, l'étude met en évidence que l'utilisation de produits bio en restauration collective est en forte progression avec une hausse de 27 %.

7. Production libre

Corrigés et transcriptions

Nous perfectionnons notre grammaire   p. 14
8. a. 2, 3, 9, 11, 12, 14
b. 1. 1, 2, 3 – **2.** 7, 8 – **3.** 12, 14, 16 – **4.** 4, 5, 6, 13 – **5.** 10, 17, 18

9. 1. de – **2.** de la – **3.** du – **4.** des – **5.** de – **6.** de – **7.** de – **8.** du – **9.** de – **10.** des – **11.** de – **12.** d' – **13.** de – **14.** du – **15.** de – **16.** de – **17.** des – **18.** d' – **19.** du – **20.** de la

10. 1. des – **2.** des – **3.** du – **4.** d' – **5.** de – **6.** des – **7.** de – **8.** de la – **9.** de l' – **10.** de l' – **11.** des – **12.** des

11. 🎧 3 Maintenant que nous avons préparé tous nos ingrédients sur le plan de travail, concentrons-nous sur la mise en œuvre. Commençons par les pommes. Louis, passe-les-moi que je les montre à la caméra. Regardez : épluchez-les mais ne me les coupez surtout pas en lamelles fines, hein ! Préférez-leur plutôt de beaux quartiers épais. Prenons la poêle et le beurre. Louis, mets-m'en la moitié. Et puis du sucre : n'y mets pas tout, ajoutes-en la moitié seulement, comme pour le beurre. N'ayez pas peur de l'ébullition, le caramel commence à se faire jaune doré… c'est là que j'ajoute les quartiers de pomme. Louis, vas-y, c'est à toi de jouer : laisse-les le temps nécessaire pour que les fruits deviennent fondants, mais ne me les fais pas brûler, hein ! Fais-les-moi bien caraméliser ! Pendant ce temps, je vais préparer la pâte.

Formes sans pronom personnel complément : commençons, prenons (formes affirmatives) – n'ayez pas (forme négative)
Formes avec un pronom personnel complément : épluchez-les, préférez-leur, ajoutes-en, vas-y, laisse-les (formes affirmatives) – n'y mets pas (forme négative)
Formes avec deux pronoms personnels compléments : fais-les-moi (forme affirmative) – ne me les fais pas (forme négative)

12. 1. Procurez-les-leur pour former leur palais ! **2.** Adresse-lui-en un afin de lutter contre le gaspillage ! **3.** Souviens-t'en lorsque tu manges au restaurant !

13. 🎧 4 **1.** Les filières agricoles françaises continuent à être diversifiées.
2. Depuis de nombreuses années, ce ne sont pas les céréales qui arrivent en première place des grandes cultures ?
3. La France reste fidèle à sa tradition de grand producteur puisqu'elle parvient à exporter en quantité significative.
4. Dans l'excédent commercial français, il y a notamment des plantes textiles qui sont à remarquer.
5. On ne le dit pas assez, mais voilà plusieurs années que la France est le premier producteur de lin et de chanvre du monde.
6. Reconnaissez que c'est la production de légumes secs qui enregistre la plus forte baisse depuis plusieurs décennies.

a. 4, 5, 6
b. 2. Élément mis en relief : les céréales – Structure de la mise en relief : ce sont… qui – Type de phrase : interrogative **4.** Élément mis en relief : des plantes textiles – Structure de la mise en relief : il y a… qui – Type de phrase : déclarative **5.** Élément mis en relief : plusieurs années – Structure de la mise en relief : voilà… que – Type de phrase : déclarative **6.** Élément mis en relief : la production de légumes secs – Structure de la mise en relief : c'est… qui – Type de phrase : injonctive

14. *Exemple de production :*
1. Voilà la remise à plat des doses de produits phytosanitaires autorisées dont le ministère de l'Agriculture a finalement reçu la charge.
2. Il y a deux années que les autorités sanitaires avaient déjà mis en garde contre l'abus de certaines boissons sucrées.
3. C'est Jean-Pierre Coffe, un critique gastronomique, qui a permis de changer certaines pratiques dans la préparation de la charcuterie industrielle.
4. Toutes fêtes confondues, c'est Pâques qui reste la période durant laquelle le plus de chocolat est commercialisé en France.
5. Il y a un robot pâtissier permettant de mixer, pétrir et fouetter qui se trouve sur le plan de travail de tous les pâtissiers amateurs.
6. Ne vous trompez pas, voici l'année qui verra les meilleurs rendements viticoles de la décennie !

15. *Proposition de corrigé :*
Voici <u>un continent</u> qui a la cote en cuisine : l'Afrique ! **Ce sont** <u>en tout 54 pays</u> **qui** cultivent un riche héritage culinaire. Et la tendance le montre bien, **n'est-ce pas** <u>la cuisine africaine</u> **qui** tend à rayonner dans nos contrées occidentales ? Dans la grande diversité des plats, **il y a** <u>de multiples saveurs</u> **qui** se combinent pour le bonheur de nos palais. Dans ces terroirs où les repas sont des moments de partage, **c'est** <u>cette culture de partage</u> **que** les différentes voix de la cuisine africaine veulent introniser.

Nous améliorons notre style   p. 17
16. 1. Sylvie Brunel : la professeure à Sorbonne université ; auteure de nombreux livres consacrés à la faim et au développement **2.** L'Afrique : le grenier du monde ; y ; le berceau de l'humanité **3.** Les gens qui vivent en ville : les urbains ; les citadins ; des urbains, les bourgeois ; les étudiants ; l'armée **4.** Les gens qui vivent à la campagne : des paysans ; groupe ; petits producteurs ; ils ; les ruraux ; ces derniers ; les masses paysannes **5.** L'agriculture : leurs systèmes agraires ; l'agriculture africaine ; l'agriculture familiale ; celle-là ; elle **6.** L'alternative proposée : deux modèles ; un premier qui… un second qui ; l'un ou l'autre

17. *Exemple de reformulation :*
La rue Esquermoise de Lille paraît calme, mardi 15 mai 2018, dans l'après-midi. Pourtant, la veille au soir, des militants végans ont détruit volontairement les vitres de la boucherie L'Esquermoise. « Ce n'est pas la première fois que ça arrive, mais la deuxième ou la troisième », signalent les propriétaires de la boucherie présents derrière le comptoir, au lendemain **des faits**. Filmés, **les auteurs de cette attaque** n'ont pas été discrets. **Ces derniers** ont laissé un message clair en dessous des vitres : « Non au spécisme ». Martine Aubry, maire de la ville de Lille, a immédiatement réagi. Elle affirme son soutien **aux victimes**, elle s'indigne dans un communiqué : « J'ai appris avec consternation **l'événement**. Chacun a le droit d'avoir des opinions et de les défendre. Mais rien ne justifie **des faits d'une telle violence que** je condamne fermement. » Et le premier magistrat de la ville indique que la Ville se constituera partie civile aux côtés **des commerçants**, pour une action en justice. Cet **acte condamnable** suscite la colère dans le quartier.

DOSSIER 3
Prenons soin de nous
Nous enrichissons notre vocabulaire   p. 18
1. a. 1. un médecin, <u>un toubib</u>, une blouse blanche – **2.** <u>un médoc</u>, un médicament, un comprimé – **3.** un rhume, <u>une crève</u>, un coup de froid – **4.** <u>un hosto</u>, un centre de soins, un hôpital
b. 1. blouses blanches, toubibs – **2.** médocs, rhume / coup de froid, crève – **3.** centre de soins, hosto / hôpital

2. a. 3 – **b.** 1 – **c.** 4 – **d.** 2
b. 1. Le / La spécialiste du cœur – **2.** Le / La spécialiste des poumons – **3.** Le / La spécialiste de la santé des femmes – **4.** Le / La médecin pour les enfants – **5.** La personne qui prend soin du patient par la musique. – **6.** La personne qui prend soin du patient par l'hypnose. – **7.** La personne qui soigne les malades en employant à dose infinitésimale un produit. – **8.** La personne qui soigne par manipulation osseuse.

3. 1. généraliste ; désertification médicale ; pathologies – **2.** professionnels de santé ; doyens ; internes ; urgentistes ; infirmiers ; soignants – **3.** corps médical

Corrigés et transcriptions

4. 1. chercheurs / scientifiques – 2. artificiel – 3. scientifiques / chercheurs – 4. laboratoire – 5. résultats – 6. expérience – 7. testé – 8. effet secondaire – 9. découverte – 10. avancée majeure

5. 🎧 5 1. Un ancien manuel recense les interventions de Sushruta, médecin hindou du VIe siècle avant notre ère et père de cette discipline. Il aurait inventé l'ablation de la prostate, ou encore une technique de reconstruction nasale.
2. Jenner a découvert qu'une injection dans le corps d'un virus proche de la variole pouvait stimuler l'immunité de l'organisme et protéger de la vraie variole.
3. En 1799, un chimiste anglais constate les effets analgésiques du protoxyde d'azote. La zone où est appliqué le produit est endormie et le patient ne ressent plus la douleur.
4. À la fin du XIXe siècle, alors qu'il travaille dans son laboratoire, le physicien allemand Röntgen réalise qu'il se trouve en présence d'un rayonnement inconnu, invisible et pénétrant. Il passe son bras entre la machine et l'écran et il voit apparaître son squelette sur l'écran !
5. En 1901, le biologiste et médecin autrichien Karl Landsteiner découvre l'existence des groupes sanguins. Il identifie quatre groupes qui déterminent la compatibilité entre donneurs et receveurs.
6. Le 25 juillet 1978 venait au monde en Grande-Bretagne Louise Brown, le premier bébé-éprouvette. La technique consiste à prélever les ovocytes et à organiser la rencontre avec les spermatozoïdes à l'intérieur d'une éprouvette.
7. La moitié de l'épaisseur d'un cheveu. C'est le niveau de précision des bras du robot canadien NeuroArm. Cette machine permet aux neurologues d'opérer un patient sous IRM.
8. Le premier cœur synthétique vient d'être créé à partir de cellules humaines grâce à un procédé automatisé qui consiste à produire un objet en déposant des couches successives de matière.

a. n° 6 – b. n° 3 – c. n° 4 – d. n° 7 – e. n° 2 – f. n° 8 – g. n° 1 – h. n° 5

6. *Exemple de production :*
L'IFOP **a conduit** une enquête auprès de 1 200 patients pour savoir ce qu'ils pensent de l'e-santé. D'après l'enquête, 64 % des Français **estiment** que c'est dans le domaine des objets connectés que l'e-santé doit se développer en priorité. Même si les patients **se prononcent en faveur de** ces technologies dans la prévention, ils semblent **s'en méfier** puisqu'ils sont 89 % à ne pas les utiliser. Les non-utilisateurs **citent** le coût excessif (59 %). Ils **craignent** le manque de fiabilité des outils de mesure (50 %). 63 % des personnes interrogées **déclarent** que les dispositifs numériques doivent permettre de communiquer avec le médecin en dehors des consultations. Les patients se disent globalement ouverts aux dispositifs d'e-santé. 70 % des sondés accepteraient l'utilisation d'un objet connecté médical dans le cas d'une maladie chronique. Cependant, la sécurisation des données **inquiète** 50 % des personnes interrogées.

Nous perfectionnons notre grammaire   p. 21

8. 🎧 6 Ex. : On y pense lorsqu'on est malade.
1. On peut s'en servir quand on est malade afin d'être remboursé.
2. On leur confie parfois notre santé même s'ils ne sont pas médecins.
3. Autrefois, on en avait toujours dans les zones rurales en cas de blessures.
4. On parle d'eux actuellement au sein de commissions de remboursement de la Sécurité sociale.
5. On le dit de plus en plus souvent car il permet de combattre les maux de dos.
6. Beaucoup y tiennent même s'il est de plus en plus controversé.
7. On pense à elles quand on parle des conditions de travail dans les hôpitaux.
8. On y va en cas de besoin.

1. De sa carte vitale. – 2. À des thérapeutes. – 3. Des guérisseurs. – 4. Des médecins homéopathes. – 5. Qu'il faut faire du sport. – 6. Au système français de formation des médecins. – 7. Aux infirmières. – 8. Au service des urgences.

9. 1. leur – 2. s'y – 3. s'en – 4. à eux – 5. l' – 6. en – 7. lui – 8. lui

10. 1. Oui, je le pense. / Non, je ne le pense pas.
2. Oui, je veux en consulter un. / Non, je ne veux pas en consulter.
3. Oui, je tiens à lui. / Non, je ne tiens pas à lui.
4. Oui, je le leur ai (déjà) dit. / Non, je ne le leur ai pas (encore) dit.
5. Oui, j'ose lui en faire part. / Non, je n'ose pas lui en faire part.
6. Oui, je pourrais m'en servir. / Non, je ne pourrais pas m'en servir.
7. Oui, je les y ai déjà jointes. / Non, je ne les y ai jamais jointes.

11. a. Les raisons pour lesquelles la médecine a chuté dans l'estime des Français, entraînant avec elle praticiens et médicaments, traitements et structures, sont difficiles à déterminer. Autrefois, du fait de son parcours et de ses connaissances, le médecin suscitait le respect, particulièrement à la campagne puisqu'il y était l'un des seuls à avoir étudié. Puis les temps ont changé et à force de modernisation, la connaissance et l'accès à l'information se sont généralisés, au point de donner l'impression à certains qu'ils en savaient autant que les spécialistes de santé. Sous prétexte de quelques recherches ou quelques exemples entendus ! Par ailleurs, dès lors qu'on a changé de regard sur les personnels de santé et les centres de soins, les impacts se sont multipliés. Des enquêtes ont notamment montré que, comme dans toutes les professions, des erreurs pouvaient être commises, des résultats pouvaient être faux. On le sait : toutes les erreurs n'ont pas d'explications scientifiques, certaines viennent du facteur humain. Bref : cela a eu pour effet de provoquer un sentiment de défiance, et sous l'effet de l'œil critique de la société moderne, le corps médical a rejoint le reste des humains « normaux » et critiquables…

b. Expressions introduisant une cause :
Verbes : venir de, *être causé par, être dû (due) à*, avoir pour cause, *trouver son origine dans, tenir à, découler de*…
Noms : une explication, *une cause, une justification, un prétexte, une occasion, un motif*…
Connecteurs logiques : du fait de, puisque, à force de, sous prétexte de, dès lors que, sous l'effet de, *parce que, car, comme, grâce à, à cause de, en effet, en raison de, faute de, à défaut de, vu (que), étant donné (que), dans la mesure où, par*…
Expressions introduisant une conséquence :
Verbes : susciter, avoir pour effet de, provoquer, *causer, expliquer, encourager, déclencher, inciter*…
Noms : un impact, un résultat, *une suite, une conséquence, un prolongement, un développement, un effet, une séquelle*…
Connecteurs logiques : au point de, *pour cette raison, c'est pourquoi, donc, alors, par conséquent, en conséquence, ainsi, si bien que, de sorte que, tel que / tellement que, dès lors, d'où, de ce fait, par suite*…

12. 1. En France, dans la mesure où on craint la marchandisation du corps humain, les dons d'organes sont très réglementés, de sorte qu'ils ne sont pas très répandus.
2. Tant de tabous ont été levés que la PMA est de plus en plus répandue ; de plus en plus de couples infertiles peuvent ainsi procréer.
3. Comme on cherchait à encourager les dons de gamètes, l'anonymat était au cœur de la législation sur ces dons, d'où les recherches d'antécédents médicaux aujourd'hui problématiques.
4. La recherche réalise tellement de progrès que la thérapie génique commence à faire ses preuves ; dès lors, certains patients ont un nouvel espoir.

5. Sous prétexte qu'elles ne concernent que de rares patients, peu de recherches sont effectuées sur les maladies orphelines ; ceux qui en souffrent ne bénéficient par conséquent d'aucun traitement.
6. À force que ses développeurs publient des résultats encourageants, la nanomédecine commence à émerger ; elle pourra de ce fait s'associer à d'autres traitements pour combattre de nombreuses maladies.

13. *Exemple de production :*
Puisque nous sommes aujourd'hui tellement nombreux à souffrir du dos et que beaucoup en parlent comme du « mal du siècle », nous demandons que des mesures soient prises. En effet, nous savons que ces problèmes trouvent leur origine dans notre mode de vie qui entraîne de mauvaises postures et trop de sédentarité. Ainsi, dans la mesure où nous savons que seul le mouvement aide à se sentir mieux, IL FAUT FAIRE DU SPORT ! Pourtant, faute de remboursement, trop de personnes n'en ont pas les moyens financiers. C'est pourquoi nous demandons instamment un remboursement de cours de sport adaptés grâce auxquels les frais médicaux et pharmaceutiques diminueront !

Nous améliorons notre style   p. 24
14. 1. Madame la Ministre, Nous signataires, chefs de service, responsables d'unité fonctionnelle ou de départements médico-universitaires, vous, notre, nous, nos
2. notre profonde déception, insuffisance, trop peu, trop partiel, trop étalé, insuffisances, erreurs, urgence, dégradation, remet en cause, menace, essentielles, revalorisation, profonde, juste, difficile
3. selon nous
4. nous sommes conscients
5. devrait
6. voulons, il faut, doit
8. telle qu', c'est… que…

15. *Exemples de production :*
1. Ce qui est insupportable, c'est que le financement de la recherche baisse !
2. Est-il possible qu'un jour l'anonymat du don d'organe soit levé ?
3. On m'a dit que les médecins de campagne disparaîtraient.
4. Les médicaments homéopathiques, placebos inopérants et honteux, doivent être déremboursés.

16. *Exemple de production :*
Toujours plus de pression, toujours moins de moyens pour le personnel soignant… Mais où va notre système de soin franchement ? La santé serait-elle devenue secondaire ? Mais enfin, ressaisissez-vous, politiciens, politiciennes, et proposez un plan, un vrai ! Et commencez par la revalorisation salariale, tiens ! Un salaire décent à la hauteur du service rendu.
Bravo à tous les médecins pour cet acte sans précédent, c'est très courageux et cela fera bouger les choses sans nul doute.
Je soutiens entièrement votre mouvement et j'espère que vous serez entendus.

DOSSIER 4
À corps et à cri
Nous enrichissons notre vocabulaire   p. 25
1. a. *in-* / *im-* / *il-* / *ir-* : irrespectueux – *dé(s)-* / *dis-* : disqualifié, discordance – *mal-* : maltraitée – *a-* : anormaux – *dys-* : dysfonctionne
b. 1. Qui n'est pas réversible, qui ne peut pas revenir en arrière. – 2. Pas habillé, nu. – 3. Qui manque de grâce, qui n'est pas beau. – 4. Qui manque d'adresse, d'habileté. – 5. Qui diffère du type habituel, qui sort de la norme. – 6. Anomalie de la forme d'une partie du corps.

2. 1. sourcils – 2. doigt – 3. front – 4. menton – 5. gueule – 6. langue – 7. yeux – 8. talon – 9. cœur – 10. langues – 11. pouces – 12. main – 13. lèvres – 14. main

3. a. 1. f – 2. d – 3. e – 4. f – 5. c – 6. d – 7. c – 8. c – 9. e – 10. g – 11. d – 12. a – 13. g – 14. c – 15. b
b. 2. une personne malentendante – 3. une personne à mobilité réduite – 4. facile d'accès – 5. une personne ayant une déficience visuelle – 6. une personne atteinte de surdité – 7. une personne en situation de handicap – 8. une personne non-voyante – 10. une limitation – 15. une personne valide

4. 1. corps – 2. pas – 3. danse inclusive – 4. en situation de handicap – 5. paralysés – 6. valides – 7. capacités physiques – 8. paraplégique – 9. pratiques discriminatoires – 10. estime de soi – 11. fauteuils roulants – 12. mouvements avec les bras – 13. handicap – 14. limiter

5. *Exemple de production :*
Que vous soyez en situation de handicap ou non, le cours de danse inclusive vous permettra de vous exprimer et de réaliser en groupe des chorégraphies harmonieuses, sans aucune limitation. Personnes à mobilité réduite, personnes valides, personnes ayant une déficience visuelle ou malentendantes : toutes se retrouvent autour du professeur, chacun apportant ses aptitudes et sa sensibilité à la construction d'un ensemble où le corps, dans tous ses états, tout autant que l'âme, est mobilisé.
Informations pratiques : nos locaux sont faciles d'accès pour tous les types de handicap.

Nous perfectionnons notre grammaire   p. 28

7. 🎧 7 De plus en plus de jeunes gens aux mensurations généreuses aspirent à être considérés comme des citoyens « normaux » autrement dit : de simples citoyens. Selon eux, trop de tabous ont été brisés à propos de leur exclusion. Parmi eux, des activistes dénoncent la société normative et les professionnels de la communication car pour ces personnes, seule la beauté parfaite doit être valorisée. Nous avons rencontré l'un d'entre eux et il a expliqué comment son collectif compte faire pression sur les autorités. C'est une lutte à bien des niveaux, elle doit regrouper de nombreuses associations si elle veut toucher ses cibles. En effet, sans en être vraiment conscients, nous sommes tous soumis à des préjugés et pourtant, nous ignorons trop souvent l'existence de ces préjugés. Dans ce reportage, vous découvrirez le quotidien de ces jeunes : les grandes enseignes leur refusent des collections vestimentaires adaptées, les recruteurs les voient comme des poids dans une équipe, bref : un parcours semé d'obstacles.

1. Être considéré comme de simples citoyens, c'est quelque chose à quoi aspirent de plus en plus de jeunes gens en surcharge pondérale. – 2. Ils vivent une situation d'exclusion à propos de laquelle trop peu de tabous ont été brisés. – 3. Des activistes dénoncent la société standardisée et les professionnels de la communication pour qui seule la beauté parfaite est acceptable. – 4. Nous avons rencontré l'un de ces activistes, lequel a expliqué les actions à venir de son collectif. – 5. Il s'agira d'une lutte qui devra regrouper de nombreuses associations si elle veut atteindre ses objectifs. – 6. Sans le savoir, en ce qui concerne l'apparence, nous sommes soumis à des préjugés dont nous ignorons presque toujours l'existence. – 7. Dans ce reportage, vous découvrirez le parcours d'obstacles que doivent affronter ces jeunes au quotidien.

8. 1. pour qui / pour lequel – 2. dans laquelle – 3. par le biais desquelles – 4. contre quoi – 5. sur la base desquelles – 6. auquel

9. *Exemple de production :*
C'est un objet <u>qui</u> est constitué de plastique et de métal et

dont la version électrique est nécessaire pour les personnes tétraplégiques. Il s'agit d'un équipement sans lequel beaucoup de personnes handicapées ne pourraient pas se déplacer. C'est un élément de motricité grâce auquel elles peuvent accéder à de nombreux lieux et à l'aide duquel elles peuvent prétendre à une vie semblable à celle des personnes valides.

10. 1. Expression d'un sentiment – 2. Expression d'un jugement – 3. Formulation d'un constat – 4. Formulation d'une pensée – 5. Formulation d'une certitude – 6. Expression d'un sentiment – 7. Expression d'un jugement

11. 1. sont disponibles – 2. veuille – 3. tient – 4. ait – 5. sont agacés – 6. prenne – 7. fasse – 8. sont – 9. connaisse – 10. développent – 11. ont – 12. peuvent

12. *Exemple de production :*
Il apparaît que la femme représentée par Klimt a une expression de lassitude, on voit que son regard est fatigué et calme à la fois. J'imagine que l'artiste cherchait une inspiration inhabituelle et a choisi cette femme pour son air rêveur. Je suis étonné(e) qu'il ait opté pour une absence de couleur sur son visage, j'ai tendance à préférer que les portraits soient plus lumineux. J'apprécie qu'il y ait un net contraste entre le portrait de la femme et le fond. Il est inouï que Klimt ait eu autant d'inspiration pour la réalisation de ses arrière-fonds.

13. 1. conjonctive – 2. interrogative indirecte – 3. conjonctive – 4. relative – 5. relative – 6. conjonctive – 7. interrogative indirecte

14. *Exemple de production :*
Ce type de représentation, qui est trop déstabilisant, ne me plaît pas. – Ce type de représentation est trop déstabilisant, c'est pourquoi il ne me plaît pas. – Quand on me demande pourquoi ce type de représentation ne me plaît pas, je réponds qu'il est trop déstabilisant. – Comme il est trop déstabilisant, ce type de représentation ne me plaît pas.

Nous améliorons notre style   p. 31

15. a. 2. Explication (l. 1-3) – 3. Idée secondaire 1 (l. 3-4) – 4. Exemple 1 (l. 4) – 5. Idée secondaire 2 (l. 4-6) – 6. Exemple 2 (l. 6-7) – 7. Conclusion (l. 7-8)

b. 2. Présenter un exemple : d'ailleurs, notamment – 3. Déduire une idée secondaire : ainsi – 4. Relever une opposition : pourtant, alors que – 5. Introduire une idée parallèle : de même – 6. Conclure : dès lors

16. 1. en effet – 2. Par exemple – 3. De plus – 4. particulièrement – 5. En fait – 6. car – 7. donc

17. *Exemple de production :*
Dans le domaine de la mode, les modèles ne devraient pas être jeunes exclusivement. En effet, les images publicitaires doivent chercher à représenter les acheteurs potentiels. Tout d'abord, il n'est pas normal qu'un modèle au-delà de 25 ans soit disqualifié, rien ne peut le justifier quand il s'agit de vendre à toutes les classes d'âge. Par exemple, est-ce qu'on cesse d'acheter des vêtements quand on atteint 40 ans ? Par ailleurs, le message des publicitaires qui n'utilisent que des modèles jeunes peut être perçu comme insultant. On pense notamment au marché réel de toutes ces compagnies, c'est-à-dire des personnes qui travaillent, qui ont donc souvent plus de 25 ans, et non pas seulement des jeunes gens à peine sortis de l'adolescence ! En conséquence, pour être efficaces, il est urgent que les publicitaires s'adressent à la majorité !

DOSSIER 5
Dans quel monde vit-on ?
Nous enrichissons notre vocabulaire   p. 32

1. a. a. la parité – **b.** l'équité – **c.** la discrimination – **d.** le plafond de verre – **e.** la xénophobie – **f.** le sexisme – **g.** la discrimination positive – **h.** le jeunisme

b. 🎧 8 Ex. : Maria et Romain, cadres dans une multinationale, aussi diplômés et expérimentés l'un que l'autre, ont exactement la même rémunération. Voilà qui illustre une rare situation d'…
1. Aux États-Unis, alors que les femmes représentent 45 % des managers, elles ne constituent que 5 % des cadres dirigeants. C'est un cas typique du…
2. Après plusieurs candidatures infructueuses, Jordan Lecoq, habitant d'une banlieue dite sensible, a fini par indiquer une adresse à Paris. Il a immédiatement reçu des propositions d'entretien. Un parfait exemple de…
3. Avec Parcoursup, les lycéens venant d'établissements de quartiers défavorisés reçoivent un coup de pouce pour lutter contre les inégalités qui règnent dans l'enseignement supérieur. Cela pourrait permettre de rétablir une forme d'…
4. Dans les périodes de crise, il n'est pas rare d'entendre que les étrangers sont responsables de nombreux maux, de lire des commentaires qui visent à les stigmatiser. Toutes ces généralisations relèvent d'une forme de…
5. Dans son reportage sur l'Assemblée nationale, la journaliste Séverine B. décrit un univers où ses consœurs sont peu considérées et généralement vues comme incompétentes. Un cas supplémentaire de…
6. En Afrique du Sud, depuis la fin de l'Apartheid, le système d'émancipation économique impose aux entreprises de favoriser les personnes noires notamment dans l'accès à des postes de direction et dans la formation. C'est un modèle de…
7. D'un côté, les seniors sont priés de travailler plus longtemps. De l'autre, ils peinent à se faire embaucher. Au cœur du paradoxe, les recruteurs, accusés de pratiquer le…
8. Avec bientôt 40 % de femmes comme parlementaires, le Parlement européen fait figure de bon élève en termes de représentation. Bientôt la…

1. d – 2. c – 3. b – 4. e – 5. f – 6. g – 7. h – 8. a

2. 1. Le management intergénérationnel – 2. la génération Y – 3. les baby-boomers – 4. la génération X – 5. une génération – 6. la socio-démographie

3. 1. activiste – 2. rebelles – 3. transgresser – 4. dénoncer – 5. s'opposent – 6. militants – 7. se mobilisent – 8. défendre – 9. lutte – 10. valeurs

4. Objectifs : 1, 4, 7, 8, 10, 14, 16, 19
Actions : 2, 3, 5, 6, 9, 11, 12, 13, 15, 17, 18, 20

5. *Exemple de production :*
a. Il s'agit d'une affiche pour appeler les femmes à se mobiliser lors de la journée des femmes du 8 mars. Elle représente trois dessins de femmes apparaissant comme des *wonderwomen*, le bras levé en signe de lutte probablement. Y sont mentionnées également des informations sur la signification de cette journée et sur les raisons de la mobilisation. On rappelle ainsi que la journée du 8 mars est une journée de lutte pour les droits des femmes.
À cette occasion, des syndicats et des associations féministes invitent les femmes à faire la grève à 15 h 40, heure à partir de laquelle elles cessent d'être payées si l'on compare leur salaire à celui des hommes, de 26 % supérieur en moyenne. Cette action forte signifie l'urgence du changement et vise à dénoncer les inégalités salariales entre les hommes et les femmes ainsi qu'à faire bouger les lignes.
b. Les femmes pourraient manifester dans la rue tous les jours à 15 h 40 jusqu'à ce que leurs voix soient entendues.

Nous perfectionnons notre grammaire   p. 35

7. 🎧 9 Quand j'observais ma mère et ma grand-mère

Corrigés et transcriptions

maternelle ensemble, je pouvais voir l'immense fossé qui les séparait. C'était un écart plus grand qu'une simple génération, ou même dix générations, il s'agissait plutôt d'une ère socioculturelle toute nouvelle. Pour ma mère, mamie était une dame vieille, appartenant à une autre époque, celle des musiques les plus mauvaises et des vêtements du pire goût possible. Outre les styles assez discutables, comme tous les styles, mamie et ses contemporaines prônaient cette ancienne tradition imposant des couleurs bien définies pour différents âges de la vie. Ainsi, la pureté des robes neige ne serait réservée qu'aux vraies mariées pures, et les tissus noir de jais seraient de rigueur pour les veuves. Les enfants se contenteraient d'ensembles bleu marine et les messieurs auraient toujours des vestes anthracite. C'était tellement loin des couleurs bariolées et parfois semi-acceptables de ma mère ! Elle portait des pantalons léopard ou bleu métallisé, des chaussettes safran dans des chaussures acajou, des bijoux mauves sur une tunique grenat. Bref : une longue et magnifique série de malentendus.

a. avant le nom : simple – dix – autre – pire – ancienne – différents – vraies – longue
après le nom : grand – nouvelle – vieille – mauvaises
b. 1. *un écart plus grand* ; *des musiques les plus mauvaises*
2. *l'immense fossé* ; *une longue et magnifique série de malentendus*
3. – *simple génération* ; *cette ancienne tradition* ; *différents âges de la vie*
– *une ère socioculturelle toute nouvelle* ; *une dame vieille*

8. 1. une ère socioculturelle – **2.** des robes neige – **3.** les tissus noir de jais – **4.** des ensembles bleu marine – **5.** des vestes anthracite – **6.** des pantalons léopard ou bleu métallisé – **7.** des couleurs semi-acceptables – **8.** des chaussettes safran – **9.** des chaussures acajou – **10.** des bijoux mauves – **11.** une tunique grenat

9. 1. la <u>ville</u> ancienne – **2.** une vraie <u>ville</u> – **3.** le nouveau <u>siècle</u> – **4.** de superbes <u>styles</u> – **5.** les <u>ruines</u> gréco-romaines – **6.** aux assez grands <u>immeubles</u> / aux <u>immeubles</u> assez grands – **7.** aux <u>parois</u> lisses et multicolores – **8.** des <u>tons</u> vert paon – **9.** des <u>reflets</u> jaune d'or – **10.** les belles <u>façades</u> roses – **11.** le dernier <u>séisme</u> – **12.** des <u>citoyens</u> plus braves – **13.** de rares <u>escapades</u> – **14.** dans ces petites <u>rues</u> – **15.** les <u>autorités</u> politico-militaires – **16.** l'<u>algorithme</u> intelligent – **17.** simples <u>citoyens</u> psycho-incompatibles – **18.** les seules <u>règles</u>

10. 1. Les conjointes collaboratrices sont bien / beaucoup mieux protégées par le droit du travail actuel qu'avant les modernisations de 2002.
2. Selon certains opposants à la loi, les mécanismes de discrimination positive sont bien pires que les discriminations elles-mêmes.
3. La charge mentale incombe bien davantage aux femmes qu'aux hommes dans la plupart des familles françaises.
4. L'acceptation de l'autorité d'un homme par ses pairs et homologues est bien meilleure que celle d'une femme si le personnel d'une entreprise n'y est pas préparé.

11. *Exemple de production :*
À première vue, on croit la femme du XXIe siècle tout à fait <u>distincte de</u> celle des années 1940. Pourtant, ces deux images frappent l'esprit car la femme d'aujourd'hui semble remplir des fonctions <u>identiques à</u> celle d'avant : essentiellement les tâches ménagères et domestiques. Plus en détail, on voit que la tenue de ménagère est toujours <u>semblable à</u> celle du siècle dernier et que l'importance de la cuisine est <u>similaire aux</u> années 1940. En outre, la place qu'occupent les enfants aujourd'hui est <u>comparable à</u> celle d'autrefois et leur soin incombe davantage à leur mère. Malgré toutes ces similitudes, on remarque que la diversité des tâches de la femme moderne est <u>différente de</u> celle de la femme des années 1940. En plus des activités <u>analogues à</u> celles de sa grand-mère, la femme d'aujourd'hui travaille. Elle gère donc un emploi du temps multiple. La femme du XXIe siècle n'est donc plus la <u>même qu'avant</u>, elle est devenue une *wonderwoman* !

12. 1. tout autre – **2.** tel qu' – **3.** comme si – **4.** de même que – **5.** tel – **6.** d'autant plus que

13. 1. <u>Dans cette banlieue</u> *(lieu)* – <u>rapidement</u> *(manière)* – <u>afin d'offrir de meilleures infrastructures aux citoyens</u> *(but)*
2. <u>Accompagné du chargé de mission</u> *(accompagnement)* – <u>faisant suite au rapport remis le mois dernier</u> *(conséquence)*
3. <u>Avec les dernières études socio-économiques réalisées</u> *(moyen)* – <u>à condition de remodeler le tissu urbain des grandes villes</u> *(condition)* **4.** <u>Même si les manifestations ont été nombreuses</u> *(concession)* – <u>comme cela a été fait précédemment</u> *(comparaison)*

14. *Exemple de production :*
1. <u>En dépit de nombreuses difficultés</u> *(concession)*, un homme a obtenu que sa candidature soit reconsidérée <u>en prouvant la discrimination dont il était victime</u> *(manière)*. **2.** <u>Dans certaines banlieues</u> *(lieu)*, beaucoup de jeunes cherchent à changer de quartier ou de ville <u>pour avoir accès à davantage d'opportunités</u> *(but)*. **3.** Une victime de discrimination peut <u>gratuitement</u> *(manière)* s'adresser à une association <u>si elle a besoin d'aide pour préparer son dossier</u> *(condition)*. **4.** <u>Depuis quelque temps</u> *(temps)*, <u>du fait des incitations officielles</u> *(cause)*, certaines entreprises sont des modèles de parité, <u>comme dans les pays scandinaves</u> *(comparaison)*.

Nous améliorons notre style — p. 38

15. 🎧 10 Hélène en était à son troisième entretien de la journée. En moyenne, elle rencontrait cinq demandeurs d'emploi quotidiennement. Mais cela ne semblait pas suffire à sa directrice d'agence, Madame Tellier, qui insinuait qu'Hélène n'avait pas atteint une cadence acceptable pour le service.
– J'ignore ce que vous leur racontez, cela m'importe peu d'ailleurs. Mais il faut augmenter la voilure !
– Je fais de mon mieux Madame Tellier. Mais augmenter le rythme me semble compliqué et peu pertinent, si je puis me permettre.
Madame Tellier semblait avoir oublié qu'Hélène était désormais chargée du reclassement des plus de cinquante ans des usines textile de la région, soixante-treize personnes au total. Certes, Hélène n'était pas assistante sociale, mais elle ne pouvait se contenter de faire défiler ces remerciés de l'emploi, cocher les cases de leur dossier et les reconduire poliment à la porte sans prêter une oreille attentive à leur histoire personnelle. Se succédaient ainsi chaque jour dans son bureau des quinquagénaires et sexagénaires aux parcours multiples.
– J'ai bossé comme un fou dans cette boîte pendant trente-cinq ans. J'y ai mis toutes mes tripes. J'avais dix-neuf ans quand j'ai commencé, Madame, dix-neuf ans !
– Ah oui, des boulots, ça, j'en ai fait un paquet ! Je rechigne pas à la tâche, hein. Vous allez bien me trouver un p'tit quequ' chose, Madame ?
– Madame, j'ai cinquante-huit ans mais je suis encore très motivée et je peux m'adapter à n'importe quel travail. Je peux suivre une formation si c'est nécessaire.
– Je suis toute seule à élever mes trois gosses. Comment j'vais faire ?
Le soir, éreintée, Hélène ne pouvait plus contenir sa révolte et s'effondrait devant son mari.
– Fais chier, putain, comment j'vais les recaser tous ces gens ? Les boîtes veulent que des jeunes dynamiques. Alors quoi, passé cinquante piges, t'es un vioc qui vaut plus rien, c'est ça le message ? Jeunisme à la con, ouais !

Corrigés et transcriptions

a. 1. registre soutenu. Style littéraire.
2. registre soutenu. Milieu socioculturel élevé, position hiérarchique supérieure.
3. registre soutenu. Politesse, déférence.
4. registres familier et vulgaire. Absence de rapport hiérarchique, personne proche, expression des émotions (colère, énervement).
5. registres familier et populaire. Appartenance à une classe sociale ouvrière, populaire, moins éduquée.
6. registre standard. Connaissance des codes, adaptation du registre à une situation formelle.
b. 1. Registre vulgaire – Exemples : fais chier / putain / à la con.
2. Registre standard – Exemples : très motivée / travail / Je peux suivre une formation si c'est nécessaire.
3. Registre soutenu – Exemples : éreintée / insinuait / si je puis me permettre / certes… mais… / Mais, cela ne semblait pas suffire à sa directrice d'agence, Madame Tellier, qui insinuait qu'Hélène n'avait pas atteint une cadence acceptable pour le service / Se succédaient ainsi chaque jour dans son bureau des quinquagénaires et sexagénaires aux parcours multiples. / augmenter la voilure.
4. Registre familier – Exemples : j'ai bossé / boîte / gosses / boulot / je rechigne pas.
5. Registre populaire – Exemples : un p'tit quequ'chose / hein / ah oui.

16. *Exemple de production :*
1. J'ai travaillé dur dans cette usine pendant trente-cinq ans. J'ai donné beaucoup de moi-même à mon travail.
2. J'ai occupé différents emplois. Je suis volontaire au travail. J'espère que vous allez m'aider à retrouver un poste.
3. Je suis seule à élever mes trois enfants. Comment est-ce que je vais réussir à me débrouiller ?
4. C'est incroyable, je suis désespérée ! Comment est-ce que je vais recaser tous ces gens ? Les entreprises ne veulent que des jeunes dynamiques. Cela signifie que passé cinquante ans, on n'a plus de valeur sur le marché du travail ? Jeunisme lamentable, oui !

17. *Exemple de production :*
1. Le lendemain, comme à son habitude, Hélène arriva avec une bonne demi-heure d'avance afin de prendre connaissance de ses dossiers. La journée s'annonçait difficile. Huit personnes à recevoir, toutes sexagénaires.
2. – Bonjour Madame Vialla. Comment se passe votre recherche d'emploi depuis la dernière fois ? Vous avez quelques pistes ? Vous avez rédigé votre CV comme je vous l'avais demandé ?
– Ah ben non, ça va pas. Et non, j'ai pas fait votre truc-là. Écoutez ma p'tite dame, j'ai 63 ans et demi, j'suis crevée, au bout du rouleau. 35 ans d'usine, ça m'a pas fait que du bien, regardez, j'ai des rhumatismes plein les os. Y en a qui vont me prendre, vous pensez, hein ? Vous m'faites rire ma p'tite dame avec vos machins à écrire ! Je vais pas le faire votre CV.
3. Hélène ne travaillait pas à l'usine, pourtant une fatigue immense et un profond désespoir l'envahissait. À la pause déjeuner, il lui fut impossible d'avaler une bouchée de la quiche qu'elle avait cuisinée la veille. Elle décrocha son téléphone.
– Allô, chéri. J'en peux plus. J'ai eu envie de chialer toute la journée. Je suis en train de péter les plombs. Ce boulot me rend complètement dingue ! J'ai juste envie de me casser.

DOSSIER 6
TAF (Travail à faire)
Nous enrichissons notre vocabulaire p. 39
1. 1. main-d'œuvre – **2.** subalternes – **3.** mines – **4.** usines – **5.** syndicats – **6.** retraite – **7.** repos – **8.** grèves – **9.** congés payés – **10.** diminution de salaires – **11.** délégués du personnel – **12.** revenu – **13.** assurance chômage – **14.** jours de RTT

2. a. 1. une conf call – **2.** un workshop – **3.** ASAP (As Soon As Possible) – **4.** overbooké – **5.** être corporate – **6.** une deadline – **7.** faire le débrief – **8.** checker – **9.** un brainstorming – **10.** un after work – **11.** un mail – **12.** un reporting – **13.** un meeting – **14.** un burn out
b. *Exemple de production :*
Bonjour Romain,
Je comprends bien que tu te sentes épuisé vu la charge de travail que tu as ! Tu es complètement débordé. Courage ! Pour la réunion, ne t'inquiète pas, je te ferai un compte rendu détaillé par téléphone dès que possible. Nos réflexions communes ont été fructueuses. Tu me donneras ton ressenti.
Bonne journée.
Laëtitia.
PS : On va boire un verre avec les collègues mardi prochain. Tu es le bienvenu.

3. 🎧 11 **1.** Vous avez comme mission de développer la réputation de l'entreprise sur la Toile.
2. Vous gérez un produit sur l'ensemble de son cycle de vie : de sa sélection, parfois dès la conception et la fabrication, à sa vente.
3. Vous élaborez l'identité visuelle d'un produit ou d'une entreprise à travers vos réalisations (un logo, une affiche ou un site Internet).
4. Vous êtes le meilleur contact à avoir dans nos entreprises hyperconnectées. Vous veillez en permanence à l'efficacité du parc informatique, ainsi qu'au respect des acquisitions de licences utilisateurs.
5. Vous avez la charge de la politique de recrutement, de la gestion des relations entre les salariés et la direction et du management social de l'entreprise.
6. Vous assurez la promotion de la société auprès d'une multitude de personnes : journalistes, clients, politiciens, etc. Vous œuvrez au développement de l'image de marque de l'entreprise.
7. Vous êtes chargé de mener un projet du début à la fin. Vous chapeautez une équipe pendant la durée du projet dont vous êtes responsable.
8. C'est vous qui dirigez l'entreprise. Vous établissez les stratégies d'évolution et de développement de votre structure, des points de vue comptable, financier, managérial et technique.

Métier : **1.** le / la stratège des médias sociaux – **2.** le / la chef(fe) de produit – **3.** le / la graphiste – **4.** le / la responsable informatique – **5.** le / la directeur(trice) des ressources humaines – **6.** le / la responsable des relations publiques – **7.** le / la chef(fe) de projet – **8.** le / la PDG
Verbe(s) ou expression(s) verbale(s) qualifiant la mission : **2.** gérer – **3.** élaborer – **4.** veiller à – **5.** avoir la charge de – **6.** assurer ; œuvrer à – **7.** mener un projet ; chapeauter ; être responsable de – **8.** diriger ; établir les stratégies

4. *Exemples de production :*
1. le / la commercial(e) : Vous gérez et développez un portefeuille de clients. Vous avez la charge de recueillir les besoins des clients et d'élaborer des offres commerciales adaptées.
2. l'hôte(sse) d'accueil : Vous êtes responsable de l'accueil des gens. Vous avez comme mission de répondre à leurs demandes de renseignements et de les orienter. Vous veillez à leur confort en cas d'attente.

5. *Exemple de production :*
Si toi aussi, tu rêves d'un job où tu puisses mettre à profit tes multiples compétences au sein d'une petite équipe jeune et dynamique, rejoins-nous ! Tu as un bac + 3 minimum, tu aimes parler avec les gens, tu es sympa, tu sais travailler seul et tu kiffes l'informatique ? Bonne nouvelle, tu es l'homme ou la femme que nous recherchons !

Notre boîte spécialisée dans les services informatiques pour les entreprises cherche son chargé de com'. Tes missions seront larges et transversales : ancrer le positionnement de la marque, lancer de nouveaux produits, créer des publicités, mettre en place des événements, gérer le site web. Un beau challenge, n'est-ce pas ? Tu seras à la hauteur, nous en sommes sûrs !

Les petits plus pour te donner encore plus envie de nous rejoindre ? Chez nous, chacun est libre de contribuer à la gestion de la boîte, nous sommes des adeptes du management participatif. Et cerise sur le gâteau, nos locaux sont top et en plein Paris !

Si tu es motivé(e) à nous rejoindre pour apporter tes idées au sein de notre start-up afin d'augmenter notre visibilité, nous t'attendons !

Nous perfectionnons notre grammaire   p. 42

7. 1. d' – 2. de – 3. à – 4. à – 5. à – 6. à – 7. de – 8. À – 9. du – 10. à

8. 1. Face aux ; en face des – 2. en regard de ; au regard des – 3. à côté de ; du côté de – 4. entre ; parmi – 5. sur ; au-dessus de

9. 1. auprès de – 2. du côté du – 3. parmi – 4. au-dessus des

10. 🎧 12 1. De plus en plus d'employeurs canadiens approcheraient de jeunes diplômés travaillant déjà en France et des centaines auraient déjà quitté leur emploi pour une expatriation outre-Atlantique.
2. Magali, nous aurions voulu vous poser quelques questions, pourriez-vous nous accorder quelques instants ?
3. Avec cette expérience, j'aimerais développer mes compétences professionnelles et personnelles.
4. Je rêve d'un marché du travail où personne n'aurait peur de perdre son travail, où tout le monde pourrait changer d'emploi quand il veut.
5. En fait, il vaudrait mieux que tous les jeunes occupent plusieurs postes dans plusieurs entreprises et pourquoi pas plusieurs pays avant de se fixer.
6. Vous auriez tout de même pu prévenir votre employeur de votre intention de quitter le pays !
7. J'ai rencontré un employeur qui serait prêt à payer mes frais d'expatriation, c'est génial !
8. Très sincèrement, j'aurais voulu connaître toutes ces possibilités lorsque j'étais plus jeune…

a. Conditionnel présent : 1, 2, 3, 4, 5, 7 – Conditionnel passé : 1, 2, 6, 8
b. Souhait : 3 – Fait imaginaire : 4 – Information non confirmée : 1 – Conseil : 5 – Probabilité : 7 – Atténuation : 2 – Regret : 8 – Reproche 6

11. *Exemples de production :*
1. Les grands directeurs se réuniraient ce matin afin d'évoquer un plan social. – 2. J'aurais aimé être averti des difficultés de l'entreprise avant la presse. – 3. Je rêve d'une usine où on irait pour le plaisir autant que pour la paye. – 4. Hier, on a eu la visite d'un concurrent qui pourrait reprendre l'activité. – 5. Il faudrait que les salariés soient tenus au courant des négociations. – 6. Franchement, le patron aurait dû chercher des partenariats.

12. a. D'après une récente enquête sur la perception que les différents acteurs de l'entreprise ont du management, et <u>bien que</u> la situation soit globalement positive, <u>des contradictions</u> apparaissent <u>tout de même</u> selon l'ancienneté de ses salariés et le statut de leur entreprise.
Ainsi, <u>quel que soit</u> leur type, les outils de gestion modernes sont bien perçus par les plus jeunes <u>tandis que</u> les plus anciens pointent leur complexité. Plus précisément, <u>si</u> les nouveaux les jugent trop présents, les anciens les considèrent chronophages. <u>Un paradoxe</u> : <u>quitte à</u> changer les outils de travail, autant que ce soit pour augmenter l'efficacité !

L'étude révèle également l'impact de ces outils sur l'humain, et là encore les réponses <u>divergent</u> : <u>même si</u> tous les ressentent, les plus jeunes s'en accommodent, <u>alors que</u> les anciens le vivent comme un problème majeur.
b. Verbes : (s')opposer, être opposé(e) à
Noms : une contradiction, un paradoxe, *une opposition, une différence, un désaccord, un contraire*
Expressions suivies de l'indicatif : tandis que, si, même si, alors que
Expressions suivies du subjonctif : bien que, quel(le)(s) que + soit / soient + sujet, *à moins que, où que, qui que*
Expressions suivies de l'infinitif : quitte à, *au lieu de*
Mots de liaison : tout de même, *en fait*, mais, quand même, *au contraire, par contre, pourtant, cependant*

13. 🎧 13 Ex. : Tout épanouis que les managers prétendent être, une bonne partie d'entre eux ne fait pas cette impression sur leurs subalternes.
1. Quand bien même les managers cherchent à aider chacun à développer ses compétences, les salariés ne se sentent pas suffisamment valorisés.
2. Les salariés sont globalement satisfaits de leurs managers. En revanche, ils ne souhaitent pas devenir managers eux-mêmes.
3. Quoi qu'en disent les salariés, les managers sont convaincus d'avoir les compétences nécessaires à l'exercice de leurs fonctions.
4. Les salariés ignorent souvent les objectifs de la direction, si ce n'est qu'elle attend toujours une rentabilité plus importante.
5. Les objectifs fixés par les dirigeants d'entreprise sont jugés atteignables, pour autant tous les jugent stressants.
6. Les outils de gestion continueront à prendre le pas sur l'humain, à moins que le souci constant de développer les ressources humaines ne permette de redonner plus de place au dialogue.

1. Opposition ; Expression utilisée : *quand bien même* – 2. Opposition ; Expression utilisée : *en revanche* – 3. Concession ; Expression utilisée : *quoi qu'* – 4. Restriction ; Expression utilisée : *si ce n'est que* – 5. Concession ; Expression utilisée : *pour autant* – 6. Restriction ; Expression utilisée : *à moins que*

14. quoiqu' – encore qu' – cependant – sans que – en dépit de – quelque

15. *Exemple de production :*
Opposition : En France, il est socialement acceptable de ne pas adorer son travail *alors qu*'il peut être choquant de faire passer son travail en premier.
Concession : Les Français *ont beau* bénéficier de 27 à 42 jours de congés payés et RTT par an en moyenne, la productivité en France est très élevée.
Restriction : *Si* le monde entier croit que les Français ne travaillent que 35 heures par semaine, les disparités en termes de temps de travail peuvent *en fait* être très grandes selon les statuts.

Nous améliorons notre style   p. 45

16. 1. Discours direct – 2. Discours indirect – 3. Discours indirect libre

17. Déclaratifs : assurer, commenter, penser, expliquer – **Exprimant des sentiments et / ou un jugement de celui dont on rapporte les paroles :** clamer, dénoncer, tempêter, déplorer – **Exprimant des sentiments et / ou un jugement de celui qui rapporte les paroles :** prétendre

18. *Exemple de production :*
1. Une éditrice affirme que 90 % des livres sur l'entreprise ont été publiés après 2000. – 2. Un critique littéraire s'indigne que ce soient des auteurs de la classe dominante qui écrivent sur la

condition ouvrière. – 3. « Enfin un livre positif et jubilatoire sur le travail ! », s'enthousiasme un lecteur. – 4. Un directeur éditorial s'amuse : « Dès qu'on donne un cadre d'enquête aux romanciers, ils foncent sur le terrain avec gourmandise ! »

DOSSIER 7
Vague à l'âme

Nous enrichissons notre vocabulaire   p. 46

1. 🎧 14   1. On ne sait pas si ça se passe avant, en même temps ou après, c'est énervant. J'ai l'impression que le réalisateur s'amuse avec les spectateurs.
2. Vraiment, quelle ingéniosité ! Je sais que certains trouvent ce dispositif insupportable, mais moi je me suis sentie transportée dans l'intrigue !
3. Je ne comprends pas pourquoi on a de plus en plus de réalisateurs qui portent la vie des stars à l'écran, c'est lassant à la fin…
4. C'est tout à fait fidèle au texte de Gabriel García Márquez. Même le décor, cette somptueuse cour intérieure pleine de magnolias, est conforme à ce que je m'étais imaginé.
5. La platitude de l'histoire est totalement oubliée grâce à la manière dont elle se met dans la peau de Sarah. Elle est bouleversante de naturel.
6. Il a su saisir le souffle de ce grand dramaturge, malheureusement trop d'effets spéciaux et d'ajouts cinématographiques ont tué la magie de cette œuvre.

a. a. 6 – b. 3 – c. 1, 2 – d. 5
b. **Déception** : 6 (malheureusement) – **Admiration** : 2 (ingéniosité), 4 (somptueuse), 5 (bouleversante) – **Agacement** : 3 (lassant)

2. 1. être à vif ; être chamboulé – 2. avoir les nerfs en pelote ; ne plus pouvoir supporter – 3. en avoir ras-le-bol ; en avoir marre – 4. la morosité ; le désenchantement – 5. le cafard ; une dépression

3. a. 1. lassitude – 2. ai les nerfs en pelote – 3. désenchantement – 4. sois bouleversé / chamboulé – 5. cafard – 6. morosité

b. 🎧 15 a. Vous savez, personne ne peut prendre une telle nouvelle à la légère. Vous devez faire preuve d'indulgence avec vous-même et accepter d'être à vif.
b. Il n'existe bien sûr aucun remède miracle mais je pense que la luminothérapie pourrait vous aider à vous libérer de vos pensées négatives.
c. La routine est un problème que la vie rapide et ultra connectée ne sait plus affronter. Vous n'êtes pas le seul dans cette situation.
d. Au regard du traumatisme que vous avez vécu, avoir du mal à supporter les aléas du quotidien semble logique. La psychologie positive ne marche pas toujours.
e. Essayez de faire tout ce que vous avez toujours aimé et qui vous fait du bien. Même de petites choses peuvent remonter le moral !
f. Eh bien, si rien ne peut apaiser cette grande déception, peut-être devriez-vous chercher un poste qui vous apporte davantage de satisfaction.

a. Patient 4 – b. Patient 6 – c. Patient 1 – d. Patient 2 – e. Patient 5 – f. Patient 3

4. 1. bien-être – 2. améliorer – 3. le stress – 4. remonter le moral – 5. s'ouvrir vers les autres – 6. motivation – 7. dépression – 8. apaiser – 9. trop-plein sensoriel – 10. confiance en soi

5. 1. c – 2. a – 3. f – 4. e – 5. d – 6. b

6. Au sens premier, l'utopie désigne un pays imaginaire / lointain où règne un gouverneur despotique / idéal sur un peuple heureux / assujetti vivant selon son libre-arbitre / la servitude. Il s'agit donc d'un lieu, d'une civilisation, où les inégalités, les injustices, etc., régneraient / n'existeraient pas. Suivant cette définition, beaucoup estiment que la transgression / l'organisation de la paix universelle n'est pas une utopie.
Parmi les différents modèles d'utopie proposés depuis le XVIe siècle, nombre d'entre elles se situent sur une île inconnue ou une montagne secrète. En effet, l'isolement permet de s'affranchir des vertus / vices des autres civilisations et de ne pas être sous le joug / l'influence de quelque pays hostile.
Dans ces contrées utopiques, tout est réglé pour le bonheur / la résilience de chacun, que ce soit dans la loi / la frugalité d'une vie simple ou dans l'abondance d'une vie opulente.

7. L'individu : 1, 4 – La politique : 3, 6 – L'économie : 2, 8 – L'écoresponsabilité : 5, 7

8. *Exemple de production :*
Chacun pourrait être ambassadeur d'une cause et s'y consacrer. À mon avis, il faut que les individus décident avec leur libre arbitre de la cause qui les intéresse. En effet, si on impose une cause et qu'on donne l'impression que c'est la seule qui compte, que ce soit l'environnement, l'aide aux plus démunis ou la défense des animaux, on la présente comme une contrainte ou comme un joug. Et on le sait par expérience : les hommes n'aiment pas être assujettis, ils cherchent souvent à transgresser les obligations. En revanche, quelqu'un qui aura choisi le domaine dont il se fait l'ambassadeur et le défenseur accomplira sa tâche avec dévouement ; il saura probablement mieux convaincre les autres, étant lui-même totalement mobilisé. Il s'engagera de manière désintéressée et ne cherchera pas à profiter de la situation.

Nous perfectionnons notre grammaire   p. 49

10. a. *Chaque* lecteur a son avis sur l'adaptation des livres au cinéma. Je n'en connais pas un seul qui soit indifférent à ce sujet. Certains s'enthousiasment pour l'interprétation brillante de tel ou tel acteur quand d'autres s'agacent du manque de fidélité à l'histoire originale. Les mêmes arguments reviennent pour n'importe quel film. Mais le constat est là : les livres font des films à succès. On en connaît quelques-uns d'extraordinaires. Plusieurs ont battu des records d'entrées. L'un d'eux, *Intouchables*, a réalisé quelque 20 millions d'entrées ! Même si l'on peut retrouver divers genres dans les adaptations cinématographiques, ce sont d'abord le roman et la nouvelle qui fournissent la matière première aux longs-métrages. Il arrive qu'un livre banal devienne un film magistral mais l'inverse est vrai aussi. L'important, à mon avis, est de ne pas laisser l'adaptation de son livre aux mains de n'importe qui. Nul ne me contredira, j'espère !
b. **Les adjectifs indéfinis** : tel, tel, mêmes, n'importe quel, divers, *quelques, différents, quelconque*
Les pronoms indéfinis : (pas) un seul, certains, d'autres, quelques-uns, plusieurs, l'un, n'importe qui, nul, *plus d'un(e), chacun(e), quelqu'un, quelque chose, quelque part, quiconque, autrui*

11. 1. tel – 2. Chacun – 3. n'importe lequel – 4. plusieurs / quelques-uns / certains – 5. Certains – 6. d'autres – 7. Nul – 8. autrui – 9. Diverses / Différentes – 10. quelques-unes / certaines / plusieurs

12. *Exemple de production :*
1. J'en ai consulté **quelques-uns**. **Certains** sont vraiment très riches et bien documentés, **d'autres** ne sont qu'un recueil de conseils ultrabasiques.
2. Une **telle** approche est bénéfique à **quiconque** souffrant d'un handicap psychologique, moteur ou étant en situation d'exclusion.
3. **Les uns** pensent que le bonheur passe par l'argent et la réussite sociale, **les autres** n'imaginent pas le bonheur en dehors de la construction d'une famille.
4. On m'a recommandé **diverses** thérapies pour lutter contre la

déprime saisonnière mais sur moi, **pas une seule** d'entre elles ne fonctionne.

13. 🎧 16 Ex. : Ma société idéale… Eh bien, j'ai envie que l'on ralentisse, tout simplement. Alors, j'ordonne que tout le monde occupe la moitié de son temps à ses loisirs favoris !
1. Je propose qu'il n'y ait plus de gouvernement. Il faut aussi que chacun puisse proposer des lois par le biais d'une assemblée citoyenne.
2. Dans ma société idéale, on fait en sorte que chacun puisse être vraiment épanoui. L'idéal serait qu'il y ait une écoute suffisante des réels besoins d'autrui. J'espère que cette société existera un jour.
3. C'est une société qui exige que ses valeurs soient la solidarité, la joie et la bonne humeur et qui interdit que les peuples se fassent la guerre.
4. Je suggère que ce soit une société verte dans laquelle la nature est totalement revalorisée et où l'on accepte que les animaux soient considérés comme des sujets.
5. Je propose une société qui impose que les richesses soient redistribuées et qui s'oppose à ce que certains vivent dans l'opulence quand d'autres meurent de faim.
6. J'imagine une société qui tient à ce que chaque personne soit pleinement respectée et qui, du coup, ne tolère plus qu'il y ait des discriminations, du racisme et de la violence.

a. Nécessité / Obligation : 1 – **Souhait / Volonté** : 2, 6 – **Ordre** : 3, 5 – **Permission / Interdiction** : 3, 4, 5, 6 – **Conseil / Proposition** : 1, 4 – **Intention / But** : 2
b. Nécessité / Obligation : il faut que – **Souhait / Volonté** : l'idéal serait que, tienne à ce que – **Ordre** : exige que, impose que – **Permission / Interdiction** : interdit que, accepte que, s'oppose à ce que, ne tolère plus que – **Conseil / Proposition** : propose que, suggère que – **Intention / But** : fait en sorte que

14. 1. Nous ne pouvons pas tolérer que le bonheur devienne une marchandise comme une autre.
2. Il faudrait empêcher que l'arrivée des congés ait pour conséquence l'abandon massif des animaux de compagnie.
3. Nous exigeons que la loi prenne en compte la sensibilité animale.
4. J'aimerais éviter que la morosité envahisse trop nos collègues.
5. Dans notre communauté, nous veillons vraiment à ce que chacun vive en harmonie avec la faune et la flore.
6. Je suggère que notre chef d'établissement reconnaisse les bienfaits d'animaux médiateurs en classe.

15. *Exemple de production :*
1. J'ai envie que chaque personne soit considérée de manière équitable.
2. Il faut refuser que des personnes vivent dans la misère.
3. On devrait exiger que l'ensemble des pays du globe signe un pacte de paix à durée indéterminée.
4. Les dirigeants devraient faire en sorte que tout le monde ait des revenus confortables pour pouvoir faire toutes les activités de loisirs qu'il désire.
5. L'idéal serait que chacun puisse vivre exactement comme il l'entend sans se préoccuper du regard des autres.

16. La pensée positive est un modèle *dans l'enseignement, le management et la parentalité*. Elle cherche **à valoriser les émotions positives**. **En effet,** se concentrer uniquement sur les problèmes freine le développement personnel. **De plus**, cela contribue à l'isolement des personnes. **Or,** on sait que pour être épanoui, il convient d'être engagé dans nos relations aux autres.

17. 1. Les membres de la commission demanderont leur avis aux vétérinaires, au ministre de l'Agriculture et aux membres de la Société protectrice des animaux.
2. La déprime saisonnière, c'est ce dont nous avons décidé de parler et que vous avez peut-être déjà vécu.
3. Le philosophe a élaboré et expliqué sa théorie sur la pensée utopique.
4. Ceux qui vivent dans ou près d'une grande ville sont plus enclins à développer des formes de stress.

Nous améliorons notre style p. 52
18. a. 1. détestable – **2.** d'une prison – **3.** de lâcheté – **4.** misanthrope – **5.** peut rendre méfiant
b. faire rire aux dépens de quelqu'un – critiquer – se moquer – caricaturer – dévaloriser

19. a. 1. une antiphrase – **2.** une hyperbole – **3.** un oxymore – **4.** un euphémisme

b. 🎧 17 **1.** Tu as abandonné ton animal avant l'été ! <u>Bravo</u> ! <u>Beau</u> comportement !
2. Ce garçon est un <u>monument</u> de prétention.
3. L'adaptation de ce livre est un <u>magnifique</u> ratage.
4. Il a dépensé tout son héritage en séances de développement personnel, il s'est laissé <u>quelque peu</u> emporter…

1. Bravo, Beau – **2.** monument – **3.** magnifique – **4.** quelque peu

20. *Exemple de production :*
On nous dit que c'est tellement bien, si extraordinaire et incroyablement profitable (hyperbole), mais on en oublie le coût. Cela va de soi : le développement personnel est accessible à tous les habitants de la planète, riches comme pauvres ! (antiphrase) Les formations les plus recommandées ne coûtent que de 200 à 2 000 euros (euphémisme), un détail bien sûr… (antiphrase) Et sans parler de ceux qui vous font croire qu'une conférence avec une centaine de personnes fonctionne aussi bien : du développement personnel collectif (oxymore), un nouveau concept ! À mon avis, cette nouvelle mode attire une montagne d'arnaques ! (hyperbole)

DOSSIER 8
D'innombrables langues françaises
Nous enrichissons notre vocabulaire p. 53

1. a. 🎧 18 **1.** J'aurais souhaité trouver dans son autobiographie un hommage plus fort à la profession de ses ancêtres, c'est aussi grâce à tous ces hommes et ces femmes que l'histoire de l'humanité a pu avancer.
2. J'ai adoré les dialogues, ils donnent à entendre ces voix et ces histoires qui ont bercé mon enfance. Quel bonheur de se dire que les générations à venir pourront encore les entendre !
3. Dans une de ses œuvres, Patrick Modiano a mené une véritable enquête historique pour retrouver les traces de Dora Bruder et écrire son histoire.
4. En écrivant un livre entier sans la lettre « e », George Perec a accompli un véritable exploit.
5. Si l'on considère l'ensemble de son œuvre, on peut dire que Victor Hugo est l'un des auteurs français qui a le plus écrit !

a. 1 – c. 2 – e. 3 – f. 5 – h. 4
b. 1. Écrire une autobiographie requiert **de travailler sur sa mémoire**. – **2.** C'est grâce **aux figures de style** que cet auteur parvient à faire ressurgir le monde de son enfance. – **3.** Son style si particulier tient davantage **aux tournures** qu'au lexique qu'il emploie.

2. a. 1. une communauté linguistique – **2.** un créole – **3.** une grammaire – **4.** un idiome – **5.** baragouiner – **6.** la conjugaison – **7.** la syntaxe – **8.** le vocabulaire – **9.** une langue véhiculaire – **10.** les sonorités
b. <u>cacophonie</u> – <u>baragouiner</u>

3. 1. espace linguistique – **2.** enrichissement – **3.** institutions

Corrigés et transcriptions

francophones – 4. Charte de la Francophonie – 5. colonialisme – 6. rapprochement – 7. dialogue – 8. promouvoir et diffuser – 9. coopération

4. 1. pointer du doigt – 2. truqué – 3. l'indignation – 4. le vecteur – 5. redonner leurs lettres de noblesse aux particularismes régionaux – 6. politisé

5. a. 2. c – 3. g – 4. f – 5. a – 6. e – 7. d
b. *Exemple de production :*
1. Problème : On a du mal à distinguer les différentes parties de ma présentation. **Conseil :** Il faut ménager un silence avant de commencer une nouvelle partie. – **2. Problème :** L'auditoire ne saisit pas toujours les mots clés de ma présentation. **Conseil :** Il ne faut pas hésiter à hausser le ton quand on mentionne ces mots essentiels.

6. *Proposition de production :*
Lors d'une présentation face au public, il m'est arrivé de me sentir très déstabilisé par des contradicteurs. Lorsque certaines personnes me posent des questions très critiques, je peux perdre mon sens de la répartie ou hausser le ton et donner l'impression que je m'énerve. Pour éviter ce genre de difficulté, j'essaie de ne pas commencer de joute verbale mais plutôt d'utiliser un trait d'humour pour détendre l'atmosphère, ou de ménager un silence avant de répondre.

Nous perfectionnons notre grammaire   p. 56

8. 1. Le participe présent :
– remplace une subordonnée relative introduite par *qui* : **consacrant**
– exprime la cause : **cloisonnant, Provoquant, Sachant, s'intensifiant**
– exprime la simultanéité : **Répondant**
2. Le gérondif :
– exprime la simultanéité : **tout en allant**
– exprime la manière : **en lisant, En rendant**
– exprime la condition : **en restant, en ne se prenant pas**
– exprime l'opposition : **Tout en traduisant**
3. L'adjectif verbal, formé sur le participe présent, qualifie un nom avec lequel il s'accorde en genre et en nombre : **fatigante, contraignante, provocant, dominantes**

9. 1. Les dialectes et le patois disparaissant peu à peu, toute une culture régionale se meurt. – 2. Tout en parlant le langage de ses parents teinté d'argot et d'expressions populaires, Marco dévore les auteurs francophones et rêve de devenir un grand écrivain. – 3. Yanick Lahens baignant dans la littérature haïtienne depuis sa jeunesse va inaugurer la nouvelle chaire « mondes francophones » au Collège de France. – 4. J'ai pris conscience de la richesse de la langue française en lisant des auteurs francophones de pays différents.

10. 🎧 19 Ex. : Les règles du concours d'éloquence différant de celles de l'année dernière, les étudiants dont la langue maternelle n'est pas le français ont le droit de participer.
1. Léo, Alfred, Rafaella et Véronika, excellant dans l'exercice, ont décidé de participer au concours.
2. Finalement, ce sont Léo et Alfred qui se sont montrés les plus convaincants.
3. Rafaella négligeant le contenu au profit des beaux mots, n'a pas retenu l'attention du public.
4. La digression sur l'hégémonie de la langue anglaise fatiguant l'auditoire, sa présentation a semblé ennuyeuse.
5. Véronika, légèrement provocante dans sa prestation, n'a séduit qu'un petit nombre de personnes.

a. Adjectif verbal : 2, 5 – Participe présent : 1, 3, 4
b. 1. excellant – 2. convaincants – 3. négligeant – 4. fatiguant – 5. provocante

11. *Exemple de production :*
1. La population ayant pris conscience de leur possible disparition, les langues régionales redeviennent tendance ! – 2. L'Organisation internationale de la Francophonie fait la promotion du français tout en favorisant la coopération multilatérale de ses pays membres. – 3. Les enfants grandissant dans les familles plurilingues ont plus de facilités à apprendre d'autres langues étrangères. – 4. Tout en participant au rayonnement de la langue française et au rapprochement de pays où on parle français, la francophonie véhicule certains stéréotypes.

12. 🎧 20 1. Si j'avais eu le choix de ma langue maternelle, j'aurais choisi l'arabe qui est pour moi la langue la plus poétique.
2. Si le poète guadeloupéen Hector Poullet obtenait un siège à l'Académie française, on s'intéresserait plus aux particularités du français d'Outre-Mer dans les prochaines années.
3. Si tu as fini de rédiger ta thèse sur les représentations sociales de l'écriture, viens faire une intervention dans notre prochain débat linguistique !
4. Si tu lis l'ouvrage de Claude Lussac intitulé *Éloge des fautes d'orthographe*, tu déculpabiliseras vite de tes erreurs.
5. Si nos parents avaient continué à parler provençal, nous pourrions transmettre cette langue à nos enfants.
6. Si l'on décidait de simplifier à l'extrême l'orthographe du français et que l'on s'y tienne, c'est une partie de l'histoire de la langue qui disparaîtrait.
7. Si vous avez récemment utilisé les mots *wesh*, *thug*, *seum* ou encore *swag*, vous êtes un ado, c'est sûr !
8. Si je parlais l'allemand couramment, j'aurais lu *Faust* dans sa version originale.

b. 1 – c. 7 – d. 3 – e. 6 – f. 8 – g. 4 – h. 2

13. 1. S'il **maîtrise** l'éloquence et la rhétorique, un orateur **aura** toutes les chances de convaincre son auditoire lors d'une présentation – 2. Si l'esperanto **avait été enseigné** largement au moment de sa création, l'anglais **occuperait** probablement une place moins importante dans les échanges internationaux. – 3. Edgar **se serait inscrit** au concours d'éloquence qui a eu lieu la semaine dernière s'il **était** moins timide et qu'il **fasse** preuve de plus de courage. – 4. Si vous **aviez participé** à notre atelier de slam lors de notre dernier stage, vous **auriez apprécié** celui sur la poésie urbaine à la session suivante !

14. *Exemple de production :*
1. Si on m'avait interdit de parler ma langue et qu'on m'en ait imposé une autre, j'aurais vécu cela comme une atteinte grave à ma liberté et à mon identité. – 2. Si j'étais chargé(e) d'une réforme pour simplifier la langue française, je supprimerais les accords difficiles du participe passé.

Nous améliorons notre style   p. 59

15. 1. Du début à la fin, c'est une sensation d'<u>être immergé</u>. À ma plus grande surprise, dès que <u>je suis arrivé</u>, j'ai constaté l'effacement des régionalismes et le fait que les participants <u>ont commencé à se rapprocher</u>. – Du début à la fin, c'est une sensation d'**immersion**. À ma plus grande surprise, dès **mon arrivée**, j'ai constaté l'effacement des régionalismes et **un rapprochement** des participants.
2. Lors des concours d'éloquence, qu'il s'agisse <u>de débats, d'éliminatoires face au jury ou de joutes verbales</u>, on a toujours une occasion de faire connaissance avec quelqu'un, d'apprendre des choses, de découvrir des particularités régionales, d'observer de nouvelles techniques. – Lors des concours d'éloquence, dans les face-à-face, on a toujours une occasion d'**enrichissement**.
3. Le concours national **diffère** d'autres concours régionaux. Ma première participation à Aix-en-Provence **a révélé** mon goût prononcé pour la prise de parole en public.

Corrigés et transcriptions

4. Le fait que j'aie été qualifiée pour participer à ce concours était déjà une victoire pour moi et même si je n'ai pas eu la chance de remporter un prix, cette expérience reste gravée pour toujours dans ma mémoire. – Ma sélection à ce concours était déjà une victoire pour moi et malgré ma défaite, cette expérience reste inoubliable.

5. Ce que j'ai découvert lors de ce concours, c'est le public. J'avais déjà eu un public dans une compétition locale, bien sûr. Mais les spectateurs au niveau national sont encore plus investis ! Et puis nous nous recevons tellement d'énergie de cet auditoire ! – Ce que j'ai découvert lors de ce concours, c'est le public, que j'avais bien sûr déjà eu dans une compétition locale, mais qui au niveau national est encore plus investi et dont nous recevons tellement d'énergie !

DOSSIER 9
Ère numérique

Nous enrichissons notre vocabulaire p. 60

1. 1. un réseau social – 2. followers – 3. tweets – 4. partage – 5. mon fil d'actualité – 6. la collecte de données

2. a. 1. c – 2. d – 3. g – 4. h – 5. f – 6. b – 8. e
b. 1. le contrôle excessif – 2. une conférence tenue à distance – 3. qui est hors de la légalité – 4. qui dépasse la réalité physique – 5. un million d'octets – 6. qui va au-delà du cadre national – 7. un faux nom – 8. la culture de l'espace et des réseaux numériques

3. 🎧 21 1. Pour certains, ce message sous contrainte est un exercice de style. 280 caractères, un véritable défi de langage !
2. Ce qui m'intéresse dans mes lectures et mes recherches, c'est de savoir à quel point ces groupes de réflexion et d'experts sont indépendants. Pour qui travaillent-ils ? Qui les finance ?
3. Ce métier est de plus en plus demandé. Quand on voit le nombre d'avis de consommateurs échangés en ligne chaque jour, on comprend que les marques demandent à ces animateurs de savoir ce qui se dit.
4. D'une certaine manière, quand on voit combien un personnage public en a sur les réseaux sociaux, on peut avoir une idée de sa popularité.
5. Le plus important, c'est de savoir à quoi sert ce petit fichier : à mémoriser votre identifiant client, votre panier en cours d'achat, mais aussi à tracer votre navigation pour des finalités statistiques ou publicitaires.
6. Le problème avec cette technique de communication, c'est que trop de commerciaux pensent que raconter l'histoire de leur marque, de leur produit ou de leur dirigeant intéresse tout le monde…
7. Le but est simple : éveiller la curiosité de l'internaute pour qu'il s'intéresse davantage au message et qu'il le mémorise. Parfois, ce sont plusieurs messages publicitaires successifs, le premier étant par exemple mystérieux et créant un suspense.
8. C'est important pour les publicitaires car cela permet notamment d'identifier les centres d'intérêt et les comportements des internautes. C'est pourquoi ils utilisent tant de cookies pour les suivre.
9. Cette phase d'analyse des données permet entre autres de connaître les goûts et préférences des internautes, leur profil, sur la base de leurs activités sur le web.

a. 3 – c. 4 – d. 7 – e. 9 – f. 8 – g. 5 – h. 2 – i. 6

4. 1. chantage – 2. escroquerie – 3. l'usurpation d'identité – 4. diffamation – 5. cyberharcèlement – 6. la cyberdépendance – 7. le traçage – 8. les authentifications

5. 1. presse, amalgames – 2. esprit critique, farfelu – 3. croisez, angle de traitement, fiabilité – 4. décryptage, vérification des faits

6. a. 🎧 22 1. Née après la loi organique de bioéthique révisée, Willow avait bénéficié d'une implantation de neurones méliatifs qui devaient l'amener à de grandes compétences mathématiques.
2. Dans son laboratoire, elle contemplait sous le microscope cette cellule, la première, qui se régénérait chaque fois qu'elle subissait la moindre altération. Elle savait que cette découverte ouvrirait la voie de l'éternité.
3. Comme tous les matins, il entra dans son bureau pour y passer huit heures seul. Depuis plusieurs années maintenant, ses collègues avaient été progressivement affectés dans d'autres services et remplacés par des programmes. Serait-il lui aussi remplacé un jour prochain ?
4. Dorénavant, plus aucun talent ne serait jamais perdu, les connaissances des plus sages d'entre nous, l'intelligence la plus fine, les sentiments les plus raffinés, tout pourrait être conservé pour les générations à venir.
5. Partout dans les rues, on pouvait voir ces immenses panneaux lumineux promettant à toutes et à tous une apparence et une sensation de cinq à dix ans de moins. Moyennant de délicates manipulations génétiques et des sommes astronomiques…
6. On nous avait promis que ce serait comme un interrupteur qu'on actionne et dont l'effet se fait immédiatement sentir. Et aussi incroyable que cela puisse paraître, c'est exactement ce qui s'est passé : il m'a suffi de penser à l'émotion que je voulais ressentir pour qu'elle arrive, plus vraie que nature.

1. L'accroissement de l'intelligence – 2. L'immortalité – 3. L'intelligence artificielle – 4. Le téléchargement de l'esprit – 5. Le rajeunissement – 6. La modification de l'état psychique
b. *Exemple de production :*
L'accroissement de l'intelligence est à mon avis une évolution qui affecterait grandement la vie quotidienne. Tout d'abord, cela permettrait d'accomplir des choses jusqu'alors impossibles pour les humains, notamment dans les domaines scientifique et technologique. De plus, chacun pourrait espérer devenir plus intelligent, il suffirait d'un implant ou d'une modification génétique. Cependant, cela rendrait possibles les plus grandes inégalités : ces « améliorations » auraient sans doute un coût et seraient réservées aux plus privilégiés. L'ensemble de l'humanité ne serait pas à égalité face à ces manipulations.

Nous perfectionnons notre grammaire p. 63

8. a. 🎧 23 Une quarantaine de jeunes a participé à notre atelier sur la bonne utilisation des réseaux sociaux le mois dernier. Nous leur avons principalement expliqué que leurs informations personnelles pouvaient facilement être déviées de leur contexte et qu'il fallait qu'ils sachent comment se protéger. Nous leur avons bien sûr demandé de ne pas faire confiance à des personnes inconnues sur Internet. Une jeune fille a raconté aux autres élèves qu'elle avait été victime de cyberharcèlement à la suite d'une mauvaise rencontre sur Internet. Un garçon a avoué qu'il n'avait pas conscience de l'importance du droit à l'image jusqu'à ce jour-là parce qu'il n'avait jamais participé à un tel atelier mais qu'il venait de comprendre à quel point ce droit était fondamental. Il a affirmé que désormais il publierait la photo de ses amis sur Snapchat uniquement quand il leur aurait demandé l'autorisation. Tous les participants nous ont assuré qu'ils allaient se montrer plus vigilants concernant leur image et celle des autres sur les réseaux sociaux. Ils nous ont également demandé si nous pourrions organiser des ateliers similaires durant l'année.

1. faut – 2. sachiez – 3. Ne faites pas – 4. ai été – 5. avais – 6. avais jamais participé – 7. viens – 8. publierai – 9. aurai demandé

– 10. allons – 11. Pourriez
b. Discours indirect : 1. imparfait – 2. plus-que-parfait – 3. imparfait – 4. plus-que-parfait – 5. *venir* à l'imparfait + *de* + infinitif – 6. conditionnel présent – 7. conditionnel passé – 8. *aller* à l'imparfait + infinitif

9. 1. ce jour-là – 2. ce matin / ce soir – 3. en ce moment – 4. ce mois-là – 5. la veille / l'avant-veille – 6. le lendemain / le surlendemain – 7. demain matin / soir – 8. la semaine dernière / prochaine – 9. quinze jours plus tôt

10. *Proposition de production :*
1. *Il y a quelques années, un auteur avait confié à notre magazine qu'*il avait toujours perçu les réseaux sociaux comme de vulgaires machines à bavardage et que deux ans plus tôt, pour en avoir le cœur net, il s'était dit qu'il fallait qu'il se crée un profil. Il avait reconnu qu'à sa grande surprise, il y avait découvert un univers propice à la création dont il ne pourrait plus se passer.
2. *Il y a quelques semaines, Karina a raconté sur notre blog qu'elle* adorait les réseaux sociaux qu'elle trouvait parfaits pour faire de nouvelles connaissances mais qu'il lui était arrivé une mésaventure qui avait commencé le mois précédent. Elle a expliqué avoir rencontré un garçon de son âge qui avait la même passion qu'elle pour le monde aquatique et qu'ils avaient commencé à échanger des photos. Elle a ajouté qu'elle avait fini par lui donner rendez-vous l'avant-veille et qu'elle s'était retrouvée nez à nez avec un homme de 40 ans. Elle a précisé qu'elle avait alerté la police et a assuré qu'elle ne chatterait plus jamais avec des inconnus. Elle nous a conseillé de nous méfier. Elle a indiqué qu'elle n'aurait jamais imaginé ça avant.

11. a. Les humanistes, initialement, <u>cherchent à</u> exploiter la raison, la science et la technologie <u>en vue de</u> contrer les souffrances de l'Homme : pauvreté, maladie, handicap, etc. Les transhumanistes, quant à eux, <u>ont l'intention de</u> développer les possibilités techniques <u>afin que</u> les gens puissent vivre plus longtemps. Le transhumanisme s'appuie sur les avancées de l'intelligence artificielle et de la biologie <u>de sorte que</u> l'on puisse mettre un terme à la vieillesse, aux maladies et, enfin, à la mort. <u>Objectif</u> ultime : l'apparition d'une nouvelle humanité. Ce courant alimente de nombreux débats et polémiques. Ainsi, Elon Musk a affiché ses réticences sur le développement des nouvelles technologies lors d'un débat face à Jack Ma <u>de crainte que</u> l'intelligence artificielle ne devienne une entité supérieure destructrice. À l'inverse, d'autres, <u>histoire de</u> booster leurs capacités humaines, sont prêts à tout : greffes d'électrodes, implants cérébraux, etc. Mais <u>la fin</u> justifie-t-elle les moyens ?
b. Conjonctions + subjonctif : afin que, de sorte que, de crainte que, *de peur que* – **Prépositions / Locutions + infinitif :** en vue de, histoire de, pour, afin de, de peur de, de crainte de, de façon à, de manière à, dans le but de, dans l'intention de – **Verbes / Locutions verbales + infinitif :** avoir l'intention de, *viser à, ambitionner de, avoir pour but de* – **Noms :** objectif, la fin, *une visée, une finalité, un dessein*

12. 1. Le gouvernement ambitionne de lancer une nouvelle campagne d'information de sorte que les enfants sachent ce qu'est l'identité numérique. – 2. De crainte que le cyberharcèlement n'entraîne de graves dommages auprès des adolescents, la directrice du collège a invité des psychologues afin qu'ils conduisent des ateliers de sensibilisation. – 3. L'objectif du profilage est de créer des publicités comportementales de façon à ce que l'internaute reçoive uniquement des publicités liées à ses intérêts.

13. 🎧▶24 1. On a recours au croisement des données dans beaucoup plus de secteurs qu'on ne l'imagine.
2. Je crains que mon entreprise n'utilise les technologies analytiques pour mesurer nos performances. Je redoute ainsi que certains ne soient licenciés à cause de cela.
3. Je ne doute pas qu'il ne soit indispensable d'analyser comment les données sont collectées et comment les conclusions sont tirées.
4. Avant que je ne lise un article sur la santé de demain, je pensais que l'analyse de nos données personnelles avait forcément des intentions liberticides. Enfin, sans que je ne me sois jamais documenté… Il n'empêche que, à moins que je n'y sois contraint, je ne donne aucune information personnelle sur Internet.

1. Après une comparaison d'inégalité : *dans beaucoup plus de secteurs qu'on ne l'imagine*
2. Après une expression de crainte : *Je crains que […] n'utilise ; Je redoute que […] ne soient licenciés*
3. Après une expression du doute à la forme négative pour exprimer une idée positive : *Je ne doute pas qu'il ne soit indispensable*
4. Après de rares conjonctions : *sans que ; à moins que*

14. *Exemple de production :*
À moins que nous **ne** vidions régulièrement les cookies de notre navigateur ou que nous **n'**ayons installé un logiciel bloqueur de publicité, nous subissons tous la publicité ciblée sur Internet. Je ne doute pas qu'il **ne** soit indispensable de mieux cibler sa clientèle pour mieux vendre ses produits. Je crains cependant que nous, les consommateurs, **ne** soyons manipulés par les marques qui ont recours au profilage et ceci beaucoup plus souvent qu'il **ne** le faudrait.

Nous améliorons notre style   p. 66

15. 🎧▶25 Le terme cybersécurité est formé avec le préfixe *cyber-*, utilisé pour décrire une personne ou une chose qui existe dans l'espace numérique. Le terme « cybersécurité » renvoie donc à la protection des personnes et des données dans l'espace numérique.
Je vous vois déjà demander : « Mais comment protéger des personnes dans le cyberespace, alors même que l'on ne s'y trouve pas physiquement ? » Eh bien, des données permettent de nous projeter dans ce cyberespace, nos données personnelles notamment. Je rappelle qu'il s'agit des informations que nous renseignons pour une inscription sur un forum, l'ouverture d'une boîte mail, la participation à un jeu sur Internet… Vous comprenez bien que des besoins de sécurité émergent dans ces conditions, la confidentialité de l'information surtout. Je vais illustrer mon propos pour être plus clair. Prenons le cas dans lequel des informations sur un prototype de téléphone sont échangées entre le fabricant et son sous-traitant. Admettons maintenant que ces données soient interceptées par un concurrent. Vous comprenez que la stratégie du fabricant est compromise.
La sécurisation des données informatiques implique aussi une sensibilisation des utilisateurs. Nous ne laisserions jamais quelqu'un conduire une voiture, sous prétexte qu'il a déjà manœuvré dans un parking alors qu'il ne connaît pas le code de la route ?! Il en va de même pour la « navigation » dans le cyberespace. Sans notion de base en sécurité informatique, l'utilisateur représente une vulnérabilité de sécurité même pour la plus robuste des architectures informatiques. *(243 mots)*

1. *Le terme… est formé avec… / utilisé pour… / renvoie donc à…* – 2. *Je vous vois déjà demander…* – 3. *Eh bien…* – 4. *Je rappelle qu'…* – 5. *Je vais illustrer mon propos… / Prenons le cas dans lequel… / Admettons que…* – 6. *Il en va de même pour…*

16. 1. e – 2. a – 3. c – 4. e – 5. a – 6. f – 7. e – 8. b – 9. e – 10. d

17. 1. désigne – 2. que ce soient – 3. ou encore – 4. Je vais illustrer mon propos avec l'exemple de – 5. Rappelons que – 6. Vous allez me poser la question – 7. Laissez-moi vous expliquer – 8. Imaginons qu' – 9. Et dans le cas où – 10. on peut comparer

DOSSIER 10
Histoire vs mémoire
Nous enrichissons notre vocabulaire p. 67

1. Les événements du passé et leur mémoire : 11, 17, 18, 19, 20
Le travail de l'enseignant ou de l'historien : 7, 8, 9, 13, 14, 15
L'expérience du jeu : 2, 3, 4, 5, 6, 10
La mémoire mise en danger : 12, 16

2. a. 1. f – 2. e – 3. h – 4. g – 5. a – 6. c – 7. b – 8. d
b. 1. persécutions ; 2. Réconciliation ; 3. contre-vérités ; 4. revanche ; 5. cessez-le-feu ; 6. commémoration

3. 1. la cour d'assises – 2. jury – 3. son extradition – 4. chef d'inculpation – 5. contre l'humanité – 6. la déportation – 7. au procureur – 8. partie civile – 9. d'audience – 10. auditions – 11. comparaître – 12. plaidoiries – 13. au réquisitoire – 14. rendu – 15. à perpétuité

4. 🎧 26 1. Né en 1991 avec la signature du traité d'Asuncion, le Marché commun du Sud, couramment abrégé Mercosur, est une communauté économique qui regroupe plusieurs pays d'Amérique du Sud : l'Argentine, le Brésil, le Paraguay et l'Uruguay. Il devient une réalité fin 1994.
2. En 2006, le Venezuela les rejoint, avant d'être suspendu en 2017. D'autres pays d'Amérique du Sud ont un statut de membre associé : la Bolivie, le Chili, la Colombie, l'Équateur, Guyana, le Pérou et le Suriname.
3. Dans cet espace commun, le but est de favoriser les échanges commerciaux entre pays membres, notamment par la disparition des barrières tarifaires.
4. Ainsi, les produits et les biens peuvent transiter sans frais de douane.
5. Mais le Mercosur va plus loin avec un processus d'intégration dans sa zone et des collaborations intergouvernementales qui dépassent la simple circulation.
6. Tout d'abord, les États membres ont défini ensemble le tarif extérieur et leur politique commerciale vis-à-vis des États tiers ou des groupes d'États tiers.
7. De plus, les gouvernements travaillent ensemble à l'élaboration de politiques économiques convergentes dans tous les secteurs en relation avec le marché commun.
8. Enfin, tous les rapprochements des lois nationales susceptibles de renforcer le processus d'intégration sont envisagés.

1. une entrée en vigueur – 2. un élargissement – 3. une zone de libre-échange – 4. la libre circulation – 5. la coopération économique – 6. l'union douanière – 7. la coordination des politiques économiques – 8. l'harmonisation des législations

5. a. 1 : rapprochement de plusieurs pays – 2 : forum de négociation – 3 : signature d'un accord – 4 : ratification d'un accord – 5 : entrée en vigueur d'un accord – 6 : élargissement à un nouveau membre
b. 1. un rapprochement – 2. une zone de libre-échange – 3. la libre circulation – 4. l'harmonisation économique – 5. l'intégration politique – 6. le fédéralisme

6. *Exemple de production :*
En Grande-Bretagne, le 5 novembre de chaque année, nous célébrons la « nuit des feux de joie », en mémoire de l'échec d'une conspiration pour renverser le régime en 1605. Guy Fawkes était le chef de complot appelé « la conspiration des poudres » mais son projet de faire exploser le parlement avec de la poudre a été découvert. Ils ont tous été arrêtés et exécutés pour trahison. Bien sûr, cet épisode du XVIIe siècle est mentionné dans le programme d'histoire mais surtout, c'est devenu une fête. En effet, chaque année, des marionnettes à l'effigie de Guy Fawkes sont construites par les enfants lors de concours organisés entre les différentes écoles, des gâteaux sont aussi préparés et la marionnette sélectionnée est brûlée en tant que symbole, au nom de la ville. Une fois les feux de joie embrasés, à la tombée de la nuit, les enfants ayant le masque de Guy Fawkes demandent aux passants « A penny for the guy », afin que ceux-ci donnent quelques pièces pour acheter des feux d'artifices.

Nous perfectionnons notre grammaire p. 70

8. a. Les Faits : En 1431, après être parvenue à asseoir Charles VII sur le trône, Jeanne d'Arc *est capturée* par les Bourguignons qui sont de mèche avec les Anglais.
Le procès : Pierre Cauchon, évêque et conseiller du roi d'Angleterre, est chargé de l'instruction. La porte de la chapelle royale du château de Rouen se ferme sur l'audience qui commence. Cauchon est entouré de 120 religieux. Qu'est-il reproché à Jeanne d'Arc ? De porter un habit d'homme, d'entendre des voix diaboliques, d'être une sorcière.
Jeanne se défend seule, tête nue, en habits d'homme. Elle se fait interroger sur sa tenue. « Les voix ne m'ont dit que d'être bonne chrétienne et de servir mon roi, le reste n'est pas de votre procès », affirme-t-elle. La brochette d'éminents intellectuels est surprise de sa répartie et tente de lui faire avouer ses fautes par tous les moyens. Elle ne cède pas. Le procès est perdu d'avance. Le 23 mai, on déclare Jeanne d'Arc coupable.
L'épilogue : Le 24, Cauchon lui propose un marché. À moins qu'elle ne porte plus l'habit d'homme, elle sera brûlée vive. Elle se laisse convaincre et signe son abjuration. En contrepartie, elle s'est entendue promettre qu'elle serait détenue à perpétuité dans une prison de l'Église. En réalité, Jeanne est renvoyée dans son cachot anglais. Cauchon n'a pas tenu sa promesse. Jeanne reprend son habit d'homme. Elle n'échappe pas à la condamnation et est brûlée vive le 30 mai.
b. 1. *est chargé, est entouré, est surprise, est perdu, sera brûlée, serait détenue, est renvoyée, est brûlée.*
2. *est-il reproché*
3. *La porte […] se ferme*
4. *faire avouer*
5. *se fait interroger, se laisse convaincre*
6. *s'est entendu promettre*
7. *on déclare*

9. 1. n'a pas été faite – 2. soit éliminée – 3. propose – 4. sera ainsi nouée – 5. sera offerte – 6. sera réalisée – 7. (sera) introduit – 8. seront poursuivies – 9. aura – 10. soient – 11. fixera – 12. sera adoptée – 13. sera chargé

10. 1. On joue seul au jeu vidéo *Soldats inconnus*.
Le jeu vidéo *Soldats inconnus* se joue seul.
2. Un chercheur s'est vu accorder une prime de plusieurs milliers d'euros pour avoir élaboré une méthode révolutionnaire d'apprentissage de l'histoire.
Il a été accordé une prime de plusieurs milliers d'euros à un chercheur pour avoir élaboré une méthode révolutionnaire d'apprentissage de l'histoire.
3. L'histoire s'enseigne différemment selon les pays.
L'histoire est enseignée différemment selon les pays.
4. Le professeur a fait réaliser une frise retraçant la construction de l'Union européenne à ses élèves.
Une frise retraçant la construction de l'Union européenne a été réalisée par les élèves.

11. 1. du – 2. par – 3. d' – 4. de – 5. par – 6. de

12. Afin de pouvoir organiser le procès du terroriste international Carlos, les services secrets français et le gouvernement du Soudan le **font capturer** à Khartoum le 14 août 1994. Le 12 décembre 1997, le premier procès en France de Carlos s'ouvrait à la Cour d'assises de Paris. Après plusieurs procès tenus en son absence, le « révolutionnaire autoproclamé » **se voyait juger** pour ses premiers assassinats commis en France.

Corrigés et transcriptions

13. 🎧 27 À l'issue du lycée, on attend de l'élève qu'il sache notamment : identifier les périodes historiques, mettre en relation des faits de natures, de périodes et de localisations différentes, confronter le savoir acquis avec ce que l'élève entend, lit ou vit, lire, comprendre et critiquer un document iconographique, employer le lexique acquis à bon escient, analyser des documents de sources différentes, etc., etc. L'enseignement de l'histoire est d'une part très particulier puisque ses objectifs sont multiples et d'autre part important puisqu'il permet d'acquérir une culture générale solide et de développer la pensée historique.

Attentes en classe de terminale :
– **identification** des périodes historiques ;
– **mise en relation** des faits de natures, de périodes et de localisations différentes ;
– **confrontation** du savoir acquis avec ce que l'élève entend, lit, vit ;
– **lecture, compréhension et critique** d'un document iconographique ;
– **emploi** du lexique à bon escient ;
– **analyse** de documents de sources différentes, etc.

Grande particularité et **importance** de l'enseignement de l'histoire :
– **multiplicité** des objectifs,
– **acquisition** d'une culture générale solide,
– **développement** de la pensée historique.

14. *Exemple de production :*
1. Retrait progressif des troupes belges – 2. Défaite méconnue de Napoléon en Haïti – 3. Victoire prévisible des Alliés – 4. Chute du Mur de Berlin – 5. Longue construction de l'Union européenne – 6. Échec cuisant des militaires dans leur tentative de coup d'État – 7. Abolition de la peine de mort – 8. Passage controversé à la monnaie unique

Nous améliorons notre style   p. 73

15. a. Le premier groupe en couleur est à chaque fois repris par le deuxième groupe de la même couleur. Des termes de substitution sont utilisés pour éviter les répétitions.
b. La progression des informations nouvelles, phrase par phrase, donne un mouvement à la description.
c. Le paragraphe amène le lecteur à l'arrivée du maire.
d. Le maire, Patrice Briandet.
e. Patrice Briandet – Maire de La Penne – il – Il – homme chaleureux – il

16. a. La cérémonie.
b. Il s'agit des différents aspects de la cérémonie.

17. 1. Les éléments entourés en noir mettent un thème en relief.
2. Les éléments entourés en rouge répètent un thème pour marquer l'insistance.
3. Tous les éléments entourés ont une fonction emphatique.

18. *Exemple de production :*
La commémoration la plus importante de mon pays, c'est la fête du Têt. Tout le monde pense que cette fête correspond seulement au Nouvel An vietnamien et à l'arrivée du printemps, mais le Têt est en fait le jour de l'année où l'âme des morts revient sur Terre. Cette célébration est nationale et elle est honorée par chacun en raison de notre lien très fort avec nos ancêtres. (Thème constant) Pour cette fête, les Vietnamiens bénéficient de **trois jours fériés**. À l'occasion de **ces vacances**, on se déplace pour rejoindre **sa famille**. **Chaque famille** accueillant les autres membres prend soin, avant le début des festivités, de faire **une décoration spéciale**. **Des branches de prunier aux fleurs jaunes** sont disposées pour orner les intérieurs, parfois **dès l'entrée de la maison**. **La porte** est en effet importante puisqu'on dit que la première personne qui la franchit doit être vertueuse et fortunée, pour apporter prospérité et bonheur sur la famille pendant toute l'année. (Alternance thème / propos)

Bien sûr, cette commémoration a également *une dimension religieuse*. Si chaque famille se réunit, c'est pour être autour de l'autel des ancêtres, un lieu de prière dans la maison familiale où les ancêtres sont attendus le jour du Têt. Dans les pagodes, on brûle du santal dans des encensoirs. Les offrandes sont nombreuses et ont pour but d'accueillir l'âme des morts. (Thèmes dérivés)

DOSSIER 11
Interculturel

Nous enrichissons notre vocabulaire   p. 74

1. 1. les catégories les plus populaires – des publics « spécifiques » – ceux qui sont peu familiers de l'offre culturelle – les individus ne possédant pas les clés de la culture dominante – catégories les plus modestes – ceux qui éprouvent un sentiment d'illégitimité
2. secteur associatif – la puissance publique – les institutions publiques – institutions culturelles
3. investissements publics – initiatives – la démocratisation de l'accès à la culture – les actions de médiation – les actions de communication – l'élargissement de leurs publics – les efforts déployés – une réelle démocratisation de l'accès aux équipements culturels publics – l'optimisation de l'offre existante – une révision du fonctionnement des institutions culturelles

2. 1. discriminations liées à la culture – 2. politique racoleuse – 3. démocratisation des savoirs – 4. autocensure – 5. malentendus culturels – 6. appropriation(s) culturelle(s)

3. 🎧 28 1. L'arrivée dans la salle est déjà une expérience en soi. Je suis d'une génération où l'humour était clivant, où les spectacles attiraient des spectateurs assez proches en âges, opinions politiques, origines sociales, etc. Aujourd'hui, quelle surprise quand j'arrive à un spectacle et que la France entière est là ou presque : âges, groupe social, culture, tout est mélangé.
2. Alors voilà le pitch de ce que j'ai vu pour vous hier : choisir la robe, établir la liste des invités, prévoir le plan de table… La préparation d'un mariage peut virer au parcours du combattant. Les deux personnages décident donc de faire appel à un spécialiste. Mais quand le snobissime expert arrive dans le pavillon de banlieue des futurs époux, cela ressemble au choc de deux mondes.
3. Ça reste la qualité que j'apprécie le plus chez un acteur comique. Et je remarque que ceux qui sont passés par les matchs d'improvisation avant la scène ou l'écran sont particulièrement bons là-dessus.
4. Mon navet de la semaine va faire de la peine à tous les jeunes gens qui nous écoutent. Je le sais puisque mes enfants m'ont détesté quand je leur ai dit ce que je pensais de la nouvelle comédie fétiche de tous les adolescents de l'Hexagone…
5. Personnellement, c'est un format qui me convient assez bien. On change souvent de rythme, de décor, pas le temps de s'ennuyer puisque les sujets se succèdent. Et selon les spectacles, on peut même avoir des comédiens différents à chaque saynète !
6. Quand j'ai commencé ma carrière, ce n'était pas une manière de faire parler de soi ou de vendre plus de places : c'était une arme intellectuelle, un moyen de lutter. Aujourd'hui, je me méfie de tout ce qui vise le buzz plus que l'art…
7. Ce qui est étonnant, c'est que je suis le premier à hurler au scandale quand je vois ces acteurs américains gesticuler et grimacer à outrance. Et pourtant, j'ai du mal à résister quand on passe un film avec Louis de Funès…
8. Il faut arrêter d'en parler sans cesse comme d'un bien acquis : chaque jour, et depuis toujours, au cinéma, au théâtre,

à la télévision, dans la presse papier, on doit la redéfinir, la questionner et ne jamais la perdre de vue.

1. l'humour fédérateur – 2. une comédie de boulevard – 3. le sens de la répartie – 4. l'humour potache – 5. un sketch – 6. la provocation – 7. le burlesque – 8. la liberté d'expression

4. 1. sketch – 2. provocation – 3. humour fédérateur – 4. burlesque – 5. humour potache – 6. comédies de boulevard – 7. sens de la répartie – 8. liberté d'expression

5. 1. Malgré les plus sombres **prévisions**, la mondialisation ne s'est pas traduite par **l'effacement** des différentes identités culturelles mais bien au contraire par l'émergence de **nombreuses revendications** identitaires, qu'elles soient religieuses, nationales ou ethniques.
2. L'idée **d'universalité** de l'art, échappant à tout enracinement historique ou géographique, telle que l'UNESCO la promeut, fait hurler au **scandale** ceux qui la voient comme une manière **d'imposer** les canons de la culture **dominante**.
3. Avec l'arrivée **sur le marché artistique** des grandes fondations liées au luxe, certains artistes qui signent des articles produits par ces firmes sont **fustigés** pour la **marchandisation** de l'art que cela représente.
4. Paradoxalement, en ouvrant les monuments du **patrimoine** comme Versailles à des événements artistiques ou culturels, la puissance publique participe aussi **à la commercialisation** et s'expose à **la contestation**, notamment identitaire.

6. 🎧 29 1. Pour mon portfolio comme pour l'entretien, je pensais me glisser dans la peau de la parfaite Parisienne en me montrant sous mon meilleur jour. Plus tard, ma responsable m'a confié que mon apparence leur avait donné l'impression que j'allais en discothèque et qu'ils m'avaient retenue pour mes autres qualités !
2. Arrivés à Ho Chi Minh Ville, nous avons rapidement cherché à louer une petite maison. La première nous a plu, nous l'avons dit et le propriétaire nous a donné son accord de principe. À partir de là, incompréhension totale : impossible d'obtenir une date d'emménagement envisageable, de savoir quel était le problème puisque le logement était vide… pendant trois semaines ! Et pour cause : il n'y avait pas de problème. Ce n'était juste pas à nous mais au propriétaire d'aborder cette question !
3. J'étais prévenu mais pourtant pas prêt à cela : impossible pour mes hôtes de ne pas désigner ma compagne comme « mon épouse », et de l'appeler « Madame Martin », ce qui la mettait hors d'elle…
4. Pour mon anniversaire, j'ai invité quelques amis français à manger des spécialités. J'ai commandé seul en choisissant ce qu'il y avait de meilleur. Quand les plats sont arrivés sur la table et que j'ai servi moi-même tous les convives, j'ai ressenti leur embarras.
5. Ce qui est étrange pour moi, c'est que les Français font finalement peu de différences entre les domaines privés et professionnels : ils traitent tous leurs rendez-vous comme des rendez-vous d'affaires, sans aucune spontanéité. C'est trop prévisible je trouve…
6. Quand j'ai commencé à bien parler français, j'ai voulu essayer de m'exprimer en français comme je le faisais en arabe, avec des expressions, des figures de style, des choses qui me ressembleraient et montreraient ma personnalité. Mes amis m'ont rapidement dit que je risquais de choquer le sentiment laïc des Français avec mes allusions.

1. c – 2. d – 3. f – 4. e – 5. b – 6. a

7. *Exemple de production :*
J'habite à Graz, dans le sud de l'Autriche. Je pense que lorsqu'un étranger s'installe dans ma ville ou dans ma région, sa première impression est très positive car le cadre de vie est particulièrement agréable. En effet, c'est très vert chez nous, la nature est très présente, qu'il s'agisse de parcs, de forêts ou de montagnes. Pour un Français qui vit dans une grande ville, c'est une expérience agréable car nos villes sont très aérées, pas trop densément peuplées. Il appréciera aussi le civisme, par exemple quand on fait du vélo en ville. Cependant, après les quelques semaines d'émerveillement qui correspondent à la première étape, celle de la « lune de miel », je pense que quelques petits chocs culturels sont possibles, ce qui correspond à la deuxième étape du processus d'installation dans un pays étranger. La personne peut éprouver un certain mal-être. Par exemple, un Français pourra éprouver un sentiment de frustration par rapport à notre nourriture qui est moins variée qu'en France, nous avons ainsi moins de fruits et de légumes dans nos plats. De plus, même si notre sérieux et notre rigueur peuvent être appréciés par un Français les premières semaines, je pense que ça peut être difficile pour lui au bout d'un certain temps et que, peut-être, la fantaisie française finit par lui manquer ! Passée cette phase de petite déprime post lune de miel, en général, les étrangers s'adaptent et ne rejettent pas la vie chez nous. Mais cette phase d'intégration peut prendre plus ou moins de temps en fonction des sensibilités de chacun.

Nous perfectionnons notre grammaire p. 77

9. a. 🎧 30 *Tu as toujours désiré intégrer Sciences Po ?*
Non, pas du tout. Un recruteur de Sciences Po a fait la promotion du programme dans mon lycée de ZEP. Avant cela, je n'avais jamais songé aux grandes écoles. Plus je me rapprochais de l'année du bac, plus je réfléchissais à mon avenir. La fac d'éco me semblait la meilleure option. Et puis, j'ai compris que j'avais la possibilité d'entrer à Sciences Po.
As-tu des craintes particulières ?
M'apprêtant à intégrer ce programme, je suis conscient du fossé culturel qui me sépare des autres étudiants. Par exemple, je ne me souviens pas que mes parents m'aient emmené à une quelconque exposition.
Quel était ton rapport à la culture avant ?
Avant mon entretien à Sciences Po, je pratiquais une forme d'autocensure. D'un côté, j'éprouvais une certaine curiosité envers le monde culturel : les musées, le théâtre, les films d'auteurs… mais de l'autre, j'étais intimement convaincu que je ne possédais pas les codes pour y accéder. Du coup, aller au ciné, ça signifiait toujours voir un blockbuster, pas le dernier Ozon !
Qu'est-ce qui t'a poussé à changer tes habitudes ?
Le jury m'a indiqué que je n'avais pas le même bagage culturel que les candidats « traditionnels », la claque ! Après ça, j'ai compris qu'il fallait combler ce manque. Immédiatement après être sorti de l'entretien, j'ai acheté tous les classiques ! Et puis on m'a annoncé que j'étais sélectionné. À ce moment-là, j'ai compris qu'on me faisait confiance et qu'il n'était pas trop tard pour m'imprégner de la culture dominante. Je franchirai les portes de Sciences Po en septembre prochain. D'ici là, je compte bien visiter un maximum d'expo !

1. Avant le moment où – 2. À mesure qu' – 3. jusqu'à ce qu' – 4. Maintenant qu' – 5. Du plus loin qu' – 6. avant qu' – 7. En même temps qu' – 8. Chaque fois qu' – 9. Après que – 10. À peine […] qu' – 11. D'ici à ce qu'

b. Antériorité, mode indicatif : *avant le moment où* + jusqu'au moment où, en attendant le moment où
Antériorité, mode subjonctif : *avant que… (ne), jusqu'à ce que, du plus loin que, d'ici à ce que* + en attendant que
Simultanéité, mode indicatif : *à mesure que, en même temps que, chaque fois que* + lorsque, quand, pendant que, aussi longtemps que, toutes les fois que, au moment où
Postériorité, mode indicatif : *après que, à peine […] que, maintenant que* + une fois que, dès que, aussitôt que, depuis que

10. 1. À peine les visiteurs ont-ils fini / eurent-ils fini la visite

Corrigés et transcriptions

guidée de l'exposition qu'ils se sont rués / se ruèrent sur les produits dérivés de la boutique du musée.
2. D'ici à ce que notre guide sur la gestion de la communication interculturelle en entreprise sorte, nous proposons une série de webinaires.
3. Tant que nous continuons à privatiser des espaces culturels tels que les musées, nous nous éloignons de l'accès à la culture pour tous.
4. Dès que tu auras regardé le spectacle de l'humoriste Melha Bedia, tu me donneras ton avis.
5. Avant qu'elle (ne) lise un article sur l'appropriation culturelle, Isabelle n'avait pas conscience des blessures qu'un tel acte pouvait provoquer.

11. a. 1 – Que j'<u>aie</u> besoin de me remonter le moral ou que tout <u>aille</u> bien, ma préférence va vers les comédies.
– Pas moi. Ce n'est pas que les comédies ne me <u>fassent</u> pas rire, mais je trouve qu'elles manquent souvent de finesse.
2. – Soit qu'il <u>ait</u> mal saisi son humour, soit qu'il <u>soit</u> peu réceptif aux mimiques qui façonnent son personnage, le public suédois ne semble guère emballé par le spectacle de l'humoriste québécois.
– Les spectateurs suédois ont surtout souligné le fossé qui existe entre leurs deux humours.
3. – Connaissez-vous un espace où nous <u>puissions</u> réaliser un projet de médiation interculturelle ?
– La médiathèque est le meilleur lieu qui <u>soit</u>. Je ne connais d'ailleurs aucun autre lieu qui <u>ait</u> autant de ressources accessibles à tous les publics.
4. – Que l'accès à la culture ne <u>soit</u> pas le même pour tous, c'est une évidence. Nous lançons donc un appel à propositions : non que le ministère de la Culture n'y <u>ait</u> déjà songé mais la réflexion locale nous semble plus adaptée. Des idées d'amélioration pour notre commune ?
– Oui ! Que l'inscription à la bibliothèque <u>soit</u> gratuite !
– Ou qu'on <u>mette</u> en place des tutorats intergénérationnels !
b. 2. Dialogue 4
Exemple : *Que l'inscription à la bibliothèque <u>soit</u> gratuite !* ou *[...] qu'on <u>mette</u> en place des tutorats intergénérationnels !*
3. Dialogues 1, 2 et 4
Une cause est rejetée au profit d'une autre.
Expressions : *non que* + subjonctif, *mais* + indicatif
Plusieurs causes sont possibles. Cette forme relève du registre soutenu.
Expressions : *que* + subjonctif *ou que* + subjonctif ; *soit que* + subjonctif *soit que* + subjonctif
4. Dialogue 3
Il exprime la possibilité. Exemple : *Connaissez-vous un espace où nous <u>puissions</u> [...]*
Il exprime le sentiment, le jugement. Exemple : *La médiathèque est le meilleur lieu qui <u>soit</u>.*
Il exprime la rareté. Exemple : *Je ne connais d'ailleurs aucun autre lieu qui <u>ait</u> [...]*

12. 1. méconnaisse, arrive – 2. soit – 3. est, a – 4. hait, a [...] mis, a [...] conduit – 5. remette – 6. rie

13. *Exemple de production :*
1. Mon musée préféré est le Guggenheim de New York car c'est l'unique musée qui ait su capter l'attention de ma fille grâce à son architecture en forme de coquille d'escargot !
2. Ce n'est pas que ces personnes-là soient toutes polyglottes ou qu'elles aient prétention à le devenir, mais les voix des acteurs et la langue qu'ils parlent apportent une dimension plus profonde aux films.

14. 🎧 31 **1.** Je me sens à la fois française, algérienne et polonaise. Mais plus encore ! Ma famille est composée de diverses ethnies (thaï, polynésienne, etc.). Encore plus d'ingrédients dans le mixeur !
2. Quel bonheur de rentrer au pays ! Mais la joie de l'atterrissage a laissé place à la frustration. Dépaysé et dérouté, je me sentais étranger dans mon pays. J'étais surnommé "le Français".

1. Je me sens à la fois française, algérienne et polonaise. Mais plus encore ! Ma famille est composée de diverses ethnies (thaï, polynésienne, etc.). Encore plus d'ingrédients dans le mixeur !
2. Quel bonheur de rentrer au pays ! Mais la joie de l'atterrissage a laissé place à la frustration. Dépaysé et dérouté, je me sentais étranger dans mon pays. J'étais surnommé « le Français ».

Nous améliorons notre style   p. 80

15. 1. « – Qu'est-ce que vous regardez ? C'est la carte routière ?
– Non ! C'est la carte des vins. C'est pour éviter les <u>bouchons</u> ! »
Polysémie portant sur <u>bouchons</u> (les embouteillages / le bouchon de la bouteille de vin).
2. « C'est pour satisfaire <u>les sens</u> qu'on fait l'amour ; et c'est pour <u>l'essence</u> qu'on fait la guerre. »
Homophonie
3. « Ce n'est pas dur la politique comme métier. Tu fais cinq ans de droit et tout le reste c'est de travers. »
Polysémie portant sur <u>droit</u> (ligne droite / l'ensemble des règles).
4. « La grande différence entre les oiseaux et les politiques, c'est que de temps en temps, les oiseaux s'arrêtent de <u>voler</u>. »
Polysémie portant sur <u>voler</u> (se déplacer dans les airs / dérober).
5. « Écrire <u>sans</u> fautes ou écrire <u>cent</u> fautes ? Certains ont déjà du mal à ce stade. »
Homophonie.
6. « Le progrès : trop <u>robot</u> pour être vrai. »
Paronymie, la véritable expression est « trop beau pour être vrai » (<u>robot</u> au lieu de <u>beau</u>).
7. « C'est vraiment la <u>francacophonie</u>. »
Invention d'un mot. Il s'agit d'un mot-valise fabriqué à partir des mots <u>francophonie</u> et <u>cacophonie</u>. Ce terme a été inventé pour critiquer le dysfonctionnement institutionnel.
8. « Mon Dieu, que votre volonté soit <u>fête</u> ! »
Homophonie. On attend le mot <u>faite</u> mais le mot <u>fête</u> donne un tout autre sens à la phrase.

16. a. *Exemple de production :*
1. C'est de mourir à la tâche ! – **2.** C'est de manger un avocat ! – **3.** C'est qu'elle s'effrite ! – **4.** C'est de ne pas avoir de but dans la vie ! – **5.** C'est d'être victime d'un coup monté !

DOSSIER 12
(R)évolutions écologiques
Nous enrichissons notre vocabulaire   p. 81

1. 🎧 32 **1.** Toute la question est de savoir pourquoi on ne fait pas suffisamment de choses dans ce domaine : est-ce par manque de conscience du problème ? Par déni de la réalité ? Par manque de courage ?
2. Il semble évident que les seules actions individuelles ne peuvent pas être tenues responsables de la situation globale. Finalement, chacun n'a fait que ce que la loi l'autorisait à faire, non ?!
3. Certains semblent penser que ce n'est qu'une question de quelques degrés de plus, et qu'il suffira de s'adapter à plus de chaleur. Pourtant, les rapports sont bien plus alarmistes.
4. Moi, personnellement, l'idée de tout repenser pour le futur ne me fait pas peur. Je crois qu'il faut réinventer nos modes de vie.
5. Je pense souvent à ce que disait ma grand-mère : on cherche trop à faciliter la vie des humains d'aujourd'hui. Elle pensait que trop de confort allait nuire à notre existence. Elle avait peut-être raison...
6. En tant que père, ce qui me peine le plus, c'est de montrer des livres sur les animaux sauvages à mes enfants, et de me dire que si je les montre un jour à mes petits-enfants, il se peut

que certains n'existent même plus !

7. Je ne vois pas d'autre solution : il faut prohiber davantage de produits et de comportements nocifs, quoi qu'en disent certains.

8. Quel que soit le scénario le plus proche de la réalité, le vrai problème, ce sont les gaz à effet de serre, dans nos pratiques individuelles comme industrielles !

a. Les causes du réchauffement climatique : 2, 5, 8 – Les conséquences du réchauffement climatique : 3, 6 – Les actions envisagées : 1, 4, 7
b. a. 5 – b. 7 – c. 1 – d. 6 – e. 3 – f. 2 – g. 8 – h. 4

2. 1. menées – 2. prévoir – 3. encourues – 4. impactées – 5. atteindre – 6. prononcé – 7. rendre compte – 8. pousser – 9. adopter – 10. rehausser

3. 1. b – 2. e – 3. f – 4. a – 5. d – 6. c

4. a. 1. b – 2. f – 3. a – 4. c – 5. h – 6. g – 7. e – 8. d
b. *Exemple de production :*
Certains affirment que les théories « réchauffistes » risquent de mener à une dictature écologiste. Ils imaginent en effet que des **mesures** vertes **coercitives**, ou des taxations fortes, vont provoquer une crise économique d'ampleur et plonger une partie des pays et de leurs habitants dans la pauvreté. C'est un **procès abusif**. Comme dans tout progrès, un pan de l'économie ne disparaît pas, il est remplacé. Par exemple, la limitation du recours aux énergies fossiles verra certes des branches de l'économie disparaître, mais le développement des énergies renouvelables en créera tant d'autres ! Des emplois seront perdus, d'autres seront créés. Prétendre que tout sera fini après l'ère des énergies fossiles ne relève pas d'une **méconnaissance du sujet**, mais plutôt d'une **charge idéologique**. En outre, adopter des mesures fortes a toujours été la réponse des gouvernements aux crises. Ne parler que des cas ayant mené à la dictature est en fait un **choix de données orienté**.

5. 🎧 33 Cette semaine, zoom sur un dossier paru dans le dernier numéro du magazine *Elle* : « 50 gestes pour sauver la planète ». Format de cette chronique oblige, nous en avons sélectionné dix qui nous semblent particulièrement disons « faisables » et nous les avons décortiqués. C'est parti.
Le geste 12 : « Dire non aux bombes ». Bien sûr a-t-on envie de dire, pas besoin de rajouter des gaz. La vraie question reste : comment peuvent-elles encore être en vente ?
Le 14ᵉ : « Réduire les doses ». Eh bien oui, chers auditeurs. C'est bon pour tout, votre portefeuille comme la planète. Et on peut s'y mettre progressivement, sans sevrage brutal !
Le 32ᵉ : « Repérer les bonnes pêches ». Ça, je dois dire que c'est mon chouchou à moi : je questionne les poissonniers, j'épluche les étiquettes, et j'en apprécie d'autant plus le poisson que je mange !
Le 34ᵉ : « Le cirque sans animaux ». À vous, parents de jeunes enfants, de faire des recherches, on en trouve en tout cas partout, alors plus aucune excuse : aimons les animaux dans leur milieu naturel !
Le geste 36 : « Se faire des yaourts ». On me dit que c'est très daté années 80 mais franchement : tous ces pots à produire en moins et à porter jusqu'à mon 6ᵉ étage ! Moi, j'ai adopté.
Le 37ᵉ geste : « Changer d'ampoules ». Figurez-vous que si chaque foyer passait à trois ampoules basse consommation minimum, dans les pièces principales, alors on fermerait quatre centrales nucléaires. C'est en tout cas ce qu'avance la Fondation Nicolas Hulot.
Le 42ᵉ : « Éliminer les intermédiaires ». Bon, bien sûr, c'est dur surtout pour tous ceux d'entre vous qui en êtes, de ces intermédiaires. Mais c'est vrai que tous ces transports, tous ces déplacements… si nous pouvons nous adresser aux producteurs proches de chez nous, ne nous en privons pas !
Le geste 43 : « Faire des cadeaux immatériels ». Sans même s'intéresser à l'écologie, beaucoup vous le diront : pourquoi courir tous les magasins et risquer que le cadeau acheté soit rapporté au même magasin ? Dématérialiser les cadeaux, c'est tendance ET c'est écolo !
Le geste final : « Porter du coton bio ». Parce qu'on peut allier mode et respect de ceux qui produisent le coton !

Limiter la pollution des sols et de l'eau : Geste 50
Protéger la biodiversité animale : Gestes 32 et 34
Économiser les ressources et l'énergie : Gestes 14, 36 et 37
Réduire l'empreinte carbone : Gestes 42 et 43

6. *Exemple de production :*
Avec ce guide, ceux qui ont décidé de repenser leur consommation trouveront toutes les réponses. Vous entrez dans un « atelier » où le respect de la planète rime enfin avec des économies pour les budgets serrés. Vous souhaitez que vos gestes quotidiens aident à lutter contre la pollution des sols et de l'eau ? Fabriquez vous-même des produits ménagers efficaces, sains et pas chers ! Vous voulez vous attaquer au gaspillage ? Il existe plein de techniques de conservation simples et gratuites sans recours en plastique ! Vous rêvez de diminuer la quantité d'emballages sous votre toit ? Nous avons listé toutes les adresses pour acheter en vrac et surtout, nous vous donnons toutes les recettes pour préparer vous-même yaourts, pain, mélanges d'épices, muesli, etc. Bref, l'écologie et la vie saine ne sont pas réservées aux seuls clients des boutiques bobo. N'attendez plus et découvrez la frugalité, les économies et l'écologie réunies en un seul guide !

Nous perfectionnons notre grammaire p. 84

8. 🎧 34 Témoignage 1 :
Non, je ne mettrai plus jamais un pied chez Zara, Mango ou H&M. Jusque-là, je n'avais jamais eu aucun problème à remplir ma garde-robe de pièces bon marché au gré des saisons. Or, après avoir vu un documentaire racontant les désastres environnementaux et humains de la fast fashion, je me suis juré de ne plus jamais rien acheter tant que je ne connaissais pas les procédés et les conditions exacts de fabrication des pièces. Figurez-vous que dans mon entourage, plus personne ne me propose de virées shopping !
Témoignage 2 :
Mon père s'est récemment découvert une passion pour l'écologie. Il est d'abord devenu végétarien, ne mangeant plus ni viande ni poisson… puis vegan. Désormais, il ne consomme plus rien d'origine animale. Quelque peu autoritaire, pas du genre à ne jamais rien dire à personne, il voudrait que tout le monde agisse comme lui, ce qui est loin d'être le cas. À mon avis, bientôt, il ne sera plus invité nulle part !
Témoignage 3 :
J'ai décidé de vendre ma voiture l'année dernière. Il n'y a plus aucune raison de posséder un véhicule individuel aujourd'hui surtout dans les grandes villes. Tout le monde s'accorde à dire que les automobiles émettent beaucoup de gaz à effet de serre et de particules fines pourtant jamais personne n'est prêt à s'en séparer. Moi, j'ai franchi le pas et j'en suis fière !

a. et **b.** 1. Faux → je n'avais jamais eu aucun problème à remplir ma garde-robe de pièces bon marché
2. Vrai → je me suis juré de ne plus jamais rien acheter tant que je ne connaissais pas les procédés et les conditions exacts de fabrication des pièces.
3. Faux → plus personne ne me propose de virées shopping !
4. Vrai → ne mangeant plus ni viande ni poisson…
5. Faux → il ne consomme plus rien d'origine animale.
6. Faux → pas du genre à ne jamais rien dire à personne
7. Faux → il ne sera plus invité nulle part !
8. Vrai → Il n'y a plus aucune raison de posséder un véhicule individuel aujourd'hui
9. Faux → jamais personne n'est prêt à s'en séparer.

Corrigés et transcriptions

c. Combinaisons :
ne… plus + jamais rien : phrase n° 2
ne… plus + personne : phrase n° 3
ne… plus + ni… ni… : phrase n° 4
ne… plus + rien : phrase n° 5
ne… plus + nulle part : phrase n° 7
ne… plus + aucune : phrase n° 8
ne… jamais + aucun : phrase n° 1
ne… jamais + rien : phrase n° 6
ne… jamais + personne : phrase n° 6, 9

9. 🎧 35 Ex. : Il y a un siècle, on respectait encore la faune et la flore.
1. Il y a quelques décennies, tous les hommes politiques excluaient l'écologie de leurs discours.
2. Nombreux sont ceux qui doutent encore de l'origine humaine du réchauffement climatique.
3. N'acheter toujours que des choses neuves, voilà ce qui faisait partie avant de mes habitudes.
4. On trouve encore quelque part sur la planète des zones vierges de civilisation.
5. Il y avait toujours des asperges sauvages qui poussaient derrière la maison de ma grand-mère.
6. Ma copine avait toujours quelque chose à me reprocher sur mon comportement qu'elle ne trouvait pas écolo.

Exemple de production :
1. Maintenant, **plus aucun** homme politique **ne** l'exclut de son discours.
2. Mais dans quelques années, **plus personne** n'en doutera.
3. Depuis que j'ai vu un documentaire sur les bienfaits du commerce d'occasion, **ne jamais rien** acheter de neuf est mon nouveau credo.
4. Je crains que d'ici quelques années, on **n'**en trouve **plus nulle part**.
5. Depuis que les champs autour de chez elle sont arrosés de pesticides, je **n'**en ai **plus jamais** vu **aucune**.
6. Depuis que je me suis installé une application pour calculer mon empreinte carbone, j'ai fait beaucoup d'efforts et elle n'a **plus rien** à me reprocher.

10. *Exemple de production :*
J'ai décidé de me débarrasser totalement du plastique. Je **n'**achète **plus aucun** objet dans cette matière et **plus personne ne** m'offre de cadeau qui en contient. Quand je commande des plats à emporter, je **n'**accepte **jamais ni** les couverts **ni** les barquettes en plastique, j'ai toujours avec moi un récipient en verre ainsi que des couverts en inox. D'ailleurs, j'espère que d'ici quelque temps, on **ne** trouvera **plus nulle part** de plastique à usage unique.

11. a. *Registre soutenu :* 1. Je ne cesse de lire des articles alarmistes sur l'état des océans. – 2. La maire du village n'ose imaginer la réaction d'une partie des viticulteurs à l'annonce de l'interdiction prochaine du glyphosate. – 3. Je ne sais que répondre. – 4. Il ne peut tolérer le déni du réchauffement climatique.
Registre familier : 1. J'arrête pas de lire des articles super trash sur l'état des océans. – 2. La maire du village ose pas imaginer ce que vont dire les viticulteurs quand elle va annoncer qu'on interdira bientôt le glyphosate. – 3. J'en sais rien. – 4. Il peut plus supporter ceux qui disent que le réchauffement climatique existe pas.
b. 1. *Au registre soutenu, après les verbes* cesser, oser, savoir, pouvoir, *on peut supprimer le* ne. – 2. *Au registre* familier *et souvent à l'oral, on supprime souvent le ne de la négation.*

12. *Exemple de production :*
Myriam ne pouvait s'empêcher d'organiser sa vie en fonction de son pseudo engagement écologique. Elle était fière de sa nouvelle voiture hybride bleu métallisé mais elle ne sut que répondre lorsqu'un de ses amis argua le fait que le procédé de fabrication de son nouveau joujou n'était pas si écolo que ça. N'osant affronter son ami lors d'un débat qu'elle jugeait inutile, elle se tut. Lui, en revanche, ne cessa de lui envoyer des piques toute la soirée.

13. L'adjectif indéfini *tout* s'accorde avec le nom ou le pronom démonstratif qui suit. Il exprime une idée de totalité : n° *1*, 2, 12, 13, d'habitude : n° 5 ou de périodicité : n° 6.
Le pronom indéfini *tout* exprime une idée de totalité.
– Il peut être neutre et représente un ensemble de choses indéterminées. Il est invariable : n° 16.
– Il peut être pluriel (tous, toutes) et reprendre le sujet : n° 8, 9 ou le COD : n° 7, 10.
L'adverbe *tout* signifie *entièrement, totalement, très*. Il est généralement invariable : n° 3, 4, 11, 15 sauf devant un adjectif féminin qui commence par une consonne ou un h aspiré : n° 14.

14. 1. Amanda était **tout** énervée et ses amies **toutes** surprises d'avoir entendu des discours climatosceptiques à la conférence sur l'accélération de la fonte des glaces.
2. Dans **tous** les scénarios envisagés par le GIEC, la diminution des émissions devra être **tout** particulièrement rapide pour parvenir à la neutralité carbone en 2060.
3. La liste des actions concrètes à conduire revêt une importance **toute** particulière.
4. Depuis 1995, plus d'une centaine de pays se réunissent **tous** les ans lors des COP.
5. Je conseille à **tous** ceux et **toutes** celles qui font de beaux discours sur l'environnement de calculer leur empreinte carbone.

Nous améliorons notre style   p. 87
15. a. 1. présent – 2. futur proche – 3. futur simple – 4. futur antérieur – 5. conditionnel présent – 6. conditionnel passé
b. 1. g – 2. a – 3. e – 4. b – 5. c – 6. h – 7. d – 8. f

16. 1. fais – 2. permettra – 3. t'approcheras – 4. libéreras – 5. auras fait – 6. enverras – 7. comprendra – 8. se chargera – 9. vais mener – 10. auront été libérés – 11. aurai basculé – 12. reprendrais – 13. aurais terminé – 14. suis sur le point d'accomplir – 15. décidera

17. *Exemple de production :*
On **va végétaliser** la station-service des pieds à la tête ! J'adore ces actions éco-pacifistes qui font la popularité d'ECO+. Luca nous a dicté le plan à suivre : « Vous **chargerez** les plantes dans le camion avant la tombée de la nuit. Dès que vous **serez arrivés** sur place, chacun **se répartira** un endroit de la station-service : le sol, le toit et les pompes à essence surtout ! Quand vous **aurez fini** le boulot, vous m'**enverrez** le texto : *Nous avons la main verte*, et je comprendrai que tout s'est déroulé comme prévu. » Je suis aux anges. Désormais membre d'ECO+, je **suis sur le point de réaliser** ma deuxième mission sur le terrain. Pourtant, ce n'était pas gagné au départ. Luca et sa bande pensaient que je **quitterais** l'organisation après que j'**aurais échoué** à la première mission. Mais je l'ai réussie… Les gens **vont être** surpris demain matin de découvrir leur station-service transformée en jardin ! Les pompes à essence **auront** complètement **disparu** sous les lierres et les fougères.

Stratégies
Production guidée : l'article informatif   p. 88
1. 2

2. *Exemple de production :*
Qui a dit que le bois était vieillot ?
Avec sa tour en bois, Bordeaux laisse béton (titre de *Libération*) – Jeu de mots sur béton (le matériau) et l'expression « Laisse béton » (verlan de tomber) qui signifie « abandonner ». Le titre veut ainsi dire : Bordeaux abandonne le béton.

Corrigés et transcriptions

3. *Exemple de reformulation :*
La première poutre du plus haut bâtiment de France construit en bois a été posée la semaine dernière dans la métropole girondine. Plus léger, plus écologique et plus rapide à monter que d'autres matériaux, le pin utilisé est issu des forêts de Corrèze.

4. *Exemple de production :*
Hypérion revendiquera à sa livraison l'année prochaine le statut de plus haute tour d'habitation en construction bois de France.

5. **1.** La chute car on propose un élargissement. **2.** L'accroche car ce sont les premières lignes de l'article qui doivent capter l'attention du lecteur.

6. 3, 1, 2

7. *Exemple de production :*
On s'en souvient tous, le célèbre conte *Les Trois Petits Cochons* ne laisse aucune chance à la maisonnette en bois. Cette idée d'un matériau vulnérable reste fortement ancrée dans l'imaginaire collectif.
Dans le cadre d'un vaste programme de rénovation urbaine du quartier Saint-Jean-Belcier, Bordeaux compte démolir ce cliché avec la construction de la future tour Hypérion, entièrement en pin. Empruntant son nom à l'arbre le plus haut du monde, elle culminera à 55 mètres lors de sa livraison l'année prochaine. Un record de hauteur en France pour un bâtiment dans ce matériau. Au total, 98 logements seront répartis sur les seize étages de l'immeuble, imaginé par l'architecte Jean-Paul Viguier. Le coût du projet s'élève à 17,9 millions d'euros. D'une surface comprise entre 60 et 100 m2, les appartements seront vendus à un prix moyen de 3 800 euros le mètre carré. Avec ses balcons et ses jardins suspendus, Hypérion devrait avoir l'air d'un Kapla géant végétalisé.
La tour affichera un bilan carbone de 45 % inférieur à celui d'un bâtiment traditionnel. Un atout maître dans un contexte d'urgence climatique. Mais c'est aussi moins de nuisance sonore sur les chantiers et une durée de travaux réduite. N'assisterait-on pas à un renouveau architectural ? En mars 2019, la Norvège inaugurait le plus haut bâtiment en bois du monde (85,4 mètres). Mais c'est sans compter le pari fou des Japonais qui ont décidé de gratter le ciel, d'ici à 2025, avec une tour en bois de 350 mètres !
(246 mots)

Production guidée : l'essai argumentatif   p. 89

1. Sans gluten, sans sel, sans cuisson, sans produits d'origine animale : les régimes spécifiques sont de plus en plus à la mode. Il s'agit de choix individuels qui créent aussi l'engouement de petits groupes. Mettent-ils en danger le vivre ensemble ?

2. Peut-on de nos jours vivre conformément à ses choix alimentaires en préservant la convivialité ?

3. Thèse Exemple : 7 – Conclusion intermédiaire et transition vers l'antithèse : 2
Antithèse Argument : 8 – Exemple : 1 – Conclusion intermédiaire et transition vers la synthèse : 9
Synthèse Argument : 5 – Exemple : 6 – Conclusion intermédiaire : 4

4. *Exemple de production :*
Introduction Jamais plus qu'aujourd'hui les régimes alimentaires variés et spécifiques n'ont été aussi visibles, les listes d'allergènes, les mises en garde ou encore les étiquettes partout nous le disent. De restriction en exclusion, on peut en arriver à ne plus rien avoir en commun dans nos assiettes, et la question de notre cohabitation alimentaire se pose alors.
De nos jours, la diversité des régimes alimentaires est-elle un frein à la convivialité ? On s'intéressera tout d'abord à l'incompatibilité qui peut naître autour de mets culinaires différents. Dans un second temps, on verra comment depuis toujours les hommes cohabitent malgré des goûts et des préférences alimentaires différents. Finalement, il sera intéressant de comprendre à quelles conditions un consensus pourrait exister.
Thèse Dès l'enfance, on le sait : certains goûts alimentaires sont plus que des préférences, ils sont tellement ancrés qu'on ne peut imaginer les changer, et on les considère comme partie intégrante de notre personnalité. Pour certains, ils relèvent de décisions plus profondes encore puisqu'il peut s'agir d'un choix de bien-être personnel, ou bien du rejet total de certains produits au nom d'une idéologie humaniste et animaliste. On pense notamment aux adeptes de nourriture sans produits transformés ou aux végans, ces deux groupes excluant un grand nombre d'aliments pour respecter leur choix d'alimentation. D'ailleurs, nombre d'entre eux revendiquent non pas un simple choix alimentaire mais plutôt un choix de vie et ils s'y tiennent strictement, sans rechercher la compatibilité avec d'autres.
Conclusion provisoire et transition Dès lors, il semble presque impossible de s'attabler autour d'une même table et de mêmes mets qui ne satisferaient pas l'ensemble des participants : la table doit rester un lieu de convivialité et non pas un lieu de joutes verbales enflammées.
Antithèse Cependant, depuis toujours, les goûts diffèrent d'un individu à l'autre, au sein d'une famille comme d'une communauté, on n'en reste pas moins unis d'une manière ou d'une autre. Une même culture peut renfermer une grande diversité alimentaire tout en rassemblant autour d'autres valeurs. Ainsi, en France, on ne saurait imaginer un amateur de viande de l'Aveyron rejeter un partisan de la salade niçoise sous prétexte d'incompatibilité alimentaire. Par ailleurs, de la même manière que l'on peut accepter des choix politiques ou religieux divergents dans un même groupe humain, on peut imaginer que si des plats divisent, il suffit de ne pas en regarder le contenu.
Conclusion provisoire et transition La nourriture a vocation dans la société à être un moment de plaisir et de partage mais si elle met en danger le collectif, alors on doit lui donner un statut individuel.
Synthèse La solution à cette équation complexe semble donc à trouver autour d'un consensus, en tout cas si l'on veut continuer à donner à la nourriture un sens collectif. Or, si pour certains ce consensus est facile à établir, pour d'autres il est tout simplement inacceptable car on ne saurait transiger avec ce qui nous tient le plus à cœur. Je n'aime pas la viande rouge mais je peux accepter de manger l'accompagnement qui a cuit avec, le consensus est trouvé. Mais si je condamne la consommation de viande, je refuserai probablement de partager mon repas avec un carnivore qui dévorerait une entrecôte face à moi. Il apparaît par conséquent que si l'adepte d'un régime « sans » ne peut faire d'exception, le consensus en tant que tel n'existe pas et la rencontre ne se fera qu'à condition que les autres le rejoignent, au moins le temps d'un repas.
Conclusion provisoire On voit que cet espace de dialogue est des plus modestes et que de fait, le collectif en ressort amoindri.
Conclusion Ainsi, on ne peut plus aujourd'hui considérer que les diverses revendications alimentaires relèvent uniquement des goûts de chacun : on doit reconnaître des choix bien plus profonds. Essayer de regrouper cette diversité autour d'une table n'est donc plus envisageable, et l'on doit accepter de chercher la convivialité ailleurs qu'autour d'une table. Oui, on exclut des groupes en excluant des catégories alimentaires mais seulement si ces groupes s'identifient par leurs choix de nourriture. Il est en effet possible de donner à l'alimentation un caractère personnel, appartenant à la sphère privée, ce qui rend la cohabitation possible.

Le billet d'humeur : réagir à une tendance   p. 90

1. 1. Ce billet d'humeur traite des avantages à étudier la médecine à l'étranger. – **2.** Le sujet est précis. – **3.** Son auteur donne point de vue. – **4.** Ce billet d'humeur contient des éléments anecdotiques. – **5.** Le ton est polémique. – **6.** Le registre est parfois familier.

2. 1. Il rapporte une anecdote pour entrer dans le sujet. – **2.** L'auteur veut traiter le sujet de manière réaliste, lui donner l'importance d'une « histoire vécue » pour mieux capter l'attention du lecteur. – **3.** Il partage une partie de son intimité et de sa vie familiale avec le lecteur. De plus, il incite le lecteur à le soutenir, voire à faire le même choix que lui, comme le montrent les deux dernières phrases (« Alors, ça n'intéresse que moi ? Pas si sûr… »). – **4.** Oui, ce texte engage son auteur. La présence de ce dernier est très marquée : énonciateur JE, partialité, emphase (ponctuation, majuscules, opinions tranchées), ton polémique (ironie, autodérision) et style très personnel (discours rapporté librement, phrases incomplètes, termes familiers).

3. *Exemples de production* :
a. 1. C'est mon médecin de famille et il me connaît, il est à côté de chez moi ce qui est pratique et rassurant. Je comprends qu'il parte en retraite mais je ne comprends pas qu'il ne soit pas remplacé, cela m'inquiète. – **2.** Ma voisine est atteinte d'Alzheimer et c'est grâce à ce médecin et à ses visites hebdomadaires qu'elle n'a pas été placée dans une institution spécialisée. – **3.** Qui s'occupera de nous à l'avenir ? Qui se souciera de connaître les habitants du quartier ? Je ne veux pas de la froideur anonyme d'un grand cabinet de soins ou de l'hôpital pour nous soigner.
b. *Exemple* :
Titre : Touche pas à mon médecin ! – **Chute** : Et vous, imagineriez-vous votre ville ou votre quartier sans médecin ?
c. Touche pas à mon médecin !
Hier, je me réveille malade : impossible d'aller au travail. J'appelle donc mon médecin, rien de plus normal : j'habite ce quartier depuis toujours et je le consulte à chaque fois que c'est nécessaire depuis que je suis enfant. Et là, surprise : je tombe sur un répondeur dont le message préenregistré m'informe de la fermeture définitive du cabinet médical. « Pour cause de départ en retraite ».
Une fois le choc initial passé – mais qu'est-ce que je vais faire sans le traitement de mon bon docteur ? – j'ai mieux réalisé l'ampleur du problème. C'est mon médecin de famille et il me connaît, il est à côté de chez moi ce qui est pratique et rassurant. Je comprends qu'il parte en retraite mais je ne comprends pas qu'il ne soit pas remplacé, cela m'inquiète. Par exemple, ma voisine est atteinte d'Alzheimer et c'est grâce à ce médecin et à ses visites hebdomadaires qu'elle n'a pas été placée dans une institution spécialisée. Il est essentiel à la prévention et au soin de tellement de personnes !
Qui s'occupera de nous à l'avenir ? Qui se souciera de connaître les habitants du quartier ? Je ne veux pas de la froideur anonyme d'un grand cabinet de soins ou de l'hôpital pour nous soigner. Pas d'autre solution donc : nous devons tous nous mobiliser pour qu'il soit remplacé. Et vous, imagineriez-vous votre ville ou votre quartier sans médecin ?

L'exposé oral : présenter une œuvre d'art   p. 91

1. 🎧 36 Mon exposé aujourd'hui porte sur une œuvre emblématique de l'Art moderne : *La Danse* d'Henri Matisse, une peinture réalisée en 1909.
Je veux vous montrer comment elle a participé à libérer l'art du xxᵉ siècle de conventions typiquement occidentales.
Je commencerai par une description puis je me focaliserai sur deux aspects essentiels : d'abord, le fauvisme et la simplicité conjugués, ensuite, le mouvement et l'espace que Matisse fait naître.

1. L'exposé concerne **une peinture**. – **2.** L'exposé a pour but **de démontrer comment l'œuvre a participé à moderniser l'art**. – **3.** La présentation comportera **trois** parties.

2. 1. La description de l'œuvre – **2.** Couleurs saturées du fauvisme et style candide, – **3.** Des règles nouvelles de l'espace grâce à la danse

3. 🎧 37 Mon exposé aujourd'hui porte sur une œuvre emblématique de l'Art moderne : *La Danse* d'Henri Matisse, une peinture réalisée en 1909.
Je veux vous montrer comment elle a participé à libérer l'art du xxᵉ siècle de conventions typiquement occidentales.
Je commencerai par une description puis je me focaliserai sur deux aspects essentiels : d'abord, le fauvisme et la simplicité conjugués, ensuite, le mouvement et l'espace que Matisse fait naître.
Regardons pour commencer, cette grande toile rectangulaire. Elle figure une scène de danse populaire où vous pouvez voir cinq personnages nus dessinés très simplement en noir, peints en orange, et qui dansent en cercle. Tous se tiennent la main sauf les deux du premier plan : regardez de plus près, ici. Le fond ne comporte que deux couleurs : du bleu en haut et du vert en bas, sur lequel les danseurs évoluent. Au premier abord, la peinture semble sans profondeur, l'attention n'étant dirigée que sur les figures dansantes.
Parlons à présent du fauvisme que je viens d'évoquer…
Penchons-nous maintenant sur la représentation à deux dimensions, sans perspective. Toutefois, n'oublions pas que c'est une danse, et donc du mouvement, ici représentés. À ce propos, remarquez que c'est le mouvement et le rythme créés par le groupe qui intéressent l'artiste plus que les danseurs pris individuellement. Notez aussi que la danse qu'il a choisie est populaire, bien éloignée de la danse classique par exemple. On peut donc dire
Pour conclure, on peut affirmer que son travail porte essentiellement sur les sentiments, les sensations et surtout l'énergie qui émanent de ces corps qui dansent. Son but n'était pas de choquer, comme cela s'est produit quand l'œuvre a été montrée, mais bien au contraire d'offrir à la vue une ode à la vie, à la joie et à la nature.

1. Faux : la partie consacrée à la description ne contient pas de connecteur logique.
2. Faux : il fait des pauses afin de marquer la fin d'une partie et de signaler le début de la suivante.
3. Vrai : l'accent d'insistance est perceptible sur les organisateurs qui ajoutent des idées et les connecteurs logiques.

4. 1. Pour indiquer le début de chaque partie : Mon exposé aujourd'hui, Regardons pour commencer, Parlons à présent de, Penchons-nous maintenant, Pour conclure – **2.** Pour inviter à regarder des détails de l'œuvre : vous pouvez voir, regardez de plus près – **3.** Pour attirer l'attention sur un élément important : n'oublions pas que, remarquez que, Notez aussi que – **4.** Pour faire référence à des propos qui précèdent ou qui suivent : Je veux vous montrer, Je commencerai, que je viens d'évoquer

5. *Exemple de production* :
Mon exposé aujourd'hui porte sur ce portrait de femme réalisé par Seanbear. Je veux vous montrer comment il est inspiré du fauvisme. Je commencerai par une description de cette œuvre puis je me focaliserai sur deux aspects essentiels : les caractéristiques du fauvisme en premier lieu, puis le mouvement et la posture du sujet représenté.
Regardons pour commencer le dessin. On voit le buste d'une femme, simplement dessiné avec des traits noirs et des couleurs contrastées : orangé pour le visage, rouge pour la bouche, vert foncé pour le pull-over et noir pour la chevelure. Regardez de plus près : des ombres sont assez marquées. La femme tranche particulièrement sur le fond bleu profond. Vous pouvez voir qu'elle regarde vers la gauche et que son visage n'exprime aucun sentiment particulier.
Parlons à présent des caractéristiques propres au fauvisme qu'on trouve dans ce portrait. Tout d'abord, n'oublions pas que

ce sont les couleurs, intenses et contrastées, qui sont les plus représentatives de ce courant artistique du xxe siècle. Remarquez de plus que le personnage en lui-même ne dégage aucun sentiment du fait de l'expression de son visage, mais seulement du fait des couleurs employées. Ces couleurs sont nuancées par les ombres. De cette manière, on peut dire que ce sont les couleurs plus que les traits qui donnent à la femme représentée son expression assez triste.

Penchons-nous maintenant sur la posture et le mouvement de la femme. Au premier abord, on croit qu'elle est de face, mais en fait, il apparaît qu'elle se tourne légèrement sur la gauche. Son visage et surtout son regard indiquent ce mouvement. De plus, les ombres que je viens d'évoquer apportent des nuances aux couleurs employées, certes, mais elles nous donnent aussi une impression de mouvement de la tête. Ainsi, par son travail sur les couleurs, à la fois simples et subtilement nuancées, l'artiste parvient à donner à un sujet simple une profondeur et une expressivité qui relèvent du fauvisme.

Production guidée : le manifeste   p. 92

1. 1. nous 2. à l'ensemble de la population 3. informer – dénoncer – inciter à l'engagement

2. Notre manifeste pour une exigence de traitement identique !

3. 1. e 2. a, f 3. d 4. b

4. *Exemple de production :*
1. faibles, impatients, désagréables, etc.
2. malvoyants, incapables de comprendre les démarches, devant être accompagnés de personnes plus jeunes, etc.
3. appréciant la modernité, à l'aise avec les nouvelles technologies, etc.

5. Situations dénoncées : 2, 4, 5
Actions envisagées : 1, 3, 6

6. *Exemple de production :*
Venez nous aider à mobiliser la population ! Faites entendre notre voix ! Signez la pétition en ligne sur notre site : www.passivieuxencolère.fr !

7. *Exemple de production :*
Nous, personnes de 60 ans et plus, n'acceptons plus le traitement dont nous faisons l'objet. Certains d'entre nous sont peut-être diminués physiquement mais ne généralisons pas ! Quelques cheveux gris ne doivent pas rimer avec pitié et condescendance ! Nous dénonçons les attitudes trop souvent infantilisantes ou infériorisantes qui se déguisent en « bonnes intentions » chez les plus jeunes que nous, cela ne peut pas continuer à l'époque de la révolution grise ! Accepteriez-vous d'être traités d'une manière aussi stigmatisante ?
Nous demandons le respect et l'égalité, en commençant par les transports ou encore les files d'attente : ce n'est pas parce que nous avons passé 60 ans que nous ne pouvons pas rester debout un quart d'heure, que nous avons besoin d'assistance ou que nous devons laisser passer tous les autres, qui seraient plus pressés que nous. Nous ne sommes pas nécessairement retraités !
Dans les administrations, les agences, etc. : nous ne voulons plus être considérés comme des individus simplement séniles ou sourds ! Nous avons au moins autant de neurones que les autres et nous avons accès aux mêmes soins que le reste de la population en cas de problème de vue ou d'audition !
Enfin, chez les commerçants, qu'on arrête de nous percevoir comme des clients aux goûts passés et désuets : nous sommes de notre temps, nous aimons la mode, la technologie et souvent, nous en savons plus que les plus jeunes !
Pour faire entendre notre ras-le-bol, nous n'avons pas peur d'agiter les rues avec de nombreuses actions :
– blocage à trottinette des boulevards principaux,
– grève du sourire sur la voie publique,
– brouillage des réseaux Wi-Fi du métro aux heures de pointe,
– boycott des places assises dans les transports en commun.
Venez nous aider à mobiliser la population ! Faites entendre notre voix ! Signez la pétition en ligne sur notre site : www.passivieuxencolère.fr !

Production guidée : la lettre de motivation   p. 93

1. 3

2. *Exemple de production :*
Sur la recommandation du professeur de Linguistique du département de français, je me permets de vous adresser ma candidature au poste de tuteur de français pour la saison estivale. Je pense en effet posséder des compétences et une expérience adaptées à ce poste.

3. Formation : DALF C1, échange universitaire à Lille, licence de littérature francophone, cours de français niveau avancé – **Expérience professionnelle** : au pair en Belgique francophone, cours particuliers à des lycéens – **Informations personnelles** : famille en Bretagne, passionné(e) par la chanson et le cinéma français

4. Être doté(e) de solides connaissances en pédagogie / d'une bonne aptitude à communiquer
Avoir le sens des responsabilités
Faire preuve de clarté et rigueur / d'une bonne aptitude à communiquer
Avoir des capacités à transmettre ses connaissances / à expliquer des points difficiles
Savoir transmettre ses connaissances / expliquer des points difficiles
Maîtriser le système phonétique français

5. *Exemples de production :*
1. mettre mes connaissances au service des étudiants, améliorer mes qualités d'écoute et de pédagogue – 2. être au contact des meilleurs spécialistes de français et de littérature, apprendre grâce à eux, être au centre d'un établissement interculturel

6. Je vous remercie sincèrement de l'attention que vous accorderez à ma candidature. Je me tiens à votre disposition pour vous expliquer plus en détail ma motivation à rejoindre votre équipe en tant que tuteur.

7. *Exemple de production :*
Madame, Monsieur,

Sur la recommandation du professeur de Linguistique du département de français, je me permets de vous adresser ma candidature au poste de tuteur de français pour la saison estivale. Je pense en effet posséder des compétences et une expérience adaptées à ce poste.

Actuellement en licence de littérature francophone et titulaire d'un DALF C1, je suis doté de solides connaissances en pédagogie et j'ai les capacités à transmettre ces connaissances ou à expliquer des points difficiles. Cela m'a été confirmé grâce aux cours que je donne à des lycéens, cours pendant lesquels je sais faire preuve de clarté et rigueur. Grâce à mes nombreux séjours familiaux en Bretagne ainsi qu'à un échange universitaire à Lille, j'ai également pu développer mon aptitude à communiquer. Mon cours de français niveau avancé m'a par ailleurs aidé à maîtriser le système phonétique français. Enfin, ayant été au pair en Belgique francophone, j'ai acquis le sens des responsabilités.

Le poste de tuteur de français dans votre université m'intéresse vivement. D'une part, je souhaite mettre mes connaissances au service des étudiants et améliorer mes qualités d'écoute et de pédagogue. Ayant l'esprit de synthèse et d'analyse, je sais que je pourrai être utile. D'autre part, en étant au contact des meilleurs spécialistes de français et de littérature, j'espère apprendre

Corrigés et transcriptions

grâce à eux, sans oublier tous les bénéfices que je pourrai tirer d'être au centre d'un établissement interculturel.

Je vous remercie sincèrement de l'attention que vous accorderez à ma candidature. Je me tiens à votre disposition pour vous expliquer plus en détail ma motivation à rejoindre votre équipe en tant que tuteur.

Je vous prie de recevoir, Madame, Monsieur, mes sincères salutations.

Signature

Argumenter à l'oral — p. 94

1. 🎧 38 — Dans le climat actuel de défiance voire de haine à l'égard de la chasse et des chasseurs, je voudrais faire le point, aussi objectivement que possible, sur la chasse en France actuellement. C'est d'abord un droit, durement acquis par la Révolution française. Jusqu'alors, c'était le seul privilège des classes supérieures. Depuis, on peut véritablement parler d'une tradition profondément ancrée. C'est de plus un loisir prisé, avec plus d'un million d'adeptes, ce qui en fait le troisième loisir derrière le football et la pêche. Le permis est payant et nécessite une formation et un examen.
On peut par ailleurs reconnaître à la chasse une fonction : l'homme ayant largement modifié les milieux, certains animaux deviennent trop nombreux à des endroits donnés. Des chevreuils ou des sangliers font des dégâts en forêt ou sur les cultures et dans ce cas, les chasseurs peuvent intervenir.
— Euh…

a. Le locuteur est **pro chasse**.
b. 2, 4 et 5

2. 🎧 39 Euh… Si ma mémoire est bonne, vous avez dit que la chasse était un droit et faisait partie inconditionnellement des traditions en France. À mon avis, vous vous trompez : je suis convaincue que la chasse répondait à cette époque à un besoin vital alors qu'aujourd'hui, la profusion de viande dans les magasins ne justifie plus du tout la chasse.

a. La locutrice est en désaccord. Elle dit : *À mon avis, vous vous trompez.*
b. L'argument 4.

3. a. 6 – **b.** 3 – **c.** 5 – **d.** 4 – **e.** 1 – **f.** 2

4. 1. Vous avancez un argument selon lequel… ; On a entendu que…
2. Il me semble que vous faites erreur. ; Je m'inscris en contre. ; Vous y croyez sincèrement ?
3. Permettez-moi d'insister sur… ; Je peux vous opposer l'argument selon lequel… ; Je crois que vous oubliez que…

5. *Exemple de production :*
Argument 1 : une communion avec la nature.
1. Réfutation : Je m'inscris en contre. En effet, on peut aimer la nature de bien d'autres manières.
2. Exemple : Il existe aujourd'hui beaucoup de safaris en Afrique, dans lesquels les appareils photos, les caméras et les guides animalistes ont remplacé les armes et les aides de chasse.
3. Vous avancez un argument selon lequel la chasse serait une communion avec la nature.
Je m'inscris en contre : en effet, on peut aimer la nature de bien d'autres manières.
Je crois que vous oubliez que la chasse, c'est du bruit avec les détonations des armes et la terreur pour tous les êtres de la forêt. Ce sont aussi et surtout des armes et la mort d'un animal. Par exemple, il existe aujourd'hui beaucoup de safaris en Afrique, dans lesquels les appareils photos, les caméras et les guides animalistes ont remplacé les armes et le matériel de chasse. De ce fait, on peut vraiment voir les animaux, les observer apaisés car ils n'ont plus peur des êtres humains.

Résumer un document oral — p. 95

1. 🎧 40 Depuis le XIXᵉ siècle, toutes les tentatives de débarrasser le français de ses difficultés orthographiques se sont heurtées à de fortes résistances. Comment expliquer cette inflexibilité ?
Depuis 1740, date de la dernière réforme importante, tous les changements de graphie n'ont été que mineurs. Ainsi, dans les années 1890, des commissions soucieuses de simplifier l'orthographe ont été mises en place. Mais l'opposition des enseignants, des imprimeurs, des écrivains et de l'Académie française a empêché toute modification. La seule concession a porté sur les contenus d'enseignement avec l'adoption de règles de tolérance notamment en 1901, dont les effets ont été quasiment nuls.
Dans l'entre-deux-guerres encore, l'orthographe reste une Bastille imprenable. Toute tentative de modification est violemment critiquée et se solde par un statu quo. Au début des années 1950, les mêmes résistances et les mêmes indignations accueillent un rapport qui entend s'attaquer au caractère fixe et sacré de la langue, rapport qui ne tarde pas à rejoindre les autres projets de réforme abandonnés. Une nouvelle commission se met en ordre de bataille en 1960, proposant entre autres le remplacement de tous les pluriels en « x » par un -s, avant de se voir à son tour accusée de porter atteinte à la subtilité de l'âme hexagonale !
Même la simple modification de 228 mots rares, en 1968, est rejetée. En 1976, c'est le corps enseignant qui décide d'ignorer un arrêté ministériel invitant, lors des examens ou concours, à ne pas trop pénaliser les transgressions orthographiques mineures.
Finalement, « les "Rectifications" timides proposées par le Conseil supérieur de la langue française en 1990 constituent la seule réforme orthographique qui ait abouti au XXᵉ siècle », commente un linguiste du CNRS. Il a cependant fallu attendre vingt-six ans pour que les éditeurs de manuels scolaires les appliquent, soit en 2016 ! Il faut dire qu'à l'époque, une opposition farouche s'est constituée autour de politiciens et d'hommes et de femmes de lettres célèbres, l'un d'eux prophétisant même que « le français se désagrégera à grande vitesse » si la réforme passe. Vous avez dit conservatisme ?
Selon un récent sondage, 82 % des Français se refusent à la simplification des règles d'orthographe. « Un tel conservatisme s'explique en partie par l'attachement à des règles durement apprises dans l'enfance », analyse une professeure de la Sorbonne-Nouvelle. Cette difficulté à procéder à des simplifications, le linguiste Claude Hagège l'attribue lui aussi au refus de faire des concessions quand on a souffert pour s'approprier une bonne orthographe : « Les Français investissent assez de peine, assez de temps, assez d'argent dans l'apprentissage de l'orthographe, d'une génération à l'autre, pour se considérer, en quelque manière, comme possesseurs inaliénables de leur propre écriture. Il s'agit pour eux d'une propriété aussi précieuse, aussi jalousement surveillée, que les biens les plus chèrement acquis. »
On comprend ainsi mieux pourquoi les réformes de la langue française semblent presque impossibles…

1. informatif – **2.** des difficultés à réformer l'orthographe dans la langue française – **3.** réforme, orthographe, résistance, conservatisme – **4.** engagé

2. 1. c – 2. g – 3. i – 4. e – 5. b – 6. h – 7. f – 8. a – 9. d

3. 1. *c*, a, d – 2. *g, e*, b, h, f – 3. i

4. 1. *c* – 2. *g, e*, b – 3. h, f – 4. a, d

5. *Exemple de production :*
Depuis deux siècles, les essais de simplification orthographique

du français sont restés vains tant la résistance est forte. En effet, la dernière réforme importante date du XVIIIᵉ siècle et depuis, les modifications opérées ont été minimes. Seule une loi de tolérance orthographique, à l'impact très faible, a été adoptée en 1901. Jusqu'en 1990, toutes les propositions de réforme ne rencontrent que rejet et mépris. Pourtant, cette année-là, une réforme orthographique, malgré une opposition virulente d'éminentes personnalités françaises, est finalement adoptée et appliquée… 26 ans plus tard, c'est-à-dire en 2016 ! Quel conservatisme ! Un sondage confirme ce conservatisme des Français à l'égard de leur orthographe, attachement que des linguistes expliquent par l'apprentissage long, difficile voire coûteux qu'ils en font depuis l'enfance. *(121 mots)*

Expliquer un document scientifique   p. 96

1 a. 3. *Il s'agit du titre le moins technique et indiquant clairement le but du dispositif.*
b. Les sourds et malentendants
c. Les autres appareils destinés à améliorer l'audition ne sont pas implantés dans l'oreille interne.

2. 1. c – **2.** d – **3.** a – **4.** b

3. l'oreille, la peau, le conduit de l'oreille interne, le nerf auditif, le cerveau

4. 1. Anticiper un malentendu – **2.** Expliquer – **3.** Faire une comparaison avec quelque chose de connu

5. *Exemple de production :*
Je veux vous présenter une innovation médicale très intéressante qui permet à des personnes sourdes ou malentendantes d'entendre à l'aide d'implants. C'est une innovation car les personnes visées n'obtenaient aucune amélioration de leur audition avec les appareillages externes classiques. Mais attention ! Même s'il s'agit d'une procédure plutôt simple, il faut être clair : la pose de ce dispositif passe par une intervention chirurgicale et nécessite ensuite une période de rééducation avant d'obtenir tous les résultats espérés.
Je vais utiliser ce schéma pour expliquer le dispositif. Comme vous le voyez, il y a des émetteurs, ce dispositif placé derrière l'oreille qui permet d'envoyer le signal sonore à un récepteur. Le récepteur, c'est un composant situé juste sous la peau, derrière l'oreille. Grâce à un fil sous la peau, ce récepteur fait passer le signal sonore vers l'oreille interne. La manière dont le son arrive finalement au cerveau pourrait être comparée à l'électricité qui arrive à la lampe. En effet, arrivé dans l'oreille interne, le porte-électrodes permet de transférer le signal au nerf auditif puis au cerveau. En d'autres termes, l'implant sous la peau permet d'amener directement le signal sonore là où il faut, c'est-à-dire au nerf auditif qui le conduit à son tour jusqu'au cerveau qui l'interprétera.

Production guidée : la dissertation   p. 97

1. a. Comme notre **passé** peut être lourd à porter, l'**oubli** apparaît parfois comme une solution. **Cependant**, c'est la **conscience** de ce même passé qui nous **définit** en partie.
b. 1

2. 1ʳᵉ partie : L'oubli nécessaire
Argument 1 : *Le passé peut étouffer, empêcher d'avancer.*
Exemple 1 : *Regrets et remords « toxiques », nostalgie qui bloque.*
Argument 2 : L'oubli permet d'arrêter de se battre donc de survivre.
Exemple 2 : Avec le pardon on se réconcilie et on parvient à l'apaisement.

2ᵉ partie : L'oubli impossible
Argument 1 : Les souvenirs font aller de l'avant : on apprend de son passé et on se construit.
Exemple 1 : On apprend de ses erreurs, on fait mieux à l'avenir.
Argument 2 : L'oubli est une illusion : la mémoire peut être incontrôlable.
Exemple 2 : Pathologies (amnésie, Alzheimer, etc.), rêves, surgissement de souvenirs, etc.

3ᵉ partie : S'emparer autrement de son passé pour se construire
Argument 1 : Oublier certains éléments permet de développer d'autres souvenirs.
Exemple 1 : Chaque histoire contient de l'idéalisation et de la reconstruction.
Argument 2 : Revisiter son passé peut aider à résoudre des difficultés.
Exemple 2 : Rendre hommage permet le deuil et favorise la socialisation.

3. *Exemple de production :*
Le développement personnel est très en vogue ces temps-ci, nous exhortant à nous développer tels que nous désirons être, nous propulsant vers un futur censé être toujours meilleur que le présent, ne laissant guère de place au passé. Comme notre passé peut être lourd à porter, l'oubli apparaît comme une solution. Cependant, c'est la conscience de ce même passé qui nous définit en partie. Comment concilier oubli et souvenir pour aller de l'avant ? Il convient d'une part de se pencher sur l'oubli en tant que vertu nécessaire à la construction de chacun. D'autre part, l'oubli doit être envisagé dans les situations où il peut être impossible à atteindre. Enfin, il faut comprendre comment s'emparer autrement de son passé pour se construire.
De nombreux exemples littéraires l'illustrent : les souvenirs attachent l'individu au passé et l'empêchent de changer ou d'évoluer. D'une certaine manière, ils l'aliènent et le figent dans une posture qui l'empêche de vivre pleinement dans son temps, avec ses pairs, et donc d'atteindre le bonheur. Regarder par-dessus son épaule sans être capable d'imaginer un futur différent, voire meilleur est en effet source de tristesse. Ainsi, on pense à certains auteurs romantiques qui n'ont eu de cesse de regretter un passé glorieux ou une enfance insouciante, jusqu'à y voir un paradis perdu. Dès lors, ils s'interdisaient d'accéder à une vie heureuse. De la même manière, si l'on pense aux regrets et aux remords, on sait à quel point ils peuvent faire mal et inhiber celui ou celle qui les éprouve. S'ils prennent une place trop importante, alors on peut leur attribuer une forme de toxicité : ils ne permettent plus de tirer des leçons ou de s'améliorer, ils submergent qui les ressent et peuvent le plonger dans une forme de prostration très dommageable.
Si maintenant on s'intéresse à ceux et celles qui ont vécu des drames, des traumatismes, ou qui ont été victimes de crimes et qui souffrent, alors on peut aller plus loin encore : pour eux, oublier n'est pas une question de mieux-être ou de possibilité d'aller de l'avant, mais véritablement de survie. Prenons l'exemple d'un grave différend familial qui aurait provoqué le déchirement d'une fratrie. Quelle que soit la raison de la dispute, la dispute puis la séparation laissent des traces qui font en général souffrir tous les membres de la famille, de manière durable. La seule manière d'apaiser cette souffrance, c'est de pardonner, de se réconcilier, bref, de parvenir à une forme d'oubli.
Pourtant, malgré la nécessité d'oubli que l'on vient de démontrer, il reste des cas dans lesquels l'oubli est impossible à envisager. Tout d'abord, il ne faut pas négliger les cas pour lesquels l'oubli n'est pas souhaitable. Connaître notre passé n'est-il pas le meilleur moyen d'échapper à certains déterminismes, de s'inscrire dans une dynamique qui nous permettra d'aller de l'avant ? On dit d'ailleurs que nous apprenons de nos erreurs : ce n'est rien d'autre que le fait que, nous souvenant du passé, de ce qui a été fait, dit, ou vécu, nous faisons le tri entre ce qui a été réussi et ce qui laisse à désirer, puis nous tirons les enseignements utiles à un avenir que nous jugeons plus désirable. Grâce à notre mémoire, nous consolidons en fait notre présent et construisons notre identité.
Par ailleurs, on ne peut ignorer les situations dans lesquelles l'oubli est un outil illusoire. En premier lieu, le rêve s'impose comme obstacle à la mémoire parfaitement contrôlée, puisqu'on

y rencontre parfois des éléments que l'on croyait disparus à jamais. De plus, comme la fameuse madeleine de Proust nous le rappelle fort bien, la mémoire peut se jouer de nous et ressurgir lorsque l'on ne s'y attend pas. La réminiscence est une forme de mémoire involontaire dont chacun a fait l'expérience et qui efface la possibilité d'un oubli durable de quelque élément de notre passé. Outre ces rappels somme toute naturels, des formes pathologiques de mémoire et d'oubli incontrôlables existent également. Des souvenirs refoulés qui gisent dans l'individu, en général parce qu'ils sont traumatisants, peuvent mettre à mal le psychisme de celui-ci. C'est d'ailleurs un des fondements des théories de Sigmund Freud. Faire table rase du passé est probablement impossible dans la plupart des cas. Et si l'on considère les maladies de la mémoire comme Alzheimer, bien souvent la mémoire n'est pas totalement annihilée puisque certains éléments du passé subsistent, telle la mémoire à long terme.

Une fois établie la nécessité de trouver un équilibre entre oubli et souvenir, il semble essentiel de s'intéresser à la manière dont on peut se réapproprier son passé pour se construire.

Pour commencer, l'idée d'un réagencement du passé prend tout son sens si l'on part du principe que la mémoire est un espace donné et que, en oubliant certains éléments du passé, alors on donne plus de place à d'autres. Cela signifie que l'on fait en quelque sorte croître ces souvenirs choisis et qu'en cultivant de cette manière son jardin, on s'enrichit sans aucun doute. En fait, sans même avoir besoin de sélectionner et favoriser parmi ses souvenirs, on sait que l'histoire de chaque individu contient une part d'idéalisation et donc de reconstruction : on fait la part belle à certains souvenirs au détriment d'autres. On pourrait presque dire que chacun romance un peu son passé : on se plaît à se remémorer et à partager les souvenirs que l'on affectionne, et ce faisant, on leur donne plus de place, plus de signification dans le récit de sa vie.

Si l'on va plus avant dans la manière dont on peut se réapproprier son passé pour mieux construire le futur, il apparaît qu'on peut de surcroît l'interroger et lui donner une autre place. En plus de l'expérience du pardon et de la reconstruction déjà évoquée, qui permettent de survivre, il faut ajouter que cela laisse en nous un précédent qui nous rend aptes à dépasser une difficulté, de nature identique ou analogue. Ainsi, savoir se rappeler ses morts et faire le travail de deuil en notre mesure peut nous permettre d'échapper à une immense souffrance et donc de continuer à vivre. Cela favorise de surcroît notre socialisation : l'expérience du deuil peut nous rapprocher de ceux qui le partagent ou l'ont déjà vécu. Revisiter ensuite cette expérience nous renseigne sur la manière dont cela a participé à notre construction, que ce soit positif ou négatif, et nous rend plus pleinement conscients de nos forces et de nos points faibles. Le phénomène de résilience, que l'on trouve chez l'écrivain Georges Pérec ou encore chez le neuropsychiatre et éthologue Boris Cyrulnik, en est un exemple remarquable : en prenant acte d'un événement traumatique vécu, un individu peut parvenir à ne pas, ou ne plus, vivre dans le malheur et à se reconstruire d'une façon socialement acceptable.

Ainsi, trois axes de réflexion s'articulent lorsque l'on cherche à comprendre quelles parts d'oubli et de mémoire doivent se combiner pour aller de l'avant dans l'existence. L'oubli est un formidable outil dynamique, et parfois salvateur, c'est indéniable. Il reste néanmoins inaccessible ou à éviter pour une construction profonde et sûre de son identité et une stabilité de son cheminement personnel. L'oubli comme la mémoire sont deux outils qui doivent servir la prise en main et surtout l'acceptation de son passé, autant que possible, pour un présent et un futur pleinement assumés.

L'équilibre entre ces deux outils est la seule garantie de succès de cette construction et la réflexion mène à penser que cela doit être le fruit d'un travail conscient et patiemment accompli.

Production guidée : l'article explicatif   p. 98

1. 1 : Un nouveau centre commercial à l'abord unique – 2 : Une démarche qui cherche à allier commerce et culture – 3 : Un premier bilan prometteur

2. 2

3. *Exemple de production :*
Aller faire ses courses comme on irait au musée : c'est la promesse du centre commercial Polygone Riviera, implanté près de Nice. Il renferme une collection permanente d'une dizaine d'œuvres d'art contemporain et propose des expositions temporaires. Mais que font les centres commerciaux des œuvres d'art ?

4. 1. la chute – 2. l'accroche

5. Description du fait : 2, 6 – Formulation des causes et buts recherchés : 1, 3 – Présentation des conséquences et résultats : 4, 5

6. *Exemple de production :*
Niché entre mer et collines, le centre commercial Polygone est construit sur un parc arboré de 70 000 m². Des fontaines musicales s'ajoutent à la verdure pour accueillir les visiteurs dans un environnement calme et agréable différent des autres centres commerciaux. Mais ce n'est pas tout puisque l'art y a une place de choix : le lieu se compose de quatre espaces distincts (dont un multiplexe de dix salles de cinéma et un casino), et pour les relier, des promenades agrémentées de onze œuvres contemporaines achetées ont été aménagées. Un parcours pédagogique est même proposé pour guider les visiteurs dans la promenade artistique de ce complexe artistico-commercial à ciel ouvert. Quant aux boutiques présentes, c'est un pari inédit dans la région : on y trouve des créateurs moins connus.

Comment est né ce projet ? L'inspiration est née des alentours niçois qui fourmillent de musées et de fondations, sans compter les possibilités de partenariats. C'est ainsi que le centre Polygone a signé un accord avec la célèbre fondation Maeght. Pour le président de la société, le but recherché était de créer un « espace de promenade seul ou en famille autour d'œuvres d'art, offrant bien plus qu'un lieu de shopping visité par 10 millions de personnes ». Jérôme Sans, le directeur artistique rêve quant à lui de faire de Polygone Riviera « l'écho de ceux qui font la culture dans la région », des projets ambitieux qui ont donc permis aux créateurs de ce centre d'occuper une place jusqu'alors inoccupée entre Saint-Tropez et Monaco.

Avec plus de 7 millions de visiteurs par an, et outre les objectifs commerciaux des boutiques, ce centre représente une réelle opportunité pour de nombreux artistes. C'est ainsi que Philippe Ramette considère ce lieu comme une possibilité nouvelle d'être vu : « Ces expériences ont permis de renverser les choses, ce n'est plus le public qui vient à ma rencontre, mais l'inverse. C'est très stimulant. » Bien sûr, si Polygone Riviera est d'un genre inédit, il n'en reste pas moins un centre commercial, et il n'est pas le seul de la région, loin de là. Pour Cap 3000, le centre commercial historique à proximité, cette concurrence d'un genre nouveau représente un défi à relever : à défaut d'œuvres d'art, ils ont opté pour une expansion et une modernisation d'envergure, avec l'annonce d'un nombre d'enseignes doublé sous peu.
(389 mots)

Production guidée : bâtir un discours   p. 99

1. 🎧 41 Je suis très heureux d'être parmi vous aujourd'hui. J'y reviendrai parce qu'être au milieu de vous, c'est aussi l'accomplissement d'un très gros travail, travail que les ministres ont effectué avec beaucoup de parlementaires ici présents et avec tous les acteurs historiquement associés à toutes les organisations qui ont convergé pour fonder l'Office français de la biodiversité. C'est un long travail qui se concrétise et en quelque sorte à travers vous, il prend un visage humain. Mais c'est aussi être là aujourd'hui, pour prendre part à votre travail, Monsieur le Maire, Monsieur le Président du Conseil départemental, les scientifiques présents, vous qui êtes membres de la compagnie du Mont-Blanc et acteurs de la montagne. Les quelques heures que nous venons de passer à la Mer de glace, nos échanges, m'ont permis non seulement de continuer encore à apprendre sur les sujets du dérèglement climatique et de la biodiversité, mais surtout, nous avons pu toucher du doigt, mesurer, rendre tangibles les sujets dont nous parlons bien souvent, car c'était l'un des objectifs que nous poursuivions. Et ce que nous voyons avec l'évolution du glacier, c'est la preuve irréfutable, la trace en effet de ce réchauffement, de ces dérèglements et au fond, du basculement de tout un écosystème avec toutes les conséquences qui ont pu être décrites et que nous voyons à l'œil nu. L'accélération du recul du glacier ces dernières années est aussi la trace, d'une part des faits qui n'avaient pas toujours été anticipés, y compris par nous-mêmes, et des conséquences des actions passées et d'autre part de l'urgence que nous avons aujourd'hui d'agir. Nous savons depuis quelque temps maintenant quelles sont les causes et les conséquences principales du réchauffement climatique, cela a été documenté et a conduit à une mobilisation jusqu'à l'accord de Paris. Mais c'est vrai que nous voyons ici les conséquences, je dirais accélérées, de ce qui a été vécu ailleurs. Je parle sous le contrôle de personnes beaucoup plus expertes que moi, mais quand le dernier siècle a vécu un degré de réchauffement, sur la Mer de glace, cela représente en fait 2,5 degrés. Tout cela est connu, simplement ici, nous le mesurons avec la force des traces, des preuves, l'émotion aussi de voir un paysage se déformer, de voir des espèces disparaître ou être bousculées, et enfin, de réaliser que tout un écosystème se transforme, que l'usage de la montagne, le nôtre comme celui des différentes espèces, est peu à peu modifié et qu'en conséquence, notre comportement devra s'adapter. Pour qu'on puisse répondre pleinement et plus rapidement aux demandes de vous tous qui êtes les témoins sur place, un plan a été lancé en avril dernier pour là aussi répondre à un défi encore plus particulier qui est celui de la vallée, victime elle aussi des gaz à effet de serre. Tous ces dérèglements, je le disais, sont ici visibles, tangibles. Et je pense que c'est une pédagogie collective que de la montrer à nos concitoyens si d'aucuns devaient encore douter ou si certains pouvaient penser que tout cela peut attendre. Et il y a un autre dérèglement, je l'évoquais en parlant d'un basculement de l'écosystème, qui est indissociable du dérèglement climatique : c'est celui de la biodiversité, le cœur de notre combat et de votre combat. Et en effet les deux sont profondément liés car là aussi il y a urgence. Et si le GIEC depuis vingt ans, même un peu plus, a su dire, traduire, bâtir une documentation précise du réchauffement, des réchauffements à venir et des actions à mener, notre science, notre connaissance profonde des conséquences, des transformations de la biodiversité est plus récente et je veux saluer ici le travail de l'IPBES qui a rendu au printemps dernier le premier grand rapport. Je les ai reçus à l'époque et je dois dire que ce fut pour moi là aussi un choc. 60 % des animaux sauvages ont disparu ces cinquante dernières années, les espèces disparaissent à un rythme mille fois supérieur au taux d'extinction naturel et sur les 98 500 espèces étudiées l'année dernière par l'Union internationale de la conservation de la nature, plus de 27 000 sont menacées. Ce combat pour la biodiversité, c'est pour stopper l'autre grande transformation que nous sommes en train de subir, celle d'un basculement du vivant, d'un vivant qui recule pour la première fois du fait de nos actions, ou des conséquences inattendues de celles-ci ou des effets combinés d'une série de nos actions et des transformations de certains écosystèmes. Ce combat pour la biodiversité, c'est d'abord un combat pour notre propre survie car pour notre alimentation, notre capacité à vivre, notre capacité à nous habiller, à nous réchauffer, à continuer à évoluer dans les écosystèmes qui sont habités et qui sont les nôtres, nous avons besoin de cette biodiversité. Ce combat pour la biodiversité, c'est aussi pour notre survie émotionnelle et relationnelle. Nous ne vivons pas enfermés dans des lieux clos mais nous sommes liés à cette biodiversité. Nous partageons ses aventures, ses émotions, nous sommes en relation avec elle, vous l'avez aussi ô combien formidablement montré.

1. La reconnaissance du travail accompli – **2.** L'impact du réchauffement climatique sur le monde de la montagne – **3.** Les conséquences du réchauffement sur la biodiversité – **4.** L'appel à combattre pour la survie de l'espèce humaine

2. La disparition de la biodiversité – Le travail fourni pour lancer l'OFB – La réalité du réchauffement climatique – L'urgence de la situation – La nécessité de combattre

3. 1. c – 2. a – 3. d – 4. e – 5. b

4. a. 1. Changer de regard sur l'avenir : principes n° 1, 2, 8
2. Rendre les collectivités humaines plus participatives : principes n° 4, 7
3. Respecter la planète et sa biodiversité : principes n° 3, 6
4. Favoriser l'économie solidaire : principes n° 5, 9, 10
b. *Exemple de production :*
J'ai le privilège aujourd'hui de prendre la parole devant vous pour défendre ce qu'il y a de plus fédérateur, de plus crucial, de plus beau : la vie. On parle beaucoup et partout, peut-être trop parfois, de toutes les tragédies qui se déroulent, et dont beaucoup nous incombent. Je pense aux espèces qui disparaissent, à ces écosystèmes que l'on détruit, aux malheurs qui frappent les populations les plus démunies, aux ravages que l'on prévoit encore, et ce malgré toutes les mises en garde. C'est vrai, c'est important, mais ce ne doit pas être tout.
Comment inclure tous ceux qui ne se sentent pas concernés ? Tous ceux qui pensent que les jeux sont déjà faits ? Tous ceux qui pensent que de toute façon, les décisions ne leur ont jamais appartenu et qu'elles ne leur appartiendront jamais ?
Eh bien, je propose que l'on commence par parler de ce que l'on peut faire, de ce que l'on a en nous comme ressources, comme capacités d'amélioration. Je veux vous dire que nous ne sommes pas finis, qu'il est encore temps. Que l'on a encore des raisons d'espérer. Et j'espère que lorsque j'aurai fini de décliner mes idées en quatre points, vous aussi vous espérerez.

Pour commencer, quand on aborde la thématique de ce qui nous attend pour le futur, on a tendance à réfléchir avec nos idées du passé, à prendre exemple sur des événements passés. En somme, on a tendance à la « ringardise ». Alors je vous vois me regarder, vous dire que, franchement, je suis gonflée, vous traiter de ringards alors que vous êtes venus ici pour écouter un discours finalement optimiste. Vous n'avez pas tort : je suis gonflée, j'ose l'être car s'il y a bien une chose qui est sûre, c'est qu'on doit se poser des questions, se remettre en question, changer de regard sur l'avenir, et pourquoi pas : renverser la table.
Le temps est venu, ensemble, de poser les premières pierres d'un nouveau monde, et pas simplement de remettre les pierres de l'édifice écroulé à leur place, tant bien que mal. Le temps est venu de transcender la peur en espoir. On n'a jamais réussi de belles choses, ensemble, en n'y croyant pas. Vous n'êtes pas d'accord ? Franchement : les révoltes contre l'oppression, toutes les formes d'oppression, c'est bien parce qu'on croyait qu'autre chose était possible, non ? Et la création de régimes nouveaux qui s'ensuivait parfois, c'était aussi dans l'espoir d'un monde nouveau, certainement pas juste par peur. Il faut du désir pour construire, pour être ensemble, pour faire ensemble. Le temps est venu de redonner du sens au progrès : si le progrès est l'accumulation, alors oui, continuons, ne changeons rien. Mais si le progrès a pour but de nous rendre plus heureux, meilleurs pour nous-mêmes, pour notre entourage et pour notre environnement, alors ça crève

les yeux : le progrès doit passer du quantitatif au qualitatif. Nos sociétés arrivent à saturation : saturation de biens et de produits, saturation de constructions – enfin, pas partout, seulement pour les 10 % les plus nantis de l'humanité –, saturation de services. Bref, nous avons tout. Mais ce tout n'est pas toujours bon pour nous, la nature, la faune, la flore, la planète. Alors remplaçons, refaisons, retraitons, recyclons. En mieux. Ça, c'est du progrès.

Parlons à présent de nous, cet « ensemble » que je viens d'évoquer. À mon avis – et je suis sûre que je ne suis pas la seule, j'en vois quelques-uns d'entre vous qui souriez, d'un air entendu – si je ne suis pas la seule donc, rien n'est possible si nous ne nous regroupons pas en communautés humaines. Si nous ne nous rappelons pas l'objectif de départ, celui qui a présidé à nos rapprochements, à la construction même des communautés humaines : le bien commun. Et plus encore, je dirai que rien n'est impossible si nous ne choisissons pas de revoir nos objectifs, individuels et collectifs, de les soupeser, de les évaluer pour finalement les faire converger. Ne vous méprenez pas : mon propos n'est pas de dire que l'individualité doit s'effacer au profit d'un collectif tout puissant, je crois fortement au pluralisme et à la libre participation de chacun. Non, loin d'un diktat, je dis et j'affirme que l'écologie est multiple, peut permettre à chacun de trouver son compte et est inspiration avant d'être coercition. Il nous faut rendre les collectivités humaines plus participatives. Il nous faut nous écouter les uns les autres, sans mépris, sans disqualifier les autres sous prétexte d'opinions différentes. Le temps est venu d'entendre la jeunesse et d'apprendre des anciens, les générations doivent aussi tendre vers les mêmes souhaits pour notre planète. Le temps est venu d'écouter les peuples premiers. Leur connaissance de l'environnement qui les fait vivre prime parfois sur nos souvenirs et nos encyclopédies, et leurs intuitions se sont avérées juste.

Pour ce qui est de respecter la planète et sa biodiversité, je laisserai mon collègue en parler, il en sait bien davantage que moi, je ne suis pas scientifique. Mais je peux affirmer quelques préceptes nécessaires à un futur vivable. Le temps est venu de prendre soin et de réparer la planète : on vous le dira, plein de choses peuvent être réparées. On a vu des milieux sous-marins, par exemple, se reconstituer après avoir été sanctuarisés. Le temps est venu de laisser de l'espace au monde sauvage. On ne peut plus déboiser en se disant que les animaux iront ailleurs, on ne peut plus traiter la terre, l'eau, l'air en se disant que moins d'insectes, c'est plus confortable pour nos vies citadines ou préférable pour les rendements de l'agriculture.

Pour finir, comment envisager un futur ensemble, un futur différent, un futur qui nous rassemble, sans évoquer l'économie ? Il faut la rendre solidaire, c'est ça le mot d'ordre : SO-LI-DAIRE. Je ne suis pas en train de vous dire qu'on va tout confisquer, nationaliser, non. Quoique nationaliser… c'est une question qu'il faudra se poser, qui a du sens car je ne pense pas qu'il soit normal de rendre profitables, ou d'espérer rendre profitables des services ayant trait à la santé, à la sécurité, à l'éducation, etc. Non, je veux parler d'une économie au service de l'humain, qui fasse vivre tout le monde et qui assure la décence à tous. Le temps est venu de miser sur l'entraide, je vous le dis. Le temps est venu d'une mondialisation qui partage, qui coopère et qui donne aux plus faibles. Le temps est venu de préférer le juste échange au libre-échange. Écoutons les économistes, ils ont des choses à nous dire. Ils ont des propositions à nous faire. Ne fermons pas nos frontières, cela n'a pas de sens. Ne nous réfugions pas derrière un protectionnisme effréné qui aurait tout d'un nationalisme inavoué. L'histoire nous l'a prouvé : derrière des murs, derrière des grillages, derrière des barbelés, c'est rarement le bonheur qui pousse. Mais ayons du bon sens : le local est préférable s'il est disponible, le travail d'ici vaut le travail de là-bas, tout comme le travail de là-bas vaut le travail d'ici. En tout cas il devrait le valoir. Accorder de la valeur à la planète, c'est accorder de la valeur à ce que nous en faisons, à l'énergie que nous déployons à en vivre. Accorder de la valeur à la vie, c'est accorder de la valeur aux êtres vivants et à leurs œuvres, rémunérées ou non d'ailleurs. Ça devrait être ça l'économie : reconnaître la valeur des biens et des services que nous proposons et que nous acquérons.

Textes et exploitation

Haussmann, l'homme qui bâtit Paris p. 100

1. a. 2
b. La géographie de la ville de Paris ne reflétait pas les aspirations de l'empereur Napoléon III. Il lui fallait une ville à son image.
c. moyenâgeuse – sordide – dangereuse – malsaine – insalubre
d. 1. libérer les flux – **2.** favoriser les liaisons – **3.** embellir la ville – **4.** avoir de meilleures conditions sanitaires
e. 1. Construction de grandes avenues capables d'absorber la circulation – **2.** Création d'un chemin de fer circulaire – **3.** Création du parc Montsouris, des Buttes-Chaumont, du visage actuel des Champs-Élysées, des Grands Boulevards. – **4.** Développement du système d'égouts
f. 1. Vrai : *[…] défonçant des centaines de constructions* (l. 6-7). *[…] Parmi les bâtiments et monuments démolis* (l. 7) *[…] Des monuments vénérables ont été détruits* (l. 37-38).
2. Vrai : *[…] expropriant et indemnisant les habitants* (l. 6).
3. Faux : *[…] une circulation en constant accroissement* (l. 10-11) *[…] Paris récoltait en 1852 environ 52 millions d'impôts ; en 1869, ce sont près de 232 millions qui entrent dans les caisses* (l. 28-30).
4. Faux : Intertitre *Le désaveu de Napoléon* (l. 31).
5. Vrai : *[…] le remodelage de la géographie parisienne et les programmes de constructions nouvelles ont, en effet, déclenché une vague de spéculations sans précédent* (l. 34-36).

2. a. Il est licencié. Synonyme : « l'éviction d'Haussmann. »
b. *[…] dota la capitale de deux poumons en aménageant les bois de Boulogne puis de Vincennes* (l. 11-12). Il souhaite faire respirer Paris, aérer la capitale grâce à l'aménagement de deux bois. La métaphore « poumon » (organe qui nous permet de respirer) représente les immenses espaces verts que sont les bois de Boulogne et de Vincennes.
c. *[…] Haussmann est l'un des hommes les plus brocardés de France* (l. 33-34). *[…] Jules Ferry en écrira le célèbre pamphlet* Comptes fantastiques d'Haussmann (l. 37).
d. Même en tenant compte des monuments historiques que Haussmann a pu détruire, l'auteur est fasciné par le résultat très esthétique des travaux réalisés par Haussmann : *Avec le recul du temps et en tenant compte tout de même de la disparition d'un nombre important de constructions […], on ne peut que reconnaître la nécessité et la beauté* (l. 41-43).

J'ai goûté la pizza à 40 euros p. 102

1. a. Il s'agit d'une critique gastronomique. – Le ton est sarcastique et élogieux.
b. Il est scandalisé : rien ne peut justifier un prix aussi élevé pour une pizza. – Il est intrigué : il veut la goûter.
c. une volaille – un produit laitier – un sous-produit de volaille – un champignon – une variété de salade
d. Jugement émis : réunit richement tous les ingrédients – Ingrédient : la crème au foie gras – Expression employée : *lie le tout, apportant du gras bienvenu*
Jugement émis : croquante et fondante – Ingrédient : la scarole – Expression employée : *apporte sa mâche soyeuse*
Jugement émis : le sel nécessaire à l'équilibre du plat – Ingrédient : les billes de truffe noire – Expression employée : *la salinité facilite la balance*
Jugement émis : généreuse et aérée – Ingrédient : la pâte – Expression employée : *dodue mais pas dense*
e. 1. Vrai : *vue sur la quinzaine d'ampoules XXL découlant du*

plafond comme toute ambassade bistronomique qui se respecte.
2. Faux : *Pour les billes de truffe noire façon caviar en revanche, on repassera…*
3. Vrai : *Becs sucrés, ne ratez pas le baba au rhum napolitain maison. Splendide…*

2. a. Le restaurant a-t-il raison de proposer une pizza aussi chère ? Je vais aller tester et vous donner mon opinion.
b. À celle du camion pizza de la cité dans laquelle il a grandi. L'auteur souligne son côté populaire avec les mots et expressions : *une cité, la pizze, s'avale, bas prix, sobrement*.
c. *l'agitatrice ; la belle* : elle fait scandale ; c'est une star. Grâce à ces personnifications, l'auteur la distingue clairement de celle du camion pizza.
d. 1. *l'intéressé paradait à Milan – Signore Nasti agit déjà comme certains grands généraux de la gastronomie française : introuvable devant son four au déjeuner.*
2. *le CV doré – sollicité pour régaler les invités des* Best Chefs Awards *– Gennaro Nasti, cet orfèvre*
e. Il formule une opinion nuancée en revenant sur de nombreux préjugés. Il les récuse grâce à des expressions de l'opposition et de la concession : mais, pourrait… ce n'est pas le cas, au contraire, en revanche, même si, pourtant, si ce n'est.

Tribune : 45 députés s'opposent au déremboursement de l'homéopathie   p. 104

1. a. Il s'agit d'un article d'opinion rédigé par des élus qui ont des convictions politiques différentes pour demander le maintien du remboursement de l'homéopathie.
b. 1. Défense de l'homéopathie – **2.** Questionnement autour des raisons d'une telle controverse – **3.** Répercussions de la mesure envisagée par le gouvernement – **4.** Requête des signataires de la tribune
c. 2 – 3 – 5 – 7

2. a. Cette mesure permettrait à la Sécurité sociale de réduire son déficit et de faire des économies.
b. Les auteurs de la tribune pensent qu'il s'agit d'un leurre. Le gouvernement souhaite crédibiliser sa décision et s'attirer les faveurs de l'opinion publique en misant sur l'argument économique.
c. D'après les auteurs, le déremboursement de l'homéopathie entraînera une augmentation des médicaments traditionnels qui sont plus chers. D'autre part, la consommation de ces derniers présente plus de risques liés aux effets secondaires potentiels, ce qui peut entraîner de nouveaux frais. Ainsi, d'après les signataires de la tribune, au lieu d'alléger le déficit de la Sécurité sociale, le déremboursement de l'homéopathie risque de le creuser.
d. En réfutant cet argument, ils le reprennent pour défendre leur cause : c'est le maintien du remboursement de l'homéopathie qui permet de soulager le déficit de la Sécurité sociale *(contribuer à la maîtrise des dépenses publiques de santé.)*
e. *Fake médecine* – Cette pratique est pourtant reconnue depuis longtemps par le monde médical et inscrite au recueil officiel des médicaments. Les chiffres montrent qu'elle est largement prescrite par les médecins et qu'elle satisfait un grand nombre de patients.
f. Ce sont des questions rhétoriques qui n'attendent pas de réponses. Elles permettent aux auteurs de donner leur avis quant à l'opposition qui est faite des deux types de médecine (conventionnelle et alternative) et d'inviter le lecteur à prendre position également. Les auteurs pensent qu'il ne faut pas opposer les deux types de médecine mais les utiliser de manière complémentaire.
g. Expressions de la certitude : indéniablement, on le sait, on comprend donc d'emblée.
Expression du sentiment : Il est difficile d'accepter l'idée.
Injonction : l'homéopathie ne doit pas être déremboursée au 1er janvier 2021, nous demandons au gouvernement de maintenir le niveau de remboursement…
h. Les signataires réclament que chacun ait le droit d'avoir différentes options en matière de soins. C'est une liberté. Les auteurs pensent que le gouvernement a une attitude paternaliste et oriente la population dans ses choix en décrétant quelle pratique thérapeutique privilégier par le biais du remboursement ou non des médicaments.

Extrait de : Lorsque j'étais une œuvre d'art, d'Éric-Emmanuel Schmitt   p. 106

1. a. Les personnages principaux : les frères Firelli, les aînés sont les jumeaux et le cadet est le narrateur. – Le thème : La cohabitation avec la beauté et les effets sur les gens.
b. Partie 1 : La beauté : merveille et imposture – Partie 2 : Le choc de la désillusion
c. Le narrateur : offensé, insignifiant, meurtri – Les jumeaux : idolâtrés, fortunés, sublimes
d. 1. les lèvres : *vermeilles* – **2.** les yeux : *toutes les nuances de bleu s'y retrouvaient* – **3.** la peau : *l'éclat de leur peau* – **4.** les lèvres : *ciselées* – **5.** les lèvres : *pulpeuses* – **6.** les narines : *palpitantes* – **7.** les narines : *sensuelles*
e. 1. Vrai : *Côtoyée au quotidien, elle blesse, brûle et crée des plaies qui ne cicatrisent jamais.* (l. 2) – **2.** Faux : *Enfant, j'étais persuadé d'être aussi magnifique qu'eux.* (l. 18) […] *je n'avais pas douté une seconde, à les contempler constamment et en double, que je leur ressemblais.* (l. 33-34) – **3.** Vrai : *Mes frères gagnaient des millions en vendant cette illusion.* (l. 15) […] *en exploitant commercialement leur physique* (l. 19) – **4.** Vrai : *Un éclat de rire énorme secoua la classe. Même le professeur ricana quelques secondes* (l. 26) – **5.** Faux : *je découvrais un visage fade sur un corps fade, un physique si dépourvu d'intérêt, de traits saillants ou de caractère* (l. 35-36)

2. a. Les élèves : *La stupeur marqua les faces.* Les élèves s'attendent à voir quelqu'un d'incroyablement beau à l'image des jumeaux. Mais ce n'est pas le cas. – Le narrateur : *J'étais abasourdi.* Le narrateur du fait de la réaction du professeur et de ses camarades de classe a une révélation. Il ne ressemble pas à ses frères.
b. 1. Reformulation : On se disputait âprement les jumeaux Firelli pour des soirées. Réponse : Ils sont probablement des mannequins à succès. Leur image fait vendre dans des publicités par exemple. – **2.** Reformulation : En lui souriant, je l'invitais à découvrir la vérité. Réponse : Le narrateur, fier de porter le nom de Firelli, est toujours dans l'illusion qu'il est aussi beau que ses frères, il attend donc que le professeur lui pose la question.
c. Ces dernières phrases apparaissent comme les explications du sentiment que le narrateur expose au début de l'extrait. Les plaies qui ne cicatrisent jamais correspondent au sentiment de médiocrité que le narrateur n'a jamais cessé d'éprouver depuis sa désillusion.

Économie au féminin : « Une femme sur un chantier, ça étonne encore »   p. 108

1. a. Elle dirige une équipe sur un chantier. Elle travaille dans le domaine des travaux publics.
b. Les femmes y sont peu nombreuses.
c. Le domaine militaire et le monde du cheval.
d. Elle visait la garde républicaine (la garde à cheval).
e. Une blessure au genou l'a empêchée d'embrasser cette carrière.
f. 1. Faux : *Je voulais un métier en extérieur et physique.* (l. 32-33)
2. Vrai : *Épaulée par son mètre quatre-vingts, une bonne répartie et un caractère bien trempé.* (l. 58 à 60)
3. Vrai : *Je suis même parfois un peu trop directive […] on me dit de parler plus gentiment.* (l. 60 à 62)
4. Vrai : *Je fais le job comme les autres.* (l. 63)

Corrigés et transcriptions

2. a. 1. *elles ne sont pas légion dans ce secteur d'activité* **2.** *Les filles se comptent sur les doigts de la main.*
b. *Les formulaires d'inscription ne disposent encore que de la mention « fils de… ».* Lorsque Charlotte a suivi sa formation, l'administration ne concevait pas encore que des filles puissent s'y inscrire.
c. Lorsque Charlotte cherchait un apprentissage, une entreprise lui a dit qu'elle ne prenait pas d'apprenti. Or, une semaine plus tard, cette même entreprise lançait une campagne de recrutement d'apprentis. Il apparaît que l'entreprise ne voulait pas engager Charlotte du fait de son genre.
d. Non. Elle porte un chignon ou une queue-de-cheval sous son casque. Elle se réjouit de pouvoir bientôt porter une tenue coupe femme.
e. Charlotte voit une évolution dans son domaine. Les femmes, bien que minoritaires, y sont moins rares. De petits signes comme « les tenues coupe femme » montrent également un changement en ce sens. Cependant, elle est la seule à occuper une fonction de chef dans son entreprise. Les postes à responsabilité sont attribués aux hommes. De plus, elle a toujours l'impression qu'elle doit faire ses preuves contrairement à un homme. Ainsi, même si les mentalités changent, il reste encore du chemin à parcourir avant que les femmes soient considérées exactement comme les hommes dans le domaine professionnel.

Réussir, disent-ils   p. 110

1. a. C'est un essai. – L'auteure remet en question la notion de réussite.
b. Aux cadres moyens.
c. Cadre moyen : 3, 6 – **Cadre supérieur :** 1, 2, 4, 5, 7
d. 1. Le bureau : partagé ou non, sa taille et son aménagement – **2.** L'habillement : tailleur et costume.
e. 1. Faux : *Mais vous aurez beau franchir les échelons et moissonner de plus en plus de gadgets et de signes tangibles de réussite, le cadre moyen est voué à rester cadre moyen.* (l. 16-17) – **2.** Vrai : *Car il existe autant de distance entre le cadre sup' et le cadre moyen qu'entre ce dernier et les intermittents, les précaires, qui ont bien peu de droits et sont autant de chômeurs potentiels.* (l. 22 à 27) – **3.** Vrai : *[…] il ne vous reste plus qu'à jouer un rôle, qu'à faire semblant.* (l. 29) – **4.** Faux : *[…] comble du comble, elles ne sont pas (ce serait trop simple) des vêtements que vous-mêmes choisiriez pour être à l'aise !* (l. 37-38)

2. a. La chanson parle d'un businessman qui est arrivé au sommet de sa carrière, qui a beaucoup d'argent et possède tous les attributs que lui confère son poste (un bureau en haut d'une tour, des secrétaires…). Malgré cela, il est malheureux. Les paroles de la chanson permettent à l'auteure d'introduire son sujet sur la réussite professionnelle.
b. Selon l'auteure, ce que chacun conçoit comme une réussite est artificiel et il ne s'agit que d'un leurre. Avec le titre « Réussir, disent-ils », l'auteure met une distance entre la conception de la réussite selon les acteurs du monde du travail et la sienne.
c. Le ton est ironique. Elle critique l'entreprise et la naïveté des salariés qui se laissent acheter par des biens matériels et qui pensent qu'ils sont plus appréciés et favorisés lorsqu'ils obtiennent un bureau plus grand et mieux aménagé que les autres.
d. *[…] personne pour allumer la fusée qui sommeille entre vos fesses.* – Le ton est humoristique.
e. Tout n'est qu'illusion, paraître et agitation pour peu voire pas de travail réellement accompli.

En prison, des chiens pour soulager les peines   p. 112

1. a. Aurélie Vinceneux est psychopraticienne. Kelly, Priscilla et Harley sont des détenues de la prison de Nantes.
b. Elle propose des ateliers de médiation animale chaque semaine à de petits groupes de volontaires parmi les détenues afin de rendre la vie en prison moins difficile.
c. 2, 3, 6
d. 1. Faux : *mais aussi auprès d'enfants hospitalisés.* (l. 35) – **2.** Faux : *ils sont formés pendant environ un an et leur aptitude à jouer les médiateurs est évaluée par un éducateur canin* (l. 36 à 38) – **3.** Faux : *Aurélie Vinceneux, l'intervenante, se prête elle aussi au jeu.* (l. 63-64) – **4.** Vrai : *Même pour nous, les personnels, faire entrer des animaux apporte de la joie.* (l. 85-86)
e. Fan des animaux : Harley, *[elle] dit adorer les animaux depuis toute petite*, Christelle Dubergey, *gaga des animaux*
Battante : Aurélie Vinceneux, *un bulldozer, toujours prête à foncer*
Obstinée : Priscilla, *persévérance*
Adepte du rangement : Kelly, *maniaque ; ma cellule, c'est carré*
Sincère : Priscilla, *sa franchise*
Timide : Harley, *en retrait ; sa réserve*
Sûre de ses opinions, sachant argumenter : Kelly, *défend ses idées avec vigueur*

2. a. 1. des détenues, la maison d'arrêt, la vie derrière les barreaux, prison, milieu carcéral, incarcérée, surveillante, pénitentiaire
2. apaiser, adoucir, mieux-être, ça enlève la tristesse, un apaisement phénoménal
b. Faire parler.
c. Aurélie met en place un jeu dont le but est de trouver les qualités des personnes en présence. Avant de les inviter à parler d'elles-mêmes, ce qui serait sans doute trop brutal, Aurélie invite les femmes à choisir des qualités pour caractériser les chiens. Et ainsi, par effet de résonance (« par ricochet »), les femmes vont commencer à parler d'elles-mêmes : de leurs souvenirs puis progressivement de leur personnalité de manière positive. La présence des deux chiens conduit à libérer la parole et à parler de soi de manière positive, ce qui a pour effet de valoriser l'estime de soi.
d. *Exemple de production :*
Les chiens médiateurs dans l'univers carcéral permettent de recréer du lien entre les humains, de calmer les tensions possibles et les émotions négatives, de réhumaniser l'univers de la prison, de travailler sur l'estime de soi, de vaincre sa réserve et sa timidité. Leur présence apaise autant les détenues que le personnel pénitentiaire offrant ainsi une parenthèse dans cet univers clos.

Jean-Pierre Goudaillier : « Le dominé crée un langage qui n'est pas compris par ses dominants »   p. 114

1. a. 1. un entretien. – **2.** linguiste et universitaire. – **3.** la multiplicité des argots, la façon dont les argots apparaissent dans les marges et le processus d'intégration des argots dans la langue officielle.
b. un groupe, une communauté, un gang, une profession.
c. Il s'en moque, la déforme, la refuse. Ce phénomène traduit une forme de rébellion : la volonté de se démarquer du groupe dominant et le refus de la société telle qu'elle se présente de manière formelle. L'argot a une fonction identitaire en marquant l'appartenance à un groupe social.
d. 1. vernaculaire – **2.** tentaculaire – **3.** cryptique – **4.** ludique – **5.** conniventielle – **6.** identitaire
e. a. 4 – **b.** 2 – **c.** 3 – **d.** 1
f. 1. Faux : *les jeunes bourgeois parlent « le wesh » et utilisent des mots traditionnellement employés dans les banlieues.* (l. 62 à 64)
2. Vrai : *le recrutement est national, tous les patois, les dialectes et les langues régionales se mélangent.* (l. 67 à 69)
3. Vrai : *du français où se glissent des mots étrangers de diverses sources, maghrébines, africaines ou encore tziganes.* (l. 76 à 78)

2. a. *Six mots parmi :* l'argot, une langue de la rue, la langue standard, un langage, le registre familier, la conversation, linguiste, un jargon, des gestuelles langagières, des formes linguistiques, la langue des cités, la communauté linguistique, des mots, les patois, les dialectes, les langues régionales, son parler spécifique, un registre de la langue, des mots étrangers, le verlan, procédé linguistique, inverser les syllabes, la langue populaire, ce français contemporain des cités.

b. Il leur permet de s'affranchir et de se libérer des dominants, de leurs règles et de leurs codes, grâce à une langue non comprise par eux.

c. En parlant de l'argot comme d'une langue fascinante et d'un haut lieu de la démocratie, Jean-Pierre Goudaillier affiche un point de vue positif. Elle est fascinante car elle bouge, se laisse pénétrer par de multiples influences et est le miroir d'une époque. Elle est un haut lieu de la démocratie car cette langue du peuple influe sur la langue française de demain et la fait évoluer. C'est donc le peuple qui fait la langue et non les élites.

Demain sera vertigineux   p. 116

1. a. 1

b. 1. Se filmer pour transmettre sa mémoire à ses héritiers. – **2.** Attribuer son patrimoine numérique à ses descendants. – **3.** Adopter un programme informatique capable de simuler la vie de la personne décédée dans le monde d'après. – **4.** Réaliser une image en trois dimensions de la personne décédée. – **5.** Intégrer un robot conversationnel en trois dimensions à l'image de la personne décédée. – **6.** Se faire implanter des puces électroniques dans le cerveau afin de stocker des informations de son vivant et d'alimenter sa vie numérique. – **7.** Fusionner avec la machine.

c. 1. Faux : *Les idéologues transhumanistes de la Silicon Valley ont convaincu l'opinion que la mort n'est plus inévitable* (l. 1-2) – **2.** Vrai : *[…] c'est une euthanasie numérique.* (l. 13-14) – **3.** Faux : *L'immortalité biologique est encore une perspective incertaine et lointaine.*

d. 1. Communiquer avec des membres de la famille disparus ; discuter avec l'hologramme d'Einstein ou de Louis XIV – **2.** L'ubiquité (les intelligences numériques peuvent se multiplier) ; l'immortalité ; la capacité de circuler très rapidement, d'être copiées et de fusionner.

2. a. la cyborgisation

b. La mort de l'humanité telle qu'elle est aujourd'hui, la fin du corps, la cyborgisation de l'homme, le pouvoir des machines et de l'intelligence artificielle.

c. Les transhumanistes croient en l'immortalité biologique, c'est-à-dire que le corps ne vieillit plus et ne meurt plus. Les post-humanistes pensent que l'intelligence artificielle va permettre à l'esprit de survivre à la mort du corps (la mort biologique).

d. L'immortalité biologique est bien plus précieuse, plus intéressante mais bien moins accessible que l'immortalité numérique. Mais à défaut de pouvoir y accéder, on s'oriente vers l'immortalité numérique, moins attirante, certes, mais plus accessible et tangible.

e. Il semble exprimer de la peur. Il redoute que cette hypothèse ne devienne réalité.

f. Les quatre premières étapes sont possibles aujourd'hui, la cinquième semble tout à fait réalisable, les étapes 5 et 6 sont en cours de réalisation (accessibles en 2025 et 2035). L'ultime étape est effrayante car c'est le renoncement de l'intelligence humaine – avec son lot de névroses, valeurs, pulsions, etc. qui la composent – au profit des intelligences artificielles. Cependant, elle apparaît ici comme le fruit des six étapes précédentes, donc accessible. L'auteur nous fait une démonstration de ce qui pourrait arriver à l'humanité dans un futur pas si lointain. Cette démonstration lui sert d'argumentaire pour dire que l'intelligence artificielle ne peut en aucun cas remplacer ce qui nous compose intrinsèquement.

g. La référence au Guide Michelin et le commentaire « Les microprocesseurs ne vont pas au restaurant ». L'intelligence artificielle ne remplacera pas les plaisirs de la vie.

« Soldat inconnu » est un jeu vidéo sur la Grande Guerre, mais ce n'est pas un jeu de guerre   p. 118

1. a. La Première Guerre mondiale.

b. À l'occasion du Centenaire du début de la Première Guerre mondiale.

c. Un genre alternatif dans l'univers des jeux vidéo de guerre – La commémoration et la transmission

d. Jeu humaniste – Jeu à contenu historique – Jeu didactique – Jeu avec une charge affective

e. Une correspondance personnelle

f. Parce qu'elle a provoqué beaucoup d'émotion à sa lecture contrairement aux documents militaires qui n'exposaient que les faits de manière très froide.

g. L'ambiance y évolue comme pendant la guerre. Au début, le ton est tragicomique, plutôt léger mais plus on avance dans le jeu, plus le traitement est sombre. Le début rappelle donc l'insouciance des soldats qui pensaient au départ que la guerre ne durerait pas longtemps.

h. Il y a 55 faits historiques accompagnés de grands visuels. En cliquant dessus, on obtient les informations correspondant à ces faits. Ainsi, lorsqu'un soldat indien apparaît, on apprend que les Indiens se sont battus aux côtés des troupes britanniques.

2. a. La guerre : le conflit
La Première Guerre mondiale : la Grande Guerre
L'esprit de guerre : belliqueux
Les armes : les balles, les obus
Les lieux de combats : le front, les tranchées
Les terribles conséquences de la guerre : les horreurs, les atrocités

b. 1. *Nous avons voulu casser les codes traditionnels.*
2. *Il n'y a pas de gentil, pas de méchant.*

c. Les jeux de guerre classiques consistent à appartenir à un camp, à se battre contre un ennemi clairement identifié et à le tuer grâce à des armes. Dans ce jeu, les personnages, quelle que soit leur nationalité, et donc leur camp, sont considérés comme des victimes de la guerre. Ils ne sont pas opposés les uns aux autres. Ils n'ont pas la possibilité de tuer. Leur but est d'aider ceux qui sont en difficulté et de survivre durant cette période.

d. On peut imaginer que le journaliste trouve le scénario un peu naïf et peu réaliste ainsi que la réalisation graphique tirée de l'univers de la BD un peu légère pour traiter un sujet grave comme celui-ci.

Extrait de : *Musée haut, musée bas*, de Jean-Michel Ribes   p. 120

1. a. *Musée haut, musée bas* présente une succession de **sketchs** laissant poindre **un regard philosophique sur l'art, sa réalité, son utilité, etc.**
La thématique de la pièce utilise un levier comique avec un humour **de situation**, des dialogues et réponses **du tac au tac**, mêlant **le burlesque** à des situations quotidiennes aux limites du comique de **l'absurde**.
Cette comédie **loufoque** et son lot de personnages un peu **fous** raviront les amoureux du genre !

b. 1. la mère. Cause : La mère est déterminée à aller voir l'exposition Modigliani. Elle répond à la question de la caissière comme s'il s'agissait d'une évidence.

2. la mère. Cause : La mère souhaite montrer un peintre stable, durable à ses enfants, non un peintre qui ne reste exposé que quelque temps car pour elle, c'est le reflet de la société et il faut pouvoir rassurer les enfants.

3. la mère. Cause : Elle est révoltée du fait de la présence des mêmes peintres dans la collection permanente : des peintres classiques vus et revus, que l'on connaît tous (Delacroix, Poussin, Watteau…). Elle souhaiterait la présence de nouveaux peintres.

4. la caissière. Cause : La caissière est agacée car la mère tient

de longs discours à la caisse alors que d'autres gens attendent derrière elle.
5. la mère. Cause : La mère comprend qu'elle doit se dépêcher et arrêter de tenir de longs discours à la caisse. Elle est en colère car elle pense que la caissière ne prend pas le temps de discuter avec elle et la traite comme une « temporaire ».
c. Elle fait référence à la marchandisation des œuvres d'art à travers les objets dérivés.

2. a. 1. Une exposition temporaire met à l'honneur un artiste. Ici, la mère l'entend d'une manière tout à fait différente : « temporaire » signifie instable, non durable et donc moins considéré que ce qui est permanent.
2. La mère a un petit côté hystérique dans sa manière de tout exagérer (par exemple : une exposition temporaire pourrait choquer les enfants et avoir une influence négative sur leur avenir). Elle passe également par différents sentiments. De plus, alors qu'elle est déterminée à aller voir l'exposition Modigliani, elle part finalement sans avoir visité le musée. Enfin, elle semble rendre responsable la caissière des décisions du musée en l'accusant directement.
3. La caissière et la mère parlent des peintres exposés au musée comme s'il s'agissait de personnes actives en concurrence les unes avec les autres. Cela donne l'impression qu'ils sont encore en vie. Watteau est considéré comme le vieux qui ne veut pas laisser sa place et Renoir et Monet comme ceux que l'on voit dans tous les musées mais aussi sur tous les produits dérivés. Quant à Modigliani, il apparaît comme le jeune prometteur à qui on ne veut pas laisser la place (alors que celui-ci est mort en 1920 !).
b. 1. Vous auriez pu supprimer des classiques comme Watteau ! Watteau, on l'a assez vu !
2. Que ce soit Renoir ou Monet, on voit toujours les mêmes peintres, c'est assez ! Place au renouveau ! Il faut qu'ils comprennent qu'une nouvelle génération de peintres arrive après eux !

Extrait de : *L'humanité en péril*, de Fred Vargas   p. 122
1. a. Il explique la genèse de l'ouvrage de 2019. C'est ce texte de 2008, sa réception et son actualité toujours avérée qui ont donné l'idée à l'auteure d'écrire un essai.
b. Le texte est ironique.
c. Non, puisque les COP avancent très lentement et que les problèmes restent les mêmes finalement, aucune action n'étant réellement menée.
d. 1. *nous avons vidé les mines*
2. *nous avons jeté nos pesticides à l'eau, nos fumées dans l'air […] acidifié la pluie […] enfoncer des déchets radioactifs dans le sol*
3. *nous avons conduit trois voitures […] nous avons mangé des fraises du bout du monde, nous avons voyagé en tous sens*
4. *détruire un tiers des espèces vivantes*
5. *nous avons conduit trois voitures […] nous avons chaussé des tennis qui clignotent quand on marche*
e. 1. Vrai : *[…] comme seul l'homme sait le faire avec brio, qui ne perçoit pas la réalité lorsqu'elle lui fait mal.*
2. Faux : justification 1. « *On est obligés de la faire la Troisième Révolution ?* » *demanderont quelques esprits réticents et chagrins* ; justification 2. *D'aucuns, un brin rêveurs, tentent d'obtenir un délai, de s'amuser encore avec la croissance.*
3. Vrai : *Sauvez-moi, ou crevez avec moi.*
4. Vrai : *Pas d'échappatoire*

2. a. Elle accuse les pays riches. Les autres, les pays pauvres, ont souffert de la situation.
b. Elle les compare à la cigale très insouciante et non prévoyante qui ne fait que profiter sans anticiper les conséquences de ses actions.
c. Elle consiste à sauver la planète, réparer les dégâts, changer nos modes de vie de manière drastique. La solidarité, la générosité et la paix garantiront la réussite de cette révolution.
d. L'ironie : 1. le champ lexical de l'amusement : *On s'est bien marrés* (répété plusieurs fois) – *il est plus rigolo de sauter dans un avion avec des tennis lumineuses que de biner des pommes de terre.* – *de s'amuser encore avec la croissance.*
2. La phrase : *On a réussi des trucs carrément épatants, très difficiles, comme faire fondre la banquise*
Le paradoxe : 1. *éclairé les nuits* – **2.** *mouillé le désert* – **3.** *laver l'eau*
e. Même si la critique est très virulente à l'égard d'une partie de l'humanité (elle s'y inclut), Fred Vargas termine son texte de 2008 sur une note d'espoir et d'optimisme en disant qu'à condition de modifier en profondeur nos comportements, on devrait encore pouvoir profiter de la vie mais différemment. En écrivant cet essai en 2019, elle espère que cela sera utile et aura des répercussions positives.

DALF C1
Compréhension de l'oral   p. 124
Première partie

🎧▶42 **Mathieu Vidard :** Bonjour Thierry Pacot.
Thierry Pacot : Bonjour.
Mathieu Vidard : Merci d'être avec nous, vous qui êtes philosophe de l'urbain avec ce livre qui sort aux éditions du CNRS, *Mesure et démesure des villes*, un essai dans lequel vous tentez de définir la juste taille justement d'une agglomération en proposant d'abord un parcours historique à la rencontre des auteurs qui ont réfléchi à la question. Pourquoi d'abord est-ce que vous dites que cette question de la juste taille d'une ville et plus généralement d'un territoire est une question controversée aujourd'hui ?
Thierry Pacot : Elle est controversée parce que les Nations unies avec leur officine « Habitat » qui siège à Nairobi et qui organise un grand sommet tous les vingt ans sont convaincues que plus une ville est importante en population plus elle est étendue géographiquement et bien mieux c'est pour tout le monde. Alors je n'en étais pas du tout convaincu et donc j'ai essayé de reconstituer un peu cet historique et là j'ai été assez étonné parce que je ne croyais pas qu'il y avait eu autant d'analyses chiffrées, quantitatives mais pas seulement de la bonne taille des villes. […]
Mathieu Vidard : Justement aujourd'hui à l'échelle de la planète, c'est toujours la démesure qui prévaut avec des mégalopoles, des projets pharaoniques tels que vous les décrivez ?
Thierry Pacot : Oui, oui, c'est vraiment, quand j'ai mis à jour *Désastres urbains* quatre ans après sa parution, j'étais sidéré de voir à quel point tout ce que je dénonçais n'a fait qu'être multiplié partout, partout, partout sur terre.
Mathieu Vidard : Et ce que vous dénonciez, c'était entre autres les gratte-ciel.
Thierry Pacot : Oui, les centres commerciaux, les gratte-ciel et puis la densité, une densité qui n'est pas vécue. Parce qu'il faut bien distinguer la densité vécue qui est indispensable et puis la densité qui est simplement le rapport du nombre d'habitants entassés au même endroit.
Mathieu Vidard : C'est quoi une ville finalement, tiens, parce qu'on voit la difficulté d'en donner une définition exacte parce qu'elle est très variable finalement ? […]
Thierry Pacot : Alors la notion de ville est très compliquée, je l'ai définie de la manière suivante mais ça n'engage que moi, qu'en étant l'heureuse combinaison de trois qualités : la diversité, l'urbanité et l'altérité. Une de ces qualités vient à manquer, ben, ce qu'on appelle ville, s'effondre. Par exemple il y a un produit immobilier très populaire au monde aujourd'hui qui est la *Getting communauty*, c'est-à-dire l'enclave résidentielle sécurisée, bon ben là, on est dans l'entre soi, on

est des gens d'un même niveau social, d'une même culture, bon bah ça manque un peu de diversité et voilà et donc pour moi ça ne fait pas ville. Donc la ville, même petite peut exister. [...]

Mathieu Vidard: Pourquoi la décroissance vaut aussi pour les mégalopoles justement, Thierry Pacot, alors ? Puisque vous, c'est votre thèse.

Thierry Pacot: Oui, ben bon... oui parce que je pars d'un point de vue élaboré par Leopold Kohr qui dit que quand une situation va mal, c'est vraisemblablement parce que c'est trop gros. Voilà, alors donc je l'ai observé évidemment dans un hôpital. Enfin, il suffit d'aller aux urgences pour voir que si tout le monde va au même endroit et bien forcément, ça dysfonctionne, c'est pareil pour les méga-avions, et voilà, donc plus c'est gros, plus on attend, plus c'est chronophage.

Mathieu Vidard: C'est la fin des services publics.

Thierry Pacot: C'est la fin des services publics, etc. Donc je ne pense pas que le toujours plus gros soit toujours le plus efficace et surtout le plus agréable à vivre.

Mathieu Vidard: À quel moment finalement on a commencé à entrecroiser l'évolution des villes et l'écologie, le thème qui nous intéresse dans cette émission ?

Thierry Pacot: Alors ça, c'est beaucoup plus récent. Il a fallu tout le mouvement... Il a fallu d'abord qu'il y ait le productivisme, c'est-à-dire la fin du XVIIIe siècle, ce qu'on a appelé l'industrialisation, pour voir que là il y avait des pollutions nouvelles qui n'existaient pas auparavant et puis que des gens créent des lobbies, voilà, pour contester le fait qu'on rejette l'eau usée et nocive dans la rivière parce qu'on constatait la mort des poissons. Ça, c'est la fin du XVIIIe siècle. Donc il y a déjà des mouvements mais c'est très modeste parce que l'idéologie dominante est quand même : plus il y a de fumée qui est crachée par la cheminée plus le signe de l'abondance et de la richesse est important. Alors il a fallu des auteurs, ce qu'on a appelé un peu les hygiénistes, il a fallu aussi des utopistes pour commencer à dire, non, non attendez là, il faut faire attention, ça ne marche pas comme ça. Et pour vous répondre, c'est vraiment les années de l'après Sommet de Rio, où là on commence à se dire, toute ville a une empreinte carbone et donc on ne doit plus analyser la ville simplement par une idée qu'on a de sa richesse qui est sa « grossitude » mais au contraire de dire : attendez, combien ça coûte en temps de déplacement ? Combien ça coûte en dysfonctionnement ? etc., etc.

Mathieu Vidard: Donc, c'est le début des années 90 ?

Thierry Pacot: C'est très récent.

Mathieu Vidard: C'est hyper récent effectivement. Sur quoi ça va déboucher ?

Thierry Pacot: On n'avait pas d'informations. C'est que... moi qui enseignais ça pendant des années, je cherchais quel est le coût énergétique d'une ville, quelle est sa dépendance alimentaire ? Maintenant, c'est des vrais sujets, c'est des vrais sujets et c'est traité, analysé par beaucoup de chercheurs.

Mathieu Vidard: Alors justement Thierry Pacot sur quoi ça va déboucher finalement cette préoccupation environnementale dans notre rapport aux villes concernant par exemple, il y a plein d'exemples que vous citez. Mais la mobilité, le travail ? Est-ce que le métro-boulot-dodo, ça va être terminé dans les années qui viennent ?

Thierry Pacot: Ce ne serait pas mal, premièrement. Mais je crois qu'on est en train de sortir de l'idéologie de tout... de l'urbain généralisé, pour maintenant penser, à nouveau penser les relations entre ville et campagne et ça, c'est excessivement positif, ce ne sont pas deux mondes qui s'opposent, ils ont toujours été complémentaires. Jamais une ville, même les premières villes dans les vallées fluviales, n'a pu produire son alimentation. Elle a toujours été dépendante d'échanges et de relations avec d'autres villes, parfois même assez lointaines. Donc je crois que le mot-clé maintenant pour moi, c'est territoire. Je pense qu'il faut réinventer les territorialités de notre existence terrestre, et que ça passe par des combinaisons d'associations entre deux, trois petites villes, cinq, six plus grosses, des hameaux, etc. Bon...

Mathieu Vidard: C'est ce que vous appelez le bio-régionalisme, c'est ça ? C'est cette idée ?

Thierry Pacot: C'est ça, exactement, ça part d'une idée très simple qu'avait été élaborée par Elisée Reclus, le grand géographe anarchiste, repris par Patrick Geddes, et puis ensuite... eux, ils n'avaient pas mis « bio », ils avaient mis région mais c'était « région » pas au sens technocratique de nos treize régions à nous, délimitées un peu bizarrement. Non, non, c'était la région, où on partait des conditions environnementales, c'est-à-dire du bassin versant, c'est-à-dire le nombre de forêts, le réseau hydrographique, etc. Et donc ça, c'était très très judicieux et donc il nous faut repartir de ça et il y a un courant américain et un courant Italien. Il n'y en a pas encore en France assez marqué, qui les deux, mais sans forcément interférer l'un avec l'autre, ont inventé la notion de bio-régionalisme.

« Urbanisme : la taille idéale d'une ville », *France Inter*, la Terre au carré, 10 mars 2020.

1. a *(1 point)*
2. b *(1 point)*
3. L'officine des Nations unies est convaincue que plus une ville peuplée est étendue géographiquement, mieux c'est pour tout le monde. *(2 points)*
4. Deux réponses parmi : les centres commerciaux, les gratte-ciel et la densité. *(2 points)*
5. Deux réponses parmi : la diversité, l'urbanité et l'altérité. *(2 points)*
6. L'enclave sécurisée manque de diversité car elle enferme des gens d'un même niveau social et d'une même culture. *(2 points)*
7. Tout ce qui est gros (comme les mégalopoles) implique des dysfonctionnements, notamment des services publics. Il faut donc favoriser la décroissance des villes pour que les services fonctionnent mieux. *(1 point)*
8. b *(1 point)*
9. a *(1 point)*
10. Il faut réinventer les territorialités en passant par des combinaisons d'associations entre deux, trois petites villes, cinq, six plus grosses, etc. *(2 points)*
11. Avec le concept de bio-régionalisme, on part des conditions environnementales du territoire et non plus de divisions administratives arbitraires. *(2 points)*

Deuxième partie
Document 1

🎧 43 **Éric Delvaux:** C'est l'heure du Social Lab avec vous, Valère Corréard. Bonjour Valère.

Valère Corréard: Bonjour Éric.

Éric Delvaux: Ce matin, à propos de la générosité, hein, à l'heure où tout se vend, et bien voici retour du don sur les réseaux sociaux notamment avec ces sites Internet qui essaient de nous faciliter les choses. [...]

Valère Corréard: Alors c'est vrai qu'il y a plusieurs plateformes qui sont sur ce créneau du don. J'avais évoqué le réseau social Indigo, d'ailleurs il y a quelques semaines, ici même, ça en fait partie et vous avez aussi jedonne.org ou donnons.org par exemple. Ce sont donc des sites qui vous permettent de donner mais aussi de trouver un objet parce que là rien ne se vend et tout est gratuit. Autant dire que notre modèle de consommation ou surconsommation est plutôt propice au développement de ce type d'initiatives parce qu'on est tous chaque jour poussé à surconsommer, on se retrouve parfois, souvent avec quelques objets qui ne servent jamais et en plus ils prennent de la place. [...] Sophie Nass est chargée de la communication du site donnons.org. Elle a vu un changement, elle, dans les motivations des utilisateurs. Il ne s'agit plus

seulement de faire des économies. [...]
Sophie Nass : Ce qui est le plus marquant, c'est surtout l'évolution des personnes qui prennent les objets. En fait, au début, c'étaient principalement des personnes qui étaient dans une période de précarité économique mais rapidement les types d'utilisateurs sont de plus en plus préoccupés par des soucis écologiques, clairement. [...]
Valère Corréard : Alors donnons.org a quand même permis le don de plus de deux millions et demi d'objets depuis sa création il y a dix ans. C'est quand même beaucoup deux millions et demi. Au total plus d'un million de personnes sont inscrites sur le site et puis qu'importe que certains viennent un peu spéculer, pour Sophie Nass, cela ne remet pas en cause l'esprit du site.
Sophie Nass : Alors l'idée du projet c'est effectivement de réemployer, réutiliser des objets, de venir en aide et d'avoir un discours solidaire... de solidarité vis-à-vis des personnes. Bah, après si des personnes récupèrent des objets pour les revendre, c'est qu'ils ont peut-être besoin de cet argent-là. Je ne pense pas qu'on puisse s'enrichir avec des objets qui sont donnés sur donnons.org. Il y a une valeur marchande qui est très faible, ma foi si quelques objets se retrouvent à la revente...

« Donner plutôt que vendre ou jeter, en quelques clics », *France Inter*, Social Lab, 10 novembre 2019.

1. c *(1 point)*
2. Notre mode de consommation ou plutôt de surconsommation favorise l'expansion de ce type de sites. *(1 point)*
3. c *(1 point)*
4. b *(1 point)*

Document 2

🎧 44 **Catherine, journaliste :** Alors que se termine demain la 11e édition des Assises internationales du journalisme à Tours et que s'ouvre lundi la semaine de la presse à l'école, selon un récent sondage réalisé pour ces assises 92 % des Français considèrent que le journalisme est un métier utile. La plupart des personnes interrogées disent avoir besoin des médias pour s'instruire, apprendre des choses et se cultiver notamment pour comprendre les enjeux internationaux mais l'information est partout : sur notre téléphone, notre ordinateur, à la radio, dans le bus, la télé, dans les cafés. Bonjour Lise Verbeke.
Lise Verbeke : Bonjour.
Catherine, journaliste : Nous sommes abreuvés d'infos accessibles partout et Lise, vous avez posé cette question : comment vous informez-vous ? [...]
Lise Verbeke : En fait les lecteurs passent en moyenne 10 secondes par article et c'est justement pour toucher les jeunes que des médias ont investi le réseau social Snapchat et son portail Discover regardé par 10 millions de personnes chaque mois en France. *Le Monde* notamment y poste des formats spécifiques, ludiques, avec des photos, des vidéos, des dessins ou encore de courts textes.
Catherine, journaliste : Les médias disent qu'ils s'adaptent pour capter les jeunes mais il faut aussi éduquer aux médias.
Lise Verbeke : Oui et il existe plusieurs associations qui interviennent dans les classes mais certains regrettent sur notre page Twitter de Hashtag le manque de moyens qui sont consacrés car c'est un enjeu démocratique selon vous et c'est aussi ce que pense Sébastien Rochat, il est formateur au Clémi, le Centre pour l'éducation aux médias et à l'information.
Sébastien Rochat : Il y a bien évidemment le phénomène des fausses informations, des fake news, il faut que les élèves acquièrent des réflexes de vérification, identifier l'auteur d'un article, vérifier l'authenticité d'une photographie si elle n'est pas légendée, mais pas uniquement. L'éducation aux médias, ça ne se résume pas aux fausses informations, connaître par exemple le modèle économique d'un média, ça aussi c'est déterminant. Parce qu'évidemment, le modèle économique d'un média a une influence sur la production du contenu.
Catherine, journaliste : Et comprendre comment fonctionnent les médias, ça passe aussi par des ateliers pratiques et des rencontres entre les jeunes et les journalistes...

« Infobésité : comment s'informer », *France Culture*, 16 mars 2018.

1. b *(1 point)*
2. a *(1 point)*
3. c *(1 point)*

Compréhension des écrits   p. 126
1. b *(2 points)*
2. a. Faux. *Celui-ci [le travail] cristallise beaucoup d'attentes et d'investissement.* (3 points)
b. Faux. *Le tableau ne serait pas complet sans les troubles dont témoignent de nombreux chômeurs et retraités : même l'absence de travail est une source de souffrance.* (3 points)
3. a *(2 points)*
4. b *(2 points)*
5. a *(2 points)*
6. Selon l'auteur, les maladies professionnelles apparaissent parce que les personnes ont des attentes vis-à-vis de leur travail, qui vont au-delà de la simple satisfaction professionnelle. Elles peuvent donc nourrir un sentiment de frustration si le travail ne leur apporte pas tout ce qu'elles recherchent à travers lui. *(3 points)*
7. a *(2 points)*
8. Deux réponses parmi : le revenu universel, le salaire à qualification, la réduction de la durée hebdomadaire du temps de travail, l'augmentation du nombre de jours de congés. *(3 points)*
9. Faux. *Il n'est pas impossible que nous en libérer nous plongerait dans l'apathie, et nous livrerait pieds et poings liés au consumérisme effréné.* (3 points)

Production écrite   p. 128
Épreuve n° 1 : synthèse de documents
Exemple de plan :
Titre possible : Doit-on combattre la fracture numérique ?
Introduction : Les deux documents proposés s'intéressent à la place du numérique dans la société française et particulièrement dans les quartiers populaires. Si la réduction de la fracture numérique constitue une priorité pour les pouvoirs publics, d'autres facteurs doivent être pris en compte pour combattre ce problème.
1. La fracture numérique est une réalité...
– Le numérique remplace progressivement les humains derrière les guichets et des utilisateurs n'ont plus accès à leurs droits (document 1).
– Méconnaître les bases du numérique peut constituer un obstacle dans le monde du travail (document 2).
– Pour trouver un emploi ou bénéficier d'aides sociales, ne pas savoir se servir d'un ordinateur est un lourd désavantage (document 2).
– De nombreuses personnes de milieux populaires ne se sentent pas à l'aise avec les nouvelles technologies (document 2).
2. Toutefois ce concept est réducteur...
– Le concept de « fracture numérique » est inadapté et réduit la population à deux groupes, ceux qui savent et ceux qui ne savent pas (document 1).
– Il laisse penser, à tort, que le numérique serait la solution à tous les maux (document 1).
– De plus en plus de personnes de différents milieux accèdent au numérique mais il existe une désinformation quant aux risques de son utilisation (document 1).
– L'utilisation de nombreuses applications, de réseaux sociaux ou le recours à des vidéos en ligne se sont généralisés même

auprès des personnes en situation d'illettrisme (document 1).
3. La fracture numérique soulève d'autres problèmes essentiels…
– Certains craignent de publier des commentaires par peur des conséquences dans leur travail (document 2).
– Il faut s'interroger sur les véritables besoins des usagers pour que le numérique puisse rendre véritablement service (document 1).
– Certaines démarches administratives en ligne sont excluantes lorsqu'on est en situation d'illettrisme ou si on a besoin d'être accompagné (document 1).
– Certaines familles ont un accès restreint à l'ordinateur et à Internet pour des raisons d'ordre économique (document 2). *(13 points)*

Épreuve n° 2 : essai argumenté
Exemple de plan :
Introduction : De nos jours, le numérique est omniprésent dans notre quotidien et il devient presque impossible de s'y abstraire. Le gouvernement souhaite mettre en place un programme de réduction de la fracture numérique, mais ce seul combat ne serait-il pas un leurre ?
1. États des lieux : le tout numérique oblige à une démocratisation de sa pratique…
– La recherche d'emploi ou la demande de prestations d'allocations se réalisent essentiellement par Internet.
– De nombreux postes, même peu qualifiés, exigent une maîtrise a minima des outils informatiques.
– La pratique du digital se généralise à l'école et les parents doivent aussi être en mesure de pouvoir aider leurs enfants et leur donner un cadre.
– L'information, la vie culturelle et une partie de la vie sociale se font aussi à travers Internet et les réseaux sociaux.
2. Limites : toutefois, la réduction de la fracture numérique ne résoudra pas tous les maux…
– Les utilisateurs doivent être sensibilisés aux enjeux liés à l'utilisation des réseaux sociaux et du numérique dans leurs vies.
– Des personnes isolées ou en situation d'illettrisme ne peuvent effectuer certaines démarches sans l'aide de quelqu'un.
– Les milieux plus défavorisés doivent parfois faire des choix et ont un accès plus restreint à des postes informatiques et à Internet.
3. Solutions : d'autres mesures sont nécessaires pour lutter contre les inégalités…
– Des programmes de sensibilisation grand public sur les dérives du numérique et la confidentialité des données personnelles doivent être déployés (dans les sphères professionnelle, éducative et familiale).
– La lutte contre les inégalités sociales et notamment contre l'illettrisme – pas seulement numérique – s'inscrit comme une priorité.
– Le maintien de guichets avec des personnes physiques est indispensable pour accompagner les personnes les plus vulnérables.
Conclusion : La réduction de la fracture numérique est nécessaire pour permettre à chacun d'accéder à un emploi, à la culture et de manière générale à ses droits. Toutefois le numérique ne peut prétendre être la solution aux maux les plus profonds de la société. Il faut donc avant tout mettre en place des programmes de lutte contre les inégalités sociales. *(12 points)*

Production orale   p. 130
1. Exposé avec préparation
Exemple de plan :
Sujet : Doit-on arrêter de consommer ?
Introduction : Nous vivons depuis des décennies dans une société de consommation qui crée des besoins, parfois artificiels. Dans quelle mesure doit-on arrêter de consommer ? Quels sont les impacts de ce modèle et d'autres voies existent-elles ?
1. État des lieux : depuis des décennies, la société de consommation gouverne…
– Notre modèle socio-économique repose sur la consommation de biens et de services offerts par le marché.
– La société de consommation accroît le mécanisme du désir fondé sur le besoin permanent de nouveaux vêtements et d'objets.
– Les stratégies de la publicité attisent ce désir de consommer en l'associant au bonheur, au bien-être et créent des besoins artificiels.
2. Conséquences : et les conséquences de ce modèle économique sont nombreuses…
– L'impact environnemental d'une consommation excessive est désastreux et bouleverse l'équilibre écologique de la planète.
– Les « bons plans » ou prix cassés se font au prix de sacrifice humain et d'une main-d'œuvre souvent sous-payée et favorisent une mauvaise répartition des richesses.
– On observe des sentiments de frustration ou des troubles du comportement chez des individus qui pensent résoudre leur problème via une consommation immodérée.
– Cependant, une prise de conscience émerge et la société de consommation cherche à se réinventer.
3. Solutions : toutefois, d'autres voies de consommation s'ouvrent…
– Des consommateurs optent pour des achats dits « responsables ».
– Cette économie se développe et l'on voit apparaître un marché de seconde main et des marques « vertes » et « éthiques ».
– La lutte contre l'obsolescence programmée des objets passe aussi par la conscientisation des consommateurs de leurs droits à exiger des garanties.
– Certains groupes promeuvent un modèle de décroissance et invitent les citoyens à consommer moins.
Conclusion : Aujourd'hui les méfaits de la société de consommation à outrance sont indiscutables. S'il semble difficile d'arrêter de consommer, d'autres voies s'ouvrent pour limiter les impacts néfastes sociaux, économiques et environnementaux du modèle actuel. La société de consommation est-elle en train de se réinventer ? *(25 points)*

DALF C2
Compréhension et production orales   p. 132

🎧▶45 **Animateur :** Sept milliards de voisins, avec Emmanuelle Bastide, pour les voisins et les voisines.
Emmanuelle Bastide, journaliste : Bonjour, bienvenue, Sept milliards de voisins et de voisines, on parle éducation comme chaque vendredi, aujourd'hui l'école hors les murs et dans la nature. Ce n'est pas une idée saugrenue mais c'est une idée qui part d'un constat alarmant. Aujourd'hui avec la croissance des villes, les enfants n'ont plus aucun contact avec la nature. Des millions d'entre eux n'ont jamais marché pieds nus sur l'herbe, construit une cabane, joué dans la terre, grimpé dans un arbre, appréhendé la possibilité d'une chute et des spécialistes nous disent que c'est une immense perte pour le développement cognitif des enfants. En Europe du Nord, des écoles maternelles dans des forêts où les enfants sont dehors toute la journée jusqu'à moins dix degrés ont fait des découvertes assez incroyables, on va en parler avec nos invités. Bonjour Moïna Fauchier-Delavigne.
Moïna Fauchier-Delavigne, journaliste : Bonjour.
Emmanuelle Bastide : Vous êtes journaliste pour le journal *Le Monde* et vous publiez *L'enfant dans la nature. Pour une révolution verte de l'éducation* avec Matthieu Chéreau. Autant dire qu'en France, on en est très très loin de cette révolution verte. L'Éducation nationale aime les cours de récréation bien bétonnées et les familles ont la hantise d'avoir des enfants qui

Corrigés et transcriptions

se salissent. On sera aussi en ligne avec Catherine L'Écuyer, Québécoise à Barcelone. Bonjour… Elle n'est pas en ligne, on va l'avoir en effet. Elle publie *Cultiver l'émerveillement et la curiosité naturelle de nos enfants*. […] Un peu partout, plus les villes s'agrandissent, plus on bétonne et plus on s'aperçoit un beau matin qu'il n'y a plus d'arbres, plus de nature, plus d'espace où aller facilement avec sa classe, avec ses élèves ou avec ses enfants finalement Moïna Fauchier-Delavigne ?

Moïna Fauchier-Delavigne : Effectivement, on ne sort plus, notamment à cause de l'urbanisation mais pas uniquement, on est aussi beaucoup plus à l'intérieur par rapport à la… à notre façon d'appréhender le risque, parce qu'on a peur de l'extérieur en fait, on a peur de se salir, on a peur d'un possible kidnapping qui n'arrive à peu près jamais mais donc on ne laisse pas les enfants jouer, on ne laisse plus les enfants jouer dehors. Et en fait ce phénomène a été assez rapide, en un peu plus d'une génération, ça a eu lieu. Il y a des études qui ont été faites aux États-Unis par exemple, où l'on voit que des mères qui ont été interrogées en 2004 qui citaient que… elles, 70 % d'entre elles, sortaient tous les jours jouer dehors et la moitié… c'était moitié moins pour leurs enfants déjà.

Emmanuelle Bastide : Alors justement on va… nous on va sortir, pourquoi ne pas profiter de l'automne pour aller ramasser des feuilles mortes. Dans le cas présent, on est dans un pays la France, où la plupart des plantes sont caduques. Caduques ça veut dire qu'elles perdent leurs feuilles. Alors si déjà le sujet ne vous intéresse plus, les voisins, c'est que vous êtes gravement atteint de « bétonnite » aiguë. Alexandra Lagneau est une éducatrice à l'environnement et fondatrice de Collembole qui propose aux écoles des sorties au grand air pas pour faire rien mais pour permettre aux enfants de mieux apprendre. Alice Milot l'a suivie avec les élèves de cours préparatoire, le CP de l'école Albert Thomas, à Champigny-sur-Marne. On est en région parisienne.

Alexandra Lagneau : Tu me la prêtes, s'il te plaît, Éthan, alors… Donc ça, c'est une feuille en plusieurs parties. On compte les morceaux, y'en a combien là ?

Enfants en cœur : Un, deux, trois, quatre…

Enfant seul : Six !

Enfants en cœur : cinq, six, sept, huit, neuf.

Alexandra Lagneau : Neuf ! Elle est en neuf morceaux. On dit que c'est une feuille com-po-sée. Et ça, c'est la feuille du frêne. Vous voyez l'arbre qui est avec de la mousse, là juste derrière nous. Y'a de la mousse, il est gris, un peu jaune, vous le voyez ou pas ?

Institutrice : Regardez, levez la tête vers les feuilles et vous allez voir que ce sont les mêmes.

Alexandra Lagneau : Voilà, Donc le frêne, il est là et il est là-bas et il a des feuilles com-po-sées… Donc ici, on est au parc du plateau à Champigny-sur-Marne et on fait un atelier nature, la découverte de la nature avec une classe de CP. Donc on va travailler sur les cinq sens, l'art, l'imaginaire pour vraiment créer une émotion, un lien des participants envers la nature.

Alice Milot, journaliste : Concrètement ils repartent dans leur sacoche avec quels savoirs ?

Alexandra Lagneau : Je n'attends pas à ce qu'ils apprennent quelque chose mais c'est plutôt des émotions. Je veux que quand ils repartent d'ici, d'un atelier nature en extérieur, qu'ils repartent avec des émotions et une envie d'y retourner. Et plus ils ont envie d'y retourner, plus ils vont apprendre des choses par eux-mêmes et plus ils vont être bienveillants envers cette nature. […] Y'a Jason qui a trouvé quelque chose, qui a fait une remarque, il a dit : « Y'a de la terre partout, partout, partout. » En fait, je ne sais pas si vous avez remarqué mais sur le sol, y'a plein de petites boules de terre comme ça, là.

Groupe d'enfants : Oui.

Alexandra Lagneau : Oui, est-ce que vous savez qui fait ça ?

Groupe d'enfants : Les vers de terre ?

Alexandra Lagneau : C'est les petits vers de terre.

Groupe d'enfants : Pourquoi ?

Alexandra Lagneau : Et bien en fait, c'est leur caca !

Groupe d'enfants : Aaaah…

Alice Milot : Et toi, tu viens souvent dans le parc ?

Enfant seul : Oui pour pique-niquer avec mes cousines. Et en fait, j'aime bien quand les feuilles tombent. Parce que je préfère être dehors parce que y'a plus de liberté qu'à la maison. […]

Emmanuelle Bastide : « Le ciel est bleu », voilà c'est une phrase toute simple qu'on entend dans la bouche d'un enfant mais qui n'est pas une évidence aujourd'hui, Moïna Fauchier-Delavigne.

Moïna Fauchier-Delavigne : Oui, ce que je trouve vraiment intéressant, c'est de se dire que quand on a un enfant qui est dehors comme ça, qui dit « le ciel est bleu », effectivement dans une salle de classe, on n'aura jamais un environnement qui est aussi riche qu'un environnement naturel. Et aussi riche et avec des choses qui évoluent, avec des feuilles un moment qui vont tomber, donc on peut se rendre compte de la complexité des choses, on peut se rendre compte de la beauté du monde et on peut faire beaucoup d'expériences. Et un jeune enfant, il se développe avant tout en faisant des expériences et en développant ses cinq sens et pour ça, le meilleur endroit pour le faire, c'est un endroit qui est riche en matériau et en possibilités. […]

Emmanuelle Bastide : Moïna Fauchier-Delavigne, à quel point les enfants sont aujourd'hui, vous citez les États-Unis tout à l'heure, la France, à quel point les enfants sont aujourd'hui complètement coupés de la nature dans les villes ?

Moïna Fauchier-Delavigne : Alors ils sont coupés de la nature, et en fait, dans les villes mais aussi dans les campagnes. Par exemple, il y a une étude qui a été faite en 2015 par l'INVS, l'Institut de veille sanitaire qui est devenu « Santé Publique France ». Ils se sont intéressés aux jeux extérieurs des enfants et ils se sont rendu compte que quatre enfants sur dix ne sortaient jamais jouer dehors en semaine, et en région parisienne, c'est encore pire. Et à l'époque, les recommandations pour développer l'activité physique des enfants étaient d'intervenir pour favoriser ce jeu extérieur, parce que c'est une question de santé publique.

Emmanuelle Bastide : Alors justement en quoi c'est un problème qu'un enfant vive entre son appartement, son école et son centre de loisirs ? En quoi c'est un problème ? A priori, on va dire, la ville est riche, il y a beaucoup d'offres. L'école est faite pour apprendre plein de choses. À son domicile, l'enfant a des jeux, il a des jouets, il a des jeux vidéos.

Moïna Fauchier-Delavigne : Il a aussi beaucoup de contraintes parce qu'un enfant qui est dans un appartement, il ne peut pas sauter par exemple, il va avoir des contraintes de bruit, des contraintes d'espace et surtout c'est un environnement qui reste moins riche en possibilité et à l'école notamment. […] C'est un espace où l'on est pas du tout en contact avec la nature et cette nature, ce n'est pas… En fait, il y a de nombreuses études qui ont été faites et cette nature, on sait maintenant, on le savait déjà et maintenant c'est vraiment prouvé, la nature nous fait du bien. Ça tout le monde est d'accord qu'aller se promener en nature, ça nous fait du bien. Maintenant on le voit, même avec les neurosciences, on voit la baisse du cortisol quand on fait une promenade dans un espace vert.

Emmanuelle Bastide : Oui, vous citez le chercheur Marc Bergman, qui est chercheur à l'Université de Chicago en psychologie et qui dit cinquante minutes de promenade à pied dans la nature améliore la mémoire et la concentration de 20 %, notamment l'attention dirigée, c'est-à-dire que c'est l'attention qui est nécessaire pour suivre en classe. Personne ne le sait, on va dire, honnêtement ?

Moïna Fauchier-Delavigne : Oui, alors que la marche dans un milieu urbain n'a pas du tout le même effet. Et effectivement, cette marche dans un milieu naturel, ça permet d'une certaine façon, de recharger son attention. Notre capacité d'attention, on l'utilise et donc si par exemple on passe deux heures devant la télé avant d'aller à l'école, un enfant n'aura déjà plus de capacité d'attention, son attention dirigée sera déjà épuisée avant d'arriver à l'école.

Emmanuelle Bastide : Catherine L'Écuyer, vous adhérez à ces constatations, on vous a retrouvé, vous êtes en ligne à Barcelone.

Catherine L'Écuyer, docteur en Sciences de l'éducation et psychologie : Oui, tout à fait, en fait l'enfant a besoin de façon urgente, là, de ralentir. L'enfant du XXIe siècle est un enfant du numérique, c'est un enfant accéléré. Ils sont stimulés par l'hyperconsommation, par l'hyperconnexion. Un rapport récent de « Santé publique France » indique qu'environ un quart des enfants de 3 à 10 ans, la moitié des adolescents de 11 à 14 ans puis les deux tiers des adolescents de 15 à 17 ans passent plus de trois heures par jour devant un écran. Donc c'est un changement culturel qui est très important et ça a beaucoup de conséquences, notamment sur l'apprentissage. La nature c'est un environnement qui a un rythme naturel, quand on observe par exemple un escargot se bouger ou une fleur qui grandit ou une goutte de pluie qui tombe sur une fenêtre. Tout ça, c'est lent et c'est très bon pour l'enfant parce que ça lui permet de se réadapter au rythme de la réalité et ça, c'est important pour l'apprentissage. Parce qu'une classe normale, ce n'est pas une classe accélérée. C'est tout à fait lent lorsqu'un professeur explique une matière.

Emmanuelle Bastide : Comment expliquer, Moïna Fauchier-Delavigne, que la France est complètement déconnectée de ces recherches ? Ou plutôt, je ne devrais pas dire la France mais plutôt l'Éducation nationale ?

Moïna Fauchier-Delavigne : Effectivement pour l'instant, l'Éducation nationale ne prend pas en compte ce sujet. C'est une des raisons pour laquelle on voulait écrire ce livre. C'est que, on parle des écrans qui peuvent avoir des effets négatifs sur les enfants, surtout à haute dose dès le plus jeune âge mais à l'inverse on ne prend pas en compte ce besoin de nature et par exemple dans les cours d'école. Une école qui est construite aujourd'hui, elle peut être construite, on va avoir des architectes qui vont essayer de penser les lieux d'apprentissage à l'intérieur mais l'espace extérieur n'est pas pensé, n'est pas conçu pour qu'il soit adapté aux enfants et avec un environnement qui soit varié et qui ne soit pas que vide et…

Emmanuelle Bastide : La cour de récréation d'ailleurs en pédagogie, elle n'intéresse personne finalement.

Moïna Fauchier-Delavigne : Bah, en France… en France, ce n'est pas un sujet mais par contre si on va par exemple dans d'autres pays, la cour est très différente. Par exemple, j'avais fait un reportage à Annecy, j'avais rencontré une mère allemande qui trouvait scandaleux que dans une école la cour de récréation soit juste bétonnée. Elle disait : « Mais ça, ce n'est pas une cour de récréation. Ça ne correspond pas à ce dont les enfants ont besoin. Ce n'est pas possible d'avoir un endroit comme ça qui soit vide. »

Emmanuelle Bastide : Au Québec, Catherine L'Écuyer, les cours de récréation, c'est du béton, quatre murs ?

Catherine L'Écuyer : Bon ça dépend, il y a à peu près de tout, là, je suis plus familière avec la réalité à Barcelone, en fait, parce que ça fait dix-huit ans que je suis ici. À Barcelone, je vous assure, que oui, c'est du béton et quatre murs. Effectivement, oui.

Emmanuelle Bastide : Oui, la France n'est pas isolée. […] Alors, vous disiez Moïna Fauchier-Delavigne puisque c'est l'objet de votre enquête, *L'enfant dans la nature*, que tous les pays en Europe ne sont pas dans la même situation. Il y a des pays qui ont fait des choix politiques, de société, des choix familiaux aussi, culturels, où la nature reste omniprésente dans l'apprentissage quotidien des enfants.

Moïna Fauchier-Delavigne : Effectivement, quand j'ai commencé l'enquête, j'ai commencé par les écoles en forêt, donc ce que vous évoquez tout à l'heure, où les enfants passent toute la journée à l'extérieur. La salle de classe se passe à l'extérieur, tout le temps. Et donc en Europe du Nord, c'est quelque chose qui est complètement évident, donc il y a beaucoup d'écoles en forêt et ça se développe mais même dans les écoles classiques, les enfants sortent beaucoup dehors, et sont dehors quotidiennement et pendant plusieurs heures. Et depuis quelques années, ça s'est développé dans beaucoup d'autres pays dans le monde mais notamment en Europe. Donc par exemple en Europe maintenant, on a 3 000 à peu près écoles en forêt dont 2 000 en Allemagne. Ça se développe aussi beaucoup par exemple en Angleterre, où en Angleterre on considère depuis à peu près une vingtaine d'années, on s'est rendu compte de ce besoin, il commence à être pris en compte, notamment en Écosse aussi. Et on considère ça comme une innovation, comme une pratique innovante pour la pédagogique et nécessaire pour les enfants, pour leurs apprentissages, quel que soit leur âge, de se dire qu'on ne va pas apprendre que dans une classe fermée. En fait, c'est comme si on ramène ça à la nutrition, par exemple, c'est comme tout d'un coup, si les enfants mangeaient que des pâtes tous les jours en classe, enfin à la cantine, les parents seraient scandalisés. Bah là, en fait, ils apprennent que dans une classe fermée, assis, à peu près.

Emmanuelle Bastide : C'est de l'apprentissage et du bien-être donc. […] Alors en même temps dans l'imaginaire des enseignants qui ne sortent pas, ils ont souvent quand même un peu l'appréhension de se dire, faire sortir les enfants, ça va être la débandade, ils vont courir partout, on ne va pas pouvoir les contrôler, il y aura des risques d'accidents, etc. Il y a beaucoup cette appréhension-là quand même ?

Moïna Fauchier-Delavigne : Effectivement parce qu'on est dans une logique qui est beaucoup plus… et les enseignants apprennent à contrôler la classe et à être surtout dans une activité dirigée donc quand on est en école en forêt, quelque chose qui est essentiel dans l'école en forêt, c'est l'école… c'est une école où le jeu libre a une place importante. Donc on va laisser plus d'espace aux enfants et plus de marge de liberté. Par contre, côté risque, effectivement il peut tomber et les enfants vont tomber par terre mais ils vont tomber par terre, il y aura des feuilles notamment donc ils ne vont peut-être pas se faire mal et surtout c'est un risque qu'on… c'est un apprentissage du risque qui est intéressant. Si l'enfant n'est jamais confronté à aucun risque, qui peut-être un risque qui est dans un cadre mesuré par les enseignants. Les enseignants sont présents et accompagnent l'enfant. L'enfant n'aura pas la possibilité de cet apprentissage et d'apprendre aussi à se faire confiance parce qu'il arrive au bout de son projet aussi.

« 7 milliards de voisins : L'école hors les murs et dans la nature à la découverte du monde », *Radio France internationale*, 28 novembre 2019.

1. Monologue suivi : présentation du document

Introduction : Le document propose une émission sur le thème de la nature à l'école. Il dresse un constat sur la place de la nature dans l'éducation des enfants en France avant de s'intéresser à ses bienfaits sur leur développement cognitif. Deux invitées et le reportage d'une éducatrice témoignent des bénéfices de la nature dans le cadre scolaire : Moïna Fauchier-Delavigne, journaliste au *Monde* et auteure de *L'enfant dans la nature. Pour une révolution verte de l'éducation*, Catherine L'Écuyer, auteure de *Cultiver l'émerveillement et la curiosité naturelle de nos enfants* et Alexandra Lagneau, éducatrice à l'environnement.

Proposition de plan synthétique organisé :

1. États des lieux : un constat alarmant
– Beaucoup d'enfants n'ont aucun contact avec la nature, certains n'ont jamais marché pieds nus sur l'herbe ou jouer avec les arbres. (Emmanuelle Bastide)
– Quatre enfants sur dix ne sortent jamais jouer dehors (en ville et à la campagne) et en région parisienne les chiffres, la situation est pire. (Moïna Fauchier-Delavigne)

– On prend en compte les effets néfastes des écrans mais on ne s'intéresse pas aux besoins de nature des enfants. (Moïna Fauchier-Delavigne)
– Les lieux d'apprentissage sont pensés depuis l'intérieur et on ne s'inquiète pas des besoins en termes d'environnement extérieur. (Moïna Fauchier-Delavigne)
– Les cours de récréation sont vides, bétonnées. (Moïna Fauchier-Delavigne et Catherine L'Écuyer)

2. Quelles sont les causes de cette déconnexion avec la nature ?
– L'urbanisation des villes : avec la croissance des villes, les enfants n'ont plus contact avec la nature. (Emmanuelle Bastide et Moïna Fauchier-Delavigne)
– La peur de l'extérieur : ils sont moins en contact avec la nature car les parents ont développé une peur de l'extérieur. (Moïna Fauchier-Delavigne)
– Cette peur de l'extérieur s'est développée assez récemment (sur un peu plus d'une génération). (Moïna Fauchier-Delavigne)
– Environ un quart des enfants de 3 à 10 ans, la moitié des adolescents de 11 à 14 ans puis les deux tiers des adolescents de 15 à 17 ans passent plus de trois heures par jour devant un écran. (Catherine L'Écuyer)
– Certains enseignants peuvent avoir des appréhensions pour organiser des sorties avec les enfants. (Emmanuelle Bastide)

3. Quelles sont les conséquences de ce manque de nature pour les enfants ?
– Un enfant enfermé va ressentir des contraintes au niveau de l'espace, de ses mouvements, du bruit qu'il peut faire. (Moïna Fauchier-Delavigne)
– Si un enfant passe deux heures devant la télé avant d'aller à l'école, il n'aura plus de capacité d'attention. Son attention dirigée sera déjà épuisée avant d'arriver à l'école. (Moïna Fauchier-Delavigne)
– L'enfant du XXIe siècle est un enfant du numérique, accéléré, stimulé par l'hyperconsommation et l'hyperconnexion. (Catherine L'Écuyer)
– Apprendre uniquement dans le cadre de la classe fermée, c'est un peu comme manger chaque jour le même plat, on finit par s'ennuyer. (Moïna Fauchier-Delavigne)

4. La nature dans les apprentissages
a. L'exemple des écoles en forêt
– La salle de classe se passe à l'extérieur. (Moïna Fauchier-Delavigne)
– Dans d'autres écoles classiques d'Europe du Nord, les enfants sortent beaucoup à l'extérieur et cette pratique s'est étendue à d'autres pays d'Europe : en Allemagne, en Angleterre, en Écosse. (Moïna Fauchier-Delavigne)
– On valorise cette pratique pédagogique innovante pour les apprentissages des enfants. (Moïna Fauchier-Delavigne)
– C'est une école où le jeu libre a une place importante et où les enfants explorent une certaine liberté, même si elle est encadrée par les enseignants. (Moïna Fauchier-Delavigne)
– L'apprentissage de la chute et du risque est intéressant, notamment pour que l'enfant apprenne à se faire confiance. (Moïna Fauchier-Delavigne)

b. Les bienfaits sont avérés
– Les enfants vivent des émotions dans la nature et repartent avec. (Alexandra Lagneau)
– Cela leur donne envie d'y retourner et d'en prendre soin. (Alexandra Lagneau)
– L'environnement naturel est plus riche qu'une salle de classe, c'est un environnement qui évolue et qui permet de mettre à l'épreuve les cinq sens de l'enfant. (Moïna Fauchier-Delavigne)
– La nature nous fait du bien et les neurosciences le prouvent. (Moïna Fauchier-Delavigne)
– Cinquante minutes de balade à pied dans la nature améliore la mémoire et la concentration de 20 %, notamment l'attention dirigée. (Emmanuelle Bastide cite le livre de Moïna Fauchier-Delavigne)
– La nature a un rythme naturel, lent et observer l'environnement permet à l'enfant de se réadapter au rythme de la réalité, ce qui est bénéfique pour l'apprentissage. (Catherine L'Écuyer)

2. Monologue suivi : point de vue argumenté
Sujet 1
Introduction : À l'ère du numérique, de nombreuses études continuent de démontrer le rôle positif de la nature dans le développement cognitif de l'enfant. Comment l'école peut-elle se réinventer pour offrir un peu de vert à nos enfants ?

1. Les bienfaits de la nature pour l'enfant sont multiples…
– Dans la nature, les enfants peuvent se défouler et oublier les écrans.
– Ils peuvent réaliser des expériences qui mettent leurs cinq sens en éveil.
– La nature favorise l'attention dirigée, mobilisée dans les apprentissages.

2. L'école doit se réinventer et interroger ses méthodes…
– Les cours de récréation sont actuellement réservées à de courts temps de pause par les élèves mais ne sont pas investies par les enseignants pour des activités d'apprentissage.
– On introduit le numérique dans les classes et on ignore chaque fois plus notre environnement naturel.
– Les enseignants sont peu accompagnés et incités à mettre en place des projets pédagogiques en lien avec la nature et l'extérieur des murs de l'école.

3. Des actions peuvent être mises en place dans ce sens…
– Les pouvoirs publics doivent encourager et permettre le développement d'initiatives autour de la nature.
– Les espaces extérieurs des écoles peuvent être réinvestis par la communauté éducative : potager, plantation d'arbres, etc.
– Des sorties en forêt et des séjours en classes nature doivent se multiplier pour permettre aux élèves de prendre conscience des bienfaits de la nature et ainsi mieux la respecter.
– Il faut proposer plus de formations à l'éducation à l'environnement aux enseignants.

Conclusion : Les bienfaits de la nature dans les apprentissages des enfants sont indiscutables mais les moyens encore trop limités pour permettre aux enfants d'en profiter. De plus nombreuses actions doivent être développées par les pouvoirs publics et la communauté éducative afin de donner l'opportunité aux élèves de vivre des expériences dans la nature et d'apprendre à mieux la respecter.

Sujet 2
Introduction : De nos jours, la nature peine à se trouver une place dans les établissements. Les bienfaits sur les apprentissages sont pourtant indiscutables mais dans quelle mesure la réalité de terrain des enseignants peut-elle freiner la mise en place d'action en ce sens ?

1. Les bienfaits de la nature dans le développement de l'enfant sont indéniables…
– La nature favorise l'attention dirigée, mobilisée dans les apprentissages.
– L'éducation à l'environnement est plus parlante sur le terrain, là où les élèves peuvent mobiliser leurs cinq sens.
– Les enfants en situation d'échec scolaire peuvent se réconcilier avec d'autres types d'apprentissages.

2. Toutefois, les enseignants doivent faire face à une réalité de terrain…
– Les programmes scolaires sont très chargés et laissent peu de place à des projets en nature. Ils sont de plus en plus tournés vers l'acquisition de compétences numériques.
– Les sorties scolaires, très limitées pour des motifs financiers et encadrés en termes de sécurité, engagent la responsabilité de l'établissement et des enseignants.
– Les cours d'école sont bétonnées et ne sont pas investies comme des lieux d'apprentissage.

3. Pour permettre à l'institution d'évoluer, des actions peuvent être mises en place…
– Il faut proposer des volets de formation à l'environnement aux

enseignants intéressés.
– Des échanges scolaires avec des écoles en forêt peuvent permettre aux élèves de découvrir la nature au travers de leurs pairs.
– Les parents d'élèves doivent être plus fortement impliqués dans l'organisation de sorties en extérieur.
Conclusion : Si l'enfant du XXIe siècle vit dans l'ère digitale, l'éducation en nature semble être encore plus indispensable pour pallier les effets néfastes de la surexposition aux écrans et favoriser les apprentissages. Les conditions actuelles des établissements et du travail d'enseignant doivent être améliorées pour permettre la mise en œuvre de projets d'éducation à l'environnement, en lien avec tous les acteurs de la communauté éducative.
(50 points)

Compréhension et production écrites   p. 133

Dossier : Comment repenser la mobilité ?
Sujet 1
Introduction : Aujourd'hui encore, plus de deux tiers des Français utilisent la voiture pour se rendre au travail. Pourtant, il est urgent d'apprendre à repenser la mobilité et d'autres alternatives existent. Quels en sont les bénéfices et quelles solutions existe-t-il pour modifier nos comportements ?
1. Bénéfices : laisser la voiture au garage présente de nombreux atouts…
– Utiliser les transports en commun, la marche à pied, le vélo ou encore la trottinette pour se rendre au travail ou se déplacer quotidiennement permet de baisser drastiquement la pollution carbone due aux déplacements en voiture.
– On peut économiser des frais liés à l'entretien de son véhicule en optant pour d'autres modes de déplacement.
– Dans les grandes agglomérations, laisser la voiture au garage peut être une source de stress en moins.
– Les moyens de déplacements individuels non polluants servent souvent de sas de décompression entre le travail et la maison et permettent ainsi de joindre l'utile à l'agréable, en pratiquant une activité physique, ou en lisant un bon livre dans les transports en commun.
2. Limites : toutefois, tout le monde peut-il renoncer à se déplacer en voiture…
– De nombreuses personnes ne veulent pas renoncer au confort offert par la voiture.
– Il existe une « fracture territoriale » entre les grandes agglomérations et les zones périurbaines ou rurales où les transports en commun sont limités.
– Les politiques publiques proposent peu d'alternatives aux personnes vivant en dehors des grandes agglomérations.
3. Solutions : des solutions existent pour favoriser le développement de nouvelles mobilités…
– Il faut généraliser les initiatives du type « un mois sans ma voiture » dans toutes les agglomérations, au niveau national.
– Chacun peut relever ce genre de défi pour soi et pour l'intérêt collectif, il en va de la responsabilité individuelle de chacun.
– L'État doit proposer une réduction d'impôt aux personnes se déplaçant en vélo et encourager fortement les entreprises à verser des primes pour les salariés à vélo ou pour ceux en co-voiturage.
– Des subventions ou des primes publiques (nationales et territoriales) doivent permettre de mieux accompagner le développement de nouvelles mobilités individuelles, en tenant compte des revenus et du lieu de résidence.
Conclusion : De nos jours, se déplacer autrement qu'en voiture est non seulement possible mais indispensable pour préserver notre planète. Même si certaines limites freinent encore les utilisateurs de voiture à la laisser au garage, des solutions existent pour modifier nos comportements et nous inciter à nous tourner chaque fois plus vers des alternatives plus vertes.
Sujet 2
Introduction : Alors que depuis des années, la question des mobilités est au cœur du débat écologique, la voiture reste le moyen de transport de prédilection des Français pour se rendre au travail. Les entreprises ont-elles un rôle à jouer pour encourager les salariés à repenser leur mobilité ? Dans quelle mesure, toutes les parties prenantes peuvent-elles en tirer des bénéfices ?
1. États de lieux : aujourd'hui, encore 70 % des salariés se rendent au travail en voiture…
– Certains n'ont pas le choix mais d'autres restent encore très attachés à la liberté et au confort associés à la voiture.
– L'impact carbone des déplacements en voiture est considérable et personne ne peut le nier.
– De nombreux salariés arrivent stressés après leur trajet quotidien en voiture.
2. Solutions : pourtant des mesures peuvent être mises en place pour encourager l'utilisation de transports alternatifs…
– Des ateliers d'information et de sensibilisation aux nouvelles mobilités peuvent être organisés au sein de l'entreprise.
– Des mises en relation entre salariés d'une même localité peuvent favoriser le développement du co-voiturage (aujourd'hui seuls 4 % se déplacent en co-voiturage).
– Les primes aux salariés qui utilisent le vélo doivent être généralisées au niveau national et encouragées par les politiques publiques.
3. Avantages : repenser la mobilité au travail est porteur de nombreux bienfaits…
– Les entreprises qui encouragent des moyens de mobilité alternatifs s'engagent dans une démarche de transition écologique et gagnent aussi en image de marque.
– Les salariés peuvent apprendre à se connaître et créer du lien social grâce au partage de voiture, ou dans les transports en commun.
– S'ils viennent en marchant ou à vélo, ils arrivent moins stressés.
– En laissant leur voiture au garage, ils peuvent sentir une certaine fierté car ils participent la réduction de l'empreinte carbone et inciter d'autres collègues à faire de même.
Conclusion : Les entreprises ont un rôle à jouer pour encourager leurs salariés à se déplacer autrement. Pour cela, des solutions à portée de main existent et leur mise en œuvre peut avoir des retombées positives non négligeables pour les entreprises, les salariés et bien évidemment pour l'environnement.
(50 points)

Achevé d'imprimer en janvier 2023 sur les presses de Macrolibros - Espagne
Dépôt légal : juillet 2020 - Édition n° 03
27/6979/9